Lato
w Toskanii

Elizabeth
ADLER

Lato
w Toskanii

Przekład
AGATA KOWALCZYK
ALICJA MARCINKOWSKA

AMBER

Redakcja stylistyczna
Joanna Złotnicka

Korekta
Halina Lisińska

Projekt graficzny serii *Bestsellery do kieszeni*
Małgorzata Cebo-Foniok

Ilustracja na okładce
© Marco Donnini

Skład
Wydawnictwo Amber

Druk
Wojskowa Drukarnia w Łodzi Sp. z o.o.

Tytuł oryginału
Summer in Tuscany

ISBN 978-83-241-3932-3

Warszawa 2011. Wydanie IV

Wydawnictwo AMBER Sp. z o.o.
02-952 Warszawa, ul. Wiertnicza 63
tel. 620 40 13, 620 81 62

www.wydawnictwoamber.pl

Toskania... Porośnięte winnicami wzgórza, srebrzyste gaje oliwne, pola olśniewających słoneczników, stare wille w pastelowych kolorach, starożytne kamienne wsie, chłodne sklepione przejścia rozświetlane tylko słońcem. I w końcu wioska Bella Piacere* na szczycie wzgórza. Raj...

---

* Wioska Bella Piacere została tak nazwana w XVI wieku przez Angielkę, która znała tylko kilka słów po włosku. Na szczęście, choć nie do końca gramatycznie, te dwa słowa wyrażały uczucia, jakich doświadczyła na widok uroczej wioski położonej na toskańskich wzgórzach – Piękna Przyjemność. A poza tym brzmiało to lepiej niż Bel Piacere...

Rozdział 1

Powiedzmy to sobie na samym wstępie – nie chcieli-byście mnie poznać. Zwłaszcza w sobotnią noc. Dla-czego? Bo właśnie wtedy jest najciężej na ostrym dy-żurze. A trafić na mnie moglibyście tylko wtedy, jeśli by was tam wwieziono na łóżku. Potem pojawiłaby się moja twarz w oślepiającym białym świetle i za-pytałabym: „Jak się nazywasz?… Gdzie cię boli?… Kto to zrobił?…"

Nazywam się Gemma Jericho i „dowodzę" na urazówce w nowojorskim szpitalu Bellevue, a so-botnia noc to prawdziwe piekło. Właśnie mam na głowie zwykłą cotygodniową porcję ran ciętych i po-strzałowych, ofiary wypadków drogowych, zawo-dzące kobiety, zabiedzonych pijaków, narkomanów, którzy przedawkowali, i biedne bezwładne dziecko w ramionach szalejącej z niepokoju matki. Totalny chaos. Jestem na adrenalinowym haju, chodzę od jednego poszkodowanego do drugiego i wydaję po-lecenia: intubacja, tomografia komputerowa, jeszcze jeden zastrzyk z efedryny, zajrzeć do tego dziecka w śpiączce, zadzwonić na pager do chirurga dziecię-cego.

7

Czasami pytam sama siebie: Co ja tutaj robię? Jak tu trafiłam? Dlaczego tak spędzam większość sobotnich nocy? Gdzie jest moje życie? Potem spoglądam na siebie i już znam odpowiedź.

Noszę sterylne ubranie, na włosach mam odpowiednik plastikowego czepka kąpielowego, do tego adidasy i biały fartuch. Jestem na dyżurze już od ośmiu godzin, a to jeszcze nie koniec. Jestem zmęczona, rozczochrana, zła i muszę wziąć prysznic. No i jeszcze ta twarz, która nigdy nie zdobędzie pierwszego miejsca w konkursie piękności, nawet jeśli moja mama mówi, że jestem podobna do Meg Ryan, aczkolwiek w jej gorszych czasach. Ale to tylko takie gadanie mojej mamy. Oprócz tego, że jestem lekarką na ostrym dyżurze, mam trzydzieści osiem lat, jestem rozwiedziona i wychowuję nastoletnią córkę. I właśnie taka jest rzeczywistość.

Poza tym noszę w sobie pewną tajemnicę, której nie zdradzę, straszne poczucie winy, które będzie mnie prześladować przez całe życie. Ale to wyjaśnia, dlaczego uważam, że nikt nie chciałby mnie tak naprawdę poznać. Prawdziwej mnie, która ukrywa się pod fasadą oddanej pracy, szlachetnej lekarki w białym fartuchu.

Czasami przed wyjściem do szpitala patrzę w lustro dłużej niż minutę, potrzebną, aby się upewnić, że moja twarz jest ciągle na swoim miejscu, a włosy wreszcie rozczesane, ale nie widzę wtedy rzeczywistości, tylko przenoszę się myślami do czasów szkoły średniej, kiedy uważałam się za całkiem ładną.

Gemma Jericho, Królowa Parkietu, to właśnie ja. Wtedy całe moje życie koncentrowało się wokół chłopaków i tabunów przyjaciółek. Pamiętam, że mama próbowała przemówić mi do rozsądku – tak samo jak teraz ja usiłuję dotrzeć do mojej córki – powtarzając mi, żebym pomyślała o przyszłości, a nie tylko trwoniła czas na gwiazdę szkolnej drużyny futbolowej. Oczywiście dokładnie to robiłam. Ale to osobna historia.

Czasy, kiedy byłam nastolatką, są już dawno za mną. Trzydzieści osiem lat to cholernie blisko czterdziestki, nie uważacie? Słynne „cztery dychy". Wydaje się to takie odległe, kiedy ma się szesnaście lat. Ile z nas tak naprawdę wtedy myślało, że dobijemy do tego wieku? Na pewno nie ja... a może raczej zdawało mi się, że mnie to nie dotyczy. Tak czy siak, czterdzieści to czterdzieści. I tyle. Trzeba się z tym pogodzić. Na dodatek pewnie dostałabym zero za styl.

Jak wyglądam? Okej, należę do chudzielców i jak powtarza mi mama w każdą niedzielę, kiedy idziemy do niej na obiad, mogłabym wyhodować trochę mięsa na moich kościach. Właściwie większe piersi też by nie zaszkodziły. Może powinnam o tym pomyśleć? Kiedy byłam młodsza, wypychałam stanik, ale już dawno dałam sobie z tym spokój. I chociaż mam niezłe, długie nogi i prawie metr osiemdziesiąt, wcale nie jestem dzięki temu ani trochę z klasą. Jestem dość niezgrabna, naprawdę, i jakimś cudem mam talent do wypadków, ale nie w pracy; wtedy jestem jak nakręcany samochodzik.

Ostatnim razem, kiedy patrzyłam w lustro, miałam niebieskie oczy. Zwykle schowane są za okularami w rogowych oprawkach. Jestem takim krótkowidzem, że to aż żałosne, i bez okularów muszę poruszać się po omacku. Można by pomyśleć, że skoro jestem lekarzem i tak dalej, mogłabym już dawno poddać się operacji z zastosowaniem lasera, ale kto ma czas na takie rzeczy?

Moje włosy, w kolorze przytłumionego naturalnego blond, są krótkie, falujące i źle obcięte (bo w chwilach paniki, kiedy patrzę w tamto lustro w łazience, usiłuję sama się strzyc). Poza tym zdają się żyć własnym życiem – odstają, tworząc okropną sprężystą aureolę, niezależnie od tego, co robię, i są zawsze w nieładzie, bo kiedy jestem rozgorączkowana, a tak jest przez większość czasu, mam nawyk przeczesywania ich palcami.

A co z resztą? Niech pomyślę. No tak, nos mam raczej zwyczajny, z garbkiem – skutek uderzenia rakietą tenisową, kiedy miałam trzynaście lat. Garbek przez lata trochę się powiększył, nadając mi arogancki wygląd, ale mogę was zapewnić, że absolutnie nie jest to sprawiedliwa ocena. Ach, mam też uśmiechnięte usta, których kąciki są uniesione nawet wtedy, kiedy tak naprawdę wcale się nie uśmiecham; ale skoro dzięki temu pacjenci czują się lepiej, to wszystko w porządku.

Pozwólcie, że wam opowiem o moim małżeństwie z tym-o-którym-lepiej-nawet-nie-wspominać. Domyślacie się już pewnie, że mój były nie jest zbyt popularny. Za moich szkolnych czasów, kiedy uważano mnie za całkiem niezłą laskę i świetną tancerkę, interesowało się mną sporo chłopaków, łącznie z bohaterem futbolu. Wzdycham, kiedy to mówię, bo jak powtarzam teraz własnej córce, coś takiego prowadzi donikąd, no, może jedynie na bal maturalny.

W każdym razie prowadzałam się z tym bohaterem szkolnej drużyny i, o Boże, jak ja go uwielbiałam. Całowałabym jego spocone stopy, kiedy ściągał buty po meczu, gdyby tylko tego chciał. Co dziwniejsze, on na mnie naprawdę leciał. Tak bardzo, że pobraliśmy się zaraz po szkole.

Potem poszłam do college'u, on zresztą też – ja na północ, on na południe, choć jestem pewna, że więcej czasu spędzał na bilardzie niż na wykładach.

A ja niespodziewanie dostałam fioła na punkcie medycyny. Miałam jasny cel, on nie miał żadnego. Rozchodziliśmy się i schodziliśmy aż do chwili, kiedy, jeszcze na studiach medycznych, zaszłam w ciążę. Wtedy on po prostu odszedł.

To było czternaście lat temu. Nie widziałam go od tamtej pory, a on nigdy nie zobaczył swojej córki. Rozwiodłam się z nim i nigdy nie wzięłam od niego ani centa. Nie żeby coś takiego zaproponował. Przebrnęłam przez studia medyczne, jednocześnie ucząc się i pracując, i samodzielnie wychowałam Livvie. Jeśli zapytacie mnie, czy jest coś, z czego jestem dumna, odpowiedź brzmi: tak. Jestem dumna z Livvie.

Mam przed oczami jej obraz, rysujący się na tle jasnego słońca: długie, chude nogi, duże stopy w ciężkich butach na platformach, wąskie biodra, szerokie ramiona, długa łabędzia szyja i włosy, które wyglądają, jakby przejechała się po nich kosiarka, zwłaszcza wtedy, kiedy są pofarbowane na zielono jakimś cudownym sprayem, co się czasem zdarza, ale zwykle są po prostu utlenione na bananowy blond.

Livvie ma czternaście lat; przechodzi akurat okres buntu i nigdy nie wiadomo, czego można się po niej spodziewać. Jednak myślę, że wygląd postpunkowy to tylko taki etap i wkrótce z tego wyrośnie. Aczkolwiek zakazałam jej piercingu i tatuaży. Po prostu nie mogłabym siedzieć naprzeciw niej przy obiedzie, wiedząc, że w język ma wbity kolczyk, a na siedzeniu wytatuowaną różę. Na samą myśl ściska mi się żołądek, a jako lekarzowi serce po prostu podchodzi do gardła, bo wiem, jakie to ryzyko.

Trzecim członkiem naszej małej rodziny jest babcia Livvie, moja matka Nonna. Oczywiście *nonna* to po włosku babcia i dokładnie... jest włoską babcią. Tym się zajmuje. I wkłada w to całą siebie.

Nonna mieszka od czterdziestu lat w małej spokojnej dzielnicy na obrzeżach Long Island i właśnie tam się wychowałam. Jej odrapany, stary dom jest w kolorze zaskakującego śródziemnomorskiego błękitu i rzuca się w oczy na tle innych podmiejskich szarych domów jak kawałek letniego nieba w pochmurny dzień. Pomalowała dom na ten kolor, by przypominał jej o Bella Piacere, wiosce w Toskanii, gdzie mieszkała, zanim jej rodzina wyemigrowała do Nowego Jorku. Nigdy tam nie wróciła i wątpię, żeby kiedykolwiek myślała o swojej ojczyźnie czy o starych czasach. Ale ciągle przechowuje fotografie w srebrnych ramkach na mahoniowym kredensie w jadalni, żeby nie zapomnieć.

Jest wśród nich zdjęcie moich dziadków, włoskich imigrantów, uwiecznionych na zawsze w zamazanej sepii, jak siedzą na progu wynajętego mieszkania w Bensonhurst.

Stoi tam również zdjęcie moje i Livvie, zrobione na meczu Małej Ligi, kiedy Livvie miała jakieś siedem lat. Była wtedy jeszcze prostolinijnym, jasnowłosym dzieckiem, którego jedynym marzeniem było zaliczyć bazę, a ja byłam około trzydziestki, już nie taka prostolinijna i ciągle marzyłam o spotkaniu Pana Właściwego. Życie oferowało wtedy nieskończone możliwości. Zdobycie bazy. Odpowiedni facet. I wiecie co? Prawie się to spełniło. I wiecie co jeszcze? Nie chcę o tym rozmawiać.

No i jest moje ulubione zdjęcie Nonny, która wtedy nie była jeszcze babcią. Zostało zrobione w latach pięćdziesiątych, zanim wyszła za mąż, i nazywała się Sophia Maria Lorenza Corsini. Miała wtedy siedemnaście lat, była wysoka i piękna, z ciemnymi, błyszczącymi oczami i burzą ciemnych włosów spływających na jej wąską talię. Miała na sobie kwiecistą sukienkę z trójkątnym dekoltem i sandały na koturnie. Ledwie mogę uwierzyć, że to zjawisko to moja mama.

Teraz Nonna ma sześćdziesiąt lat, a od dwudziestu jest wdową. Jest typową włoską babcią w czerni – rozjaśnionej tylko małym, białym koronkowym kołnierzykiem, w solidnych butach i z okularami zatkniętymi na czubku aroganckiego nosa. Zwykle można ją zastać przy kuchni, jak przygotowuje olbrzymi tradycyjny włoski obiad na niedzielę, tak jak to robiła przez dziesięciolecia.

Nonna jest wysoka i nadal ma niezłą figurę, ale zarzeka się, że w jej wieku żaden mężczyzna nie spojrzałby na nią po raz drugi. Chyba że po dobrym posiłku, dodaje z lekceważącym prychnięciem. Włosy ściąga do tyłu w staranny kok, ale nadal ma te błyszczące, ciemne oczy, które są odbiciem jej żywiołowego usposobienia, i trzyma nas w ryzach za pomocą swojego twardego spojrzenia i kąśliwych uwag.

I to właśnie my. Rodzina Jericho. A, jest jeszcze Sindbad, najgrubszy rudy kot, jakiego kiedykolwiek widzieliście. Sindbad jest ogromny, ale tak wybredny w jedzeniu – zawsze pomiędzy jednym a drugim kęsem przeciera mordkę wylizaną łapą – że nigdy nie można się zorientować, ile tak naprawdę wchłonął. Zachowaniem bardzo przypomina psa. Przynosi swoją starą piłeczkę do ping-ponga, pognieciona licznymi śladami zębów, żebym mu rzucała. Ten kot wyłapuje podania jak rasowy skrzydłowy – zalicza się do futbolowej elity i ma nawet gruby kark jak prawdziwy futbolista.

Właściwie Sindbad pojawił się w zastępstwie psa, olbrzymiego nowofundlanda, którego obiecałam

Livvie, kiedy jeszcze ciągle wierzyłam, że spełni się moje marzenie o domu na wsi. Bo wiecie, był taki czas, wcale nie tak dawno temu, kiedy życie mogło być zupełnie inne... czas, kiedy wszystko było możliwe. Czas, kiedy dom na wsi jawił się jako świetlana przyszłość, przyszłość z normalną, szczęśliwą rodziną: mąż, żona, kilkoro dzieci, psy, koty...

O czym ja myślę? Nie powinnam do tego wracać. Nie powinnam o nim myśleć. Nauczyłam się, żeby nigdy o nim nie mówić, żeby nigdy nawet o nim nie myśleć. A teraz siedzi w mojej głowie, taki cudowny, dwa razy bardziej przystojny niż w rzeczywistości. Cash Drummond. Mężczyzna, który wniósł magię w moje życie i na zawsze je zmienił.

Rozdział 2

Sama nie wiem dlaczego, ale w tej chwili rozpamiętuję, jak siedzieliśmy we dwoje w jego samochodzie; zrobiliśmy sobie krótkie wakacje. Ja byłam za kółkiem, a Cash siedział obok mnie i przyglądał się mapie. Zgubiliśmy się i byłam zdenerwowana. Powiedziałam, że to jego wina, a on roześmiał się, powiedział, że mu przykro, i zaproponował, żebyśmy się gdzieś zatrzymali na obiad. I jak za dotknięciem czarodziejskiej różdżki, a tak działo się zawsze, kiedy byłam z Cashem, ślepym trafem wpadliśmy na ten uroczy, mały wiejski zajazd. Przejechaliśmy obok, zatrzymaliśmy się z piskiem opon, cofnęliśmy krętą dróżką, żeby sprawdzić, co to takiego, i zobaczyliśmy napis: „Restauracja".

Wygramoliliśmy się z samochodu, starego czerwonego sportowego autka (czym innym mógł jeździć Cash?) i udaliśmy się ręka w rękę do tego raju w nowoangielskim stylu, z ciemną boazerią, plecionymi dywanikami i potpourri. Na ścianach wisiały poroża i świeczniki, łóżka pokrywały poduszki z pierza i kwieciste perkale, obok stały chwiejne stoliki pełne bibelotów. Zaspany labrador otworzył jedno oko, żeby na nas zerknąć, a potem z powrotem zapadł w drzemkę.

Dobroduszna siwowłosa kobieta w recepcji uśmiechnęła się do nas zza okularów.

– Państwo na obiad? – zapytała.

Cash ścisnął mocno moją dłoń.

– Właściwie zastanawialiśmy się, czy nie znajdzie się jakiś pokój.

Zauważył, że zachłysnęłam się z zaskoczenia, i wiem, że nie umknęło to także uwagi recepcjonistki.

– Oczywiście – powiedziała. – Już pokazuję.

Ściskałam Casha kurczowo za rękę, kiedy szliśmy schodami na górę.

– Myślałam, że się zgubiliśmy i wpadliśmy tu tylko na obiad – szepnęłam.

Spojrzał na mnie przez ramię, a był dwa stopnie przede mną – jakimś cudem tak było zawsze – i poczułam, że topnieję. Czy wspominałam już, że był blondynem z mocno zarysowaną szczęką w stylu prawdziwego Amerykanina, a może raczej powinnam powiedzieć: prawdziwego Teksańczyka? Że był jak kowboj skrzyżowany z surferem z Malibu? A ja widziałam to jego spojrzenie już wcześniej i wiedziałam, co oznacza. Właściwie w ten sposób zaczął się nasz związek.

Dokładnie zaczęło się od podrywu w Starbucks, gdzie popijałam zakazane mrożone cappuccino (zakazane, bo choć wiem, jak dużo cukru zawierają tego typu rzeczy, nadal nie mogę się im oprzeć). Mimochodem rzucił mi roześmiane spojrzenie i nasze oczy się spotkały. Potem powiedział z tym przeciągłym teksaskim akcentem:

– Jak się pani miewa?

A ja zachichotałam, bo nigdy wcześniej nikt się do mnie w ten sposób nie zwracał.

– Właściwie to mam tytuł doktora – powiedziałam sztywno, bo zwykle nie rozmawiam z obcymi,

16

oczywiście z wyjątkiem szpitala, ale wtedy oni leżą na łóżku, a wówczas trudno o pikantne rozmówki.

– Jak się pani miewa, pani doktor? – Usiadł na stołku tuż obok mnie. Kiwnęłam, że wszystko w porządku. Gapiłam się za okno, robiąc wszystko, żeby tylko na niego nie patrzeć, bo w Nowym Jorku naprawdę trudno o taki okaz. Jego zmierzwione jasne włosy emanowały blaskiem, jakiego brakowało moim, opalona skóra promieniowała zdrowiem, niebieskie oczy były dziesięć odcieni jaśniejsze od moich i, co zaskakujące, wyglądały na znużone światem.

Ten facet nie jest jakimś prowincjuszem, ostrzegałam siebie. Zna swoją wartość. Obrzuciłam wzrokiem jego muskularne ciało, ponad metr dziewięćdziesiąt, z ramionami, których szerokość nie zawdzięczała nic starej zamszowej koszuli, którą miał na sobie. Spojrzałam ukradkiem na jego stopy. Dzięki Bogu nie nosił kowbojskich butów; to by już była lekka przesada.

– Często tu pani przychodzi? – zapytał.

Spojrzałam na niego sceptycznie kątem oka i upiłam kolejny łyk.

– W porządku, dobre jest to mrożone cappuccino?

Patrzyłam za okno, na wyprowadzacza psów z plątaniną smyczy i na coś, co wyglądało jak jakieś szesnaście psów rasy chihuahua.

– Niedawno przyjechałem z Dallas – powiedział przeciągle, tak jakbym w ogóle go słuchała. – Nie mam zbyt wielu znajomych w Nowym Jorku.

Och, dobre sobie… Przewróciłam oczami. Czy on naprawdę myślał, że dam się na to nabrać? A potem zaczął się śmiać, zdrowym, perlistym śmiechem, naturalnym jak źródlana woda i tak samo orzeźwiającym. I zorientowałam się, że ja też się śmieję.

– Jestem Cash Drummond. – Wyciągnął opaloną dłoń porośniętą jasnymi włosami, a ja ją uścisnęłam.

– Cash? – Nie mogłam uwierzyć własnym uszom.

Uniósł brew.

– Mogło być gorzej. Dostałem imię po dziadku. Nazywał się Wilbur Cash.

Roześmiałam się.

– Twoja matka to mądra kobieta.

Wypiłam prawie całe cappuccino i miałam dziesięć minut na powrót do szpitala.

– Muszę już iść – powiedziałam, zakładając na ramię moją olbrzymią czarną torbę.

– Ta torba jest za ciężka jak na taką małą kobietkę – powiedział przeciągle Cash Drummond.

Cóż, ta torba zawierała całe moje życie: portfel, karty kredytowe, prawo jazdy, ubezpieczenie, identyfikator ze szpitala, kolekcję obrazków namalowanych przez Livvie od czasu, kiedy była zupełnie mała, aż do zeszłego tygodnia (tamtego października skończyła dziewięć lat). Były tam również moja książeczka czekowa i ostatni, przygnębiający wyciąg bankowy, przepis mojej matki na duszony udziec jagnięcy, który miałam dać mojej przyjaciółce Patty, czysta bielizna na zmianę, na wypadek gdybym pracowała do późna, a potem musiała wziąć prysznic i się przebrać (nie było żadnego innego powodu, nie myślcie sobie), szminka, zbyt różowa na moją bladą, jesienną twarz, no i jeszcze grzebień, bardzo rzadko używany.

– Pozwól, że ci pomogę – powiedział Cash, sięgając po torbę. I to jest jaskrawy dowód na to, że nagle odjęło mi rozum. Po prostu mu ją podałam. Ja. Mieszkanka Nowego Jorku. Zaufałam mu!

Nasze oczy znowu się spotkały i poczułam, jak zaczynają krążyć po moim organizmie soki, że się tak wyrażę.

– Dokąd idziesz? – zapytał.

– Do centrum – odparłam. – Do Bellevue.

– W takim razie cię podrzucę. – Zarzucił moją torbę na ramię i otworzył przede mną drzwi. – A tak przy okazji, nie powiedziałaś, jak się nazywasz.

– Gemma – powiedziałam, cały czas ze wzrokiem utkwionym w jego oczach, kiedy tak staliśmy w drzwiach do Starbucks. – Gemma Jericho.

I właśnie tak to się zaczęło – z pożądaniem i miłością, i romansem, co doprowadziło do tych mini-wakacji, o których wam mówiłam, kiedy się zgubiliśmy i wylądowaliśmy w tym starym zajeździe, a które właściwie trwały nie dłużej niż długi weekend.

W pokoju na strychu, który pokazała nam siwowłosa kobieta, był stromo nachylony sufit, a z mansardowego okna z kwiecistą zasłonką rozciągał się widok na wiosenną łąkę z sennymi końmi. Łóżko było podwójne, z wiktoriańską żelazną ramą pomalowaną na biało i kolorową patchworkową narzutą. Pół tuzina szmacianych lalek siedziało opartych o rząd poduszek.

Pochyliliśmy głowy i oparliśmy się o parapet, żeby spojrzeć na łąkę. Patrzyliśmy tak przez całe pół minuty, aż nagle zabrzęczały mosiężne kółka kwiecistych zasłon, szmacianki wylądowały na podłodze, a my tarzaliśmy się po tym puchowym łóżku tak, jak to robią tylko prawdziwi kochankowie. Rozpaleni i gotowi na siebie nawzajem, tak jak my byliśmy zawsze. Wtedy.

Odsunęłam od siebie myśli o zakazanej przeszłości i gwałtownie powróciłam do teraźniejszości. Obiecałam sobie, że nigdy więcej nie będę myśleć o Cashu Drummondzie, że nigdy więcej nie będę o nim mówić. Ale co jakiś czas myśli o nim po prostu same napływają mi do głowy, absolutnie nieproszone. Myślałam, że mam już to wszystko za sobą. Wybudowałam wokół niego mur, za którym zamknęłam swoje uczucia. Ale czasami myślę, że nigdy się od niego nie uwolnię.

Sen się skończył. Zostało tylko skrywane poczucie winy. Pozostanie w ukryciu na zawsze, nawet przede mną, bo wiem, że nigdy nie będę w stanie zmierzyć się z prawdą. Wszystko skończone. Teraz jestem oddanym pracy lekarzem ostrego dyżuru, samotną mamą. Kobietą, której serce jest skute lodem, jakiego nie stopi żaden mężczyzna.

Rozdział 3

W pracy jestem kimś w rodzaju kapitana statku – wszyscy oglądają się na mnie, czekając na rozkazy. Tej nocy, jak zwykle, telefony na ostrym dyżurze się urywają, mój pager ciągle piszczy, a jęczący ranni siedzą rzędami na szarych plastikowych krzesłach i wózkach. Moim zadaniem jest ich z tego wyciągnąć, postawić na nogi, żeby chodzili, mówili, żyli.

Szaleje burza. Wszyscy wiemy, co to oznacza: więcej wypadków drogowych. A w tej chwili mam smutny obowiązek ogłoszenia zgonu pierwszej ofiary: młodego mężczyzny, który miał wypadek motocyklowy i którego oczy zamknęły się już na zawsze.

Mój zespół ratował go prawie przez godzinę. Daliśmy z siebie wszystko, a teraz po prostu stoję pokonana pośród plastikowych rurek, kroplówek, zakrwawionych gruzów po naszej walce o jego życie. Kiedy na niego patrzę, ogarnia mnie przygnębienie: taki młody, taki śliczny, z jasnymi, zjeżonymi włosami. Miał tyle powodów do życia... na pewno miał matkę... kochankę...

Powiedziałam sobie, że jestem opanowana, że jestem lekarką, że potrafię sobie z tym poradzić... a potem nagle odwróciłam się, zaczęłam biec wyłożonym kafelkami korytarzem i wypadłam przez automatyczne szklane drzwi.

Deszcz ciągle padał, zamieniając ulice w rwące potoki. Trzęsąc się, chwytałam tak zwane świeże powietrze Manhattanu. Dotarłam do miejsca, gdzie nie sięgają szpitalne światła, do krawędzi mroku, a potem ruszyłam z powrotem. Szłam i myślałam. I powtarzałam sobie, że mam nie myśleć.

W końcu moje serce przestało nerwowo walić i uspokoiło się. W tym samym momencie odezwał się mój pager i pobiegłam do środka, z powrotem na urazówkę.

– Wszystko w porządku? – Przełożona pielęgniarek spojrzała na mnie z niepokojem.

– Pewnie. Po prostu nie mogę znieść widoku krwi. To wszystko – powiedziałam i obie się roześmiałyśmy. Śmiech to sposób na przetrwanie. Tyle tylko, że teraz to ja będę musiała poinformować o zgonie jego rodzinę. Nie ma niczego gorszego.

No więc jestem na dyżurze już od dziesięciu godzin. To była długa noc i jeszcze się nie skończyła. Mój pager znowu zapikał. Tym razem to Livvie, u której nocują dwie przyjaciółki. Zawsze się martwię, kiedy Livvie zostaje w domu beze mnie. Ale teraz naszym domem dowodzi filipińska gosposia. Nie jest wiele starsza od Livvie i z całą pewnością nie jest najlepszą sprzątaczką na świecie, ale jest solidna i odpowiedzialna. Poza tym dużo się śmieje i ma moją córkę na oku, więc co mnie obchodzi trochę kurzu pod łóżkami.

Oddzwoniłam do Livvie. Aż się wzdrygnęłam, kiedy moją błonę bębenkową zaatakowały ogłuszające dźwięki hip-hopu z bardzo ciężkimi basami.

– Livvie, ścisz to – krzyczałam do telefonu. – Co porabiacie, dziewczyny? – Zaniepokojona patrzyłam na przejeżdżające łóżko z ofiarą strzelaniny; kobieta krzyczała na cały głos i klęła, zwijając się z bólu... Byłam już w biegu.

– Mamo, nie mogę iść jutro do Nonny – wrzeszczała Livvie, starając się przekrzyczeć huk basów. – Mam randkę.

– Jaką randkę? Wiesz, że nie możesz sama chodzić na randki. Poza tym zawsze chodzimy do Nonny w niedzielę.

Livvie jęknęła w odpowiedzi, ale ja nie zmiękłam. Pożegnałam się szybko, powiedziałam, że ją kocham, i pognałam za łóżkiem. Była to po prostu kolejna chaotyczna sobotnia noc w Bellevue.

Godzinę później na ostrym dyżurze niespodziewanie się uciszyło. Strumień połamanych ludzi zatrzymał się na minutę. Spojrzałam na ścienny zegar i zorientowałam się, że już jest jutro i od tradycyjnego włosko-niedzielnego obiadu dzieli mnie kilka godzin. Wyspana czy nie, randki nie randki, pójdziemy. Jak zawsze.

Oparłam się obolałymi plecami o zieloną ścianę i pociągnęłam łyk wrzącego brązowego płynu, którym się wszyscy raczyliśmy, udając, że to kawa. Zalała mnie fala zmęczenia i zamknęłam oczy, licząc, że może kofeina postawi mnie choć trochę na nogi.

– Hej, laska, jak leci? – usłyszałam. Wiedziałam bez otwierania oczu, że to Patty Sullivan, moja najlepsza przyjaciółka i koleżanka z pracy. Odwróciłam się do niej i uśmiechnęłam.

Oparła się obok mnie, podciągając jedną nogę jak odpoczywający koń. Patty jest rudowłosą, pulchną Irlandką. Ma śliczne różowe policzki, zielonkawe oczy i rude rzęsy, które zawsze przypominają mi o Sindbadzie, ale oczywiście nigdy jej tego nie powiem. Znamy się od piętnastu lat, razem przecho-dziłyśmy przez szkolenie na ostrym dyżurze, przez życie, miłości, śmierć, rozwody i w przypadku Pat-ty – powtórne małżeństwo.

– Jak leci? – odparłam. – Marnie. A przynaj-mniej tak właśnie wyglądam.

– Zdychasz?

– I to jak.

Patty się uśmiechnęła.

– Po sobotniej nocy masz prawo.

– Jak myślisz, Patty? – zapytałam, ciągle za-martwiając się o Livvie. – Może to nie jest praca dla mnie? Może powinnam się stąd urwać, rozpocząć praktykę gdzieś na wsi, zabrać Livvie z miasta, za-pewnić nam lepsze życie?

Ale zanim Patty zdążyła odpowiedzieć, odezwał się mój pager i musiałam się zbierać.

– Jesteś jak pies Pawłowa – krzyknęła za mną. – Dzwonią – ty biegniesz. Są ranni – ty ich składasz. Nie możesz od tego uciec.

Wiecie co? Ma rację. Tak sobie tylko śniłam na jawie.

Rozdział 4

Wypadłam przez automatyczne drzwi szpitala o piątej rano, a potem ziewałam całą drogę w pociągu, wpatrując się pustym wzrokiem w mrok za oknem, nieświadoma obecności innych pasażerów. Nie chodziło tylko o zmęczenie, ale o koszmarne emocjonalne rozchwianie, jakie dopada każdego w tym zawodzie. W jednej chwili jesteś na nogach, zasuwasz jak mały samochodzik, o czym już wam wspominałam; w następnej wpadasz w czarną próżnię rozważań, co by było, gdyby i jak było naprawdę. I zawsze dźwięczy ci w głowie to odwieczne pytanie: Dlaczego? Dlaczego, no, dlaczego ludzi spotykają te wszystkie straszliwe rzeczy?

Zastanawiałam się, czy powinnam serio pomyśleć o praktyce na wsi, wyrwać się z Livvie z tego wielkomiejskiego wyścigu szczurów, który zaczęliśmy uważać za coś normalnego. Ale prawda jest taka, i dobrze o tym wiem, że nigdy tego nie zrobię. Jestem, kim jestem. To jest moje życie. A kiedy pomyślę o zabraniu mojej cwanej córeczki, która wygląda jak gwiazda popu, w krainę łąk i strumyków... cóż, można o tym zapomnieć.

Mój „dom" to małe mieszkanie w jednym z tych nijakich, anonimowych budynków. Jedyną jego zaletą jest portier Carlos, mój zbawca i przyjaciel wszystkich lokatorów.

W tym tygodniu był na porannej zmianie i przytrzymując mi drzwi, krzyknął wesoło:

– Cześć, doktorku! Jak się pani miewa w ten piękny ranek?

– Co? To już rano? – Wyszczerzyłam się, przechodząc obok, a on roześmiał się z mojego żartu. Cóż, zastrzelcie mnie, ale nie można oczekiwać od człowieka, że będzie oryginalny czy dowcipny o tej nieludzkiej porze, prawda?

W windzie stanęłam tyłem do lustra; patrzenie na siebie byłoby zbyt przygnębiające. Moje pomalowane na kremowo drzwi na dziesiątym piętrze były dokładnie takie same jak sześcioro innych. Przekręciłam klucz, weszłam do środka, zamknęłam za sobą drzwi i zaryglowałam.

Przez chwilę stałam oparta o tę swoistą barykadę, nasłuchując łagodnej ciszy poranka mojego śpiącego domu; był to jeden z tych momentów, kiedy wydaje się, że czas stanął w miejscu. Potem zrobiłam krok naprzód i oczywiście potknęłam się o Sindbada, który wystrzelił w powietrze z piskiem, który mógłby obudzić cały budynek.

– Jezu, Sindbad, przepraszam. – Głaskałam jego gęste rude futro, choć wiedziałam, że tak naprawdę muszę ugłaskać jego nastroszone uczucia. Posłał mi pełne wyrzutu spojrzenie zielonych oczu, a potem ułożył się na nowo, chowając pod siebie wielkie łapy.

Zajrzałam do Livvie. Leżała rozciągnięta w poprzek łóżka w starej koszulce z 'N Sync. Twarz miała wciśniętą w poduszkę, ale mimo to było widać jej ciągle dziecięce policzki, długie rzęsy, pełne usta. Zastanawiałam się rozczulona, jak to jest, że nieważne, jak bardzo nasze dzieci wydają się dorosłe, kiedy nie śpią, to podczas snu zawsze wyglądają na jakieś trzy latka.

Sprawdziłam dwa pagórki na drugim łóżku, czyli przyjaciółki Livvie, które u niej nocowały, zabrałam puste pudełko po pizzy i zostawiłam uchylone drzwi, żeby Sindbad mógł się położyć na swoim miejscu obok Livvie. Potem poszłam do kuchni, która jest jak okrętowy kambuz – długa i wąska z oknem na końcu; wpadające przez nie szare światło poranka jaśniało coraz bardziej. Zajrzałam do lodówki, ale byłam zbyt zmęczona, żeby zdecydować, czy jestem głodna, czy nie.

Pięć minut później, po prysznicu, ciągle z mokrymi włosami, we flanelowej piżamie, z głową na poduszce, zaczęłam zapadać się w czarną otchłań snu. Żeby śnić o tym młodym chłopaku, ofierze wypadku motocyklowego, z najeżonymi jasnymi włosami i łagodną twarzą bez zmarszczek, który miał gdzieś jakąś dziewczynę i całe życie przed sobą.

I opłakiwałam go przez sen.

Rozdział 5

Nonna Jericho była zajęta przygotowywaniem wielkiego, tradycyjnego niedzielnego obiadu. Było to coś, co robiła najlepiej, i dzięki tym przygotowaniom miała zajęcie przez cały tydzień. Ale w tej chwili nie myślała o swoim sosie pomidorowym. Martwiła się o Gemmę.

Uważała, że Gemma pracuje o wiele za dużo i za ciężko, że żyje w zbyt dużym stresie. Kiedyś była pełną radości, towarzyską dziewczyną. Miała mnóstwo energii i umiała cieszyć się życiem. I choć było dużo ładniejszych dziewczyn w szkole, Gemma miała w sobie to coś; szaleli za nią wszyscy chłopcy, ale ona oczywiście wybrała i poślubiła tego niewłaściwego.

Ale nawet to fatalne doświadczenie nie załamało jej. To stało się znacznie później, w pewną chłodną zimową noc trzy lata temu. Gemma nigdy o tym nie mówiła. Czasami Nonna żałowała, że nie jest inaczej, ale Gemma po prostu zamknęła się w sobie. To, co stało się tamtej nocy, zabiło roześmianą, pełną życia młodą kobietę. Została odpowiedzialna, poświęcona pracy lekarka.

Nonna pomieszała w zamyśleniu sos pomidorowy, odgarnęła do tyłu kosmyk ciemnych włosów i pochyliła głowę nad rondelkiem, żeby powąchać. Były tam czosnek i oregano, a także pół butelki chianti, którego dolała, by nadać sosowi trochę charakteru. Pachniało dobrze. W końcu warzyło się od dwóch dni. Jeszcze dziesięć minut i wyłączy palnik, pozwalając, żeby sos sobie postał; w tym czasie smak się przegryzie i złagodnieje.

Wyprostowała się i nagle pokój wokół niej zaczął wirować. Chwyciła się kurczowo drewnianego krzesła, a potem się na nie osunęła, z głową w dłoniach, czekając, aż osłabienie minie.

Zdarzyło się jej to kilka razy w ciągu paru ostatnich tygodni i doktor powiedział, że powinna odpocząć. Powiedział również, że ma wrodzoną wadę zastawki i że jej serce jest słabe. Oczywiście nie poszła z tym problemem do Gemmy. Powiedział jej to lekarz, o którym nic nie mówiła córce. Tak czy inaczej, sama nie wiedziała, czy mu wierzyć, czy nie. Wrodzona wada oznacza, że miała to od urodzenia, prawda? Więc dlaczego wcześniej nie występowały żadne objawy?

Dzieje się tak, powiedział lekarz, po osiągnięciu pani wieku. *Mamma mia*, miała sześćdziesiąt lat, a on mówił, jakby była jakimś antykiem! W każdym razie na pewno nie zamierzała położyć się do łóżka i zostać inwalidką. Postanowiła brać codzienną porcję lekarstw i prowadzić normalne życie, jakby nigdy nic. I nie mówiła o tym nikomu, a zwłaszcza Gemmie. Życie toczyło się dalej, tak jak zawsze. Aż do pewnego dnia.

Naprzeciw niej na stole leżała niebieska koperta, która przyszła pocztą lotniczą. Nonna przejechała powoli palcem po znajomym stemplu, zagranicznym znaczku i starannie wypisanym adresie. Potem wyjęła ze środka list, założyła na nos okulary i zaczęła czytać. Po raz kolejny.

Rozdział 6

Gemma

Kiedy wysiadłyśmy z samochodu, poczułyśmy niosący się wzdłuż ulicy Nonny zapach pieczonego w czosnku mięsa. Livvie zaczęła niecierpliwie węszyć, jak ogar na polowaniu. Sięgnęła do tyłu, żeby wyjąć Sindbada, który zawsze przyjeżdżał razem z nami, przypięty do swojej lawendowej, wysadzanej dżetami smyczy – wybór Livvie, nie mój, a już na pewno nie wielkiego, męskiego Sindbada.

Przed spotkaniem z babcią Livvie obciągnęła minispódniczkę, żeby jej długość była bardziej do przyjęcia, i oczywiście wsunęła do kieszeni kurtki nieodłączną komórkę; mogę się założyć, że ciągle czekała na telefon od wymarzonego chłopaka, co mogło się okazać wyłącznie pobożnym życzeniem. Potem z Sindbadem pod pachą ruszyła po schodkach do domu Nonny.

Deszczowe niebo się przejaśniło i spomiędzy chmur nieśmiało wyjrzało słońce. Zauważyłam czarnego jeepa cherokee zaparkowanego po drugiej stronie ulicy. Moja przyjaciółka Patty i jej mąż Jeff już przyjechali. Od razu poprawił mi się nastrój. Uwielbiałam spotkania z nimi, tak samo jak te niedzielne domowe obiady.

Livvie wpadła do środka kuchennymi drzwiami – u Nonny nikt nigdy nie korzystał z wejścia od frontu; to w kuchni koncentrowało się życie. Potem rzuciła się w szerokie objęcia Nonny i jej twarz została obsypana pocałunkami.

– *Carina* – powiedziała Nonna z uśmiechem, a Livvie się rozpromieniła; jej udawana dorosłość wyparowała i znowu była tylko małym dzieckiem.

– Tęskniłam za tobą, babciu – mruczała, ciągle ściskając Nonnę.

– I ja za tobą tęskniłam, *ragazza*.

To był ich zwykły wstęp. Potem będzie fruwać pierze, jak zawsze, kiedy te dwie się spotykały. Jedna młoda, druga stara, ale obie zadufane w sobie i potwornie uparte – co innego mogłoby z tego wyniknąć?

Ja byłam następna w kolejce. Uściskałyśmy się z Nonną, a potem odsunęła mnie od siebie, żeby mi się dokładnie przyjrzeć. Robiła tak zawsze i dobrze wiedziałam, na co się zanosi.

– Wyglądasz na zmęczoną – ogłosiła swój zwykły werdykt, a ja odparłam to, co zawsze:

– Tak, mamo, jestem zmęczona, spałam jakieś cztery godziny.

Czekałam na cotygodniowy wykład, że powinnam zrezygnować z urazówki, pomyśleć więcej o sobie i Livvie, zadbać o włosy, kupić jakieś nowe ciuchy. Ale dzisiaj, o dziwo, nic takiego nie nastąpiło.

Patty rozkładała na stole talerze i sztućce, a Jeff stał oparty o zlew, popijając chianti. Podeszłam do nich i dałam obojgu po buziaku. Potem, jak zawsze, magnetyczna siła przyciągnęła mnie do kuchni. Podnosiłam pokrywki, sprawdzając węchem zawartość garnków. Oderwałam skórkę od twardego włoskiego chleba, zamoczyłam w pomidorowym sosie i skosztowałam. Niech się schowają restauracje dla smakoszy – to był prawdziwy kulinarny raj.

Zaparowały mi okulary, więc je zdjęłam i wytarłam ręcznikiem, rozglądając się wokół zamglonym wzrokiem. Przyłapałam Patty na tym, że mi się przypatruje.

– Jak dla mnie wcale nie wyglądasz marnie, skarbie – powiedziała. Obie roześmiałyśmy się na wspomnienie minionej nocy, ale z jej oczu wyczytałam, co tak naprawdę myśli. Że wyglądam na pokonaną.

Jeff nalał chianti do kieliszków; jego gładko ogolone policzki były już różowe od bijącego z kuchni ciepła i Nonna otworzyła okno, żeby wypuścić parę. W każdym razie taką podała przyczynę, na co Patty powiedziała, że może się założyć, że prawdziwy powód jest inny; Nonna chciała, by jej sąsiedzi poczuli zapach pieczeni i wiedzieli, że Nonna Jericho znowu ją zrobiła.

Obserwując ich razem, byłam pewna, że Jeff jest bratnią duszą Patty. Nie było co do tego wątpliwości. Nawet byli do siebie podobni, oboje rudzi, choć Jeff miał nieco jaśniejsze włosy niż Patty, z rudymi rzęsami jak u Sindbada, który, tak na marginesie, zajął strategiczne miejsce w pobliżu deski do krojenia nasiąkniętej tłuszczem z pieczonego jagnięcego udźca.

Jeff jest kierowcą w UPS i Patty poznała go właśnie, kiedy jak co dzień dostarczał paczki do szpitala. Powiedziała mi, że w brązowych spodenkach i lekkiej koszulce wydawał się niezwykle wysoki i w ogóle był z niego kawał chłopa. No i oczywiście natychmiast zakochali się w sobie po uszy. Teraz, siedem lat później, nadal trzymają się za rączki, i nawet gdy patrzyłam, Jeff cmoknął Patty w usta.

Odwróciłam się, wzdychając zazdrośnie.

– Mogę jakoś pomóc, mamo?

– Po pierwsze, możesz usunąć tego kota z mojego stołu. – Nonna spiorunowała wzrokiem Sindbada, który spojrzał na nią zupełnie niezmieszany. Ale kiedy go podniosłam i zrzuciłam na podłogę, miauknął żałośnie.

– Patty, a wy przestańcie się migdalić – dodała Nonna. – Jeff, podnieś ten garnek.

– *Sì, signora*. – Jeff uśmiechnął się szeroko, a Patty wygładziła spódniczkę, jak zmieszana nastolatka przyłapana w intymnej sytuacji.

Z ganku weszła Livvie, trzaskając za sobą drzwiami.

– *Madonnina mia!* – Nonna straciła panowanie nad sobą. – Czy przez te wszystkie lata nie nauczyłaś się jeszcze, jak się zamyka oszklone drzwi, Olivio?

– Sorry, babciu. – Livvie opadła na krzesło i wzięła na kolana Sindbada. – Biedny kotek, Nonna znowu na ciebie nakrzyczała? – zapytała głośnym szeptem, chichocząc, kiedy babcia prychnęła.

Kroiłam jagnięcinę, a w tym czasie Jeff i Patty nakładali ravioli w sławnym sosie Nonny i *vitello tonnato*, i pieczone bakłażany z mozzarellą, i małe ziemniaczki zapiekane ze świeżym rozmarynem, i sałatkę, i ten chrupiący chleb, który tak uwielbiam. Polało się więcej wina, puszki z colą otwierały się z sykiem. Rozmowa toczyła się leniwie wokół zwykłych spraw – pracy, jedzenia, wina, szkoły, boysbandów, sąsiadów – a Livvie tymczasem potajemnie karmiła Sindbada pod stołem.

Potem na stół wjechała *torta della nonna*, czyli „ciasto babci" ze specjalnym czekoladowym nadzieniem; myślę, że Livvie do tej pory wierzy, że takie ciasto robi tylko jej babcia. Ciasto było na tej samej paterze w jaskrawe czerwono-zielone kwiaty, której używaliśmy od co najmniej trzydziestu lat. Wyjęliśmy lody z zamrażarki, zaparzyliśmy kawę i nalaliśmy do kieliszków vinsanto.

Wszystko wyglądało dokładnie tak samo jak zawsze. Można by wydrukować scenariusz naszych niedziel u Nonny i pasowałby do każdego tygodnia w roku. Nic nigdy się nie zmieniało. W każdym razie aż do tej pory.

– *Allora, bambini* – powiedziała Nonna.

Spojrzałam na nią podejrzliwie. Mówiła do nas *bambini* tylko wtedy, kiedy coś kombinowała.

– Mam dla was niespodziankę. – Wyciągnęła z kieszeni fartucha zmiętą jasnoniebieską kopertę i podsunęła nam, żebyśmy zobaczyli. – List – powiedziała, tak jakbyśmy sami się jeszcze nie domyślili. – Z Bella Piacere – dodała, uśmiechając się z dumą.

Livvie i ja spojrzałyśmy na siebie z uniesionymi brwiami. Bella Piacere to rodzinna wieś Nonny. Nie wiedziałyśmy, że zna tam jeszcze kogoś.

– *Attenzione!* – Poprawiła kieliszki i spojrzała surowo nad stołem, żeby się upewnić, czy przykuła naszą uwagę. Potem ostrożnie rozłożyła list i zaczęła czytać: *Signora, sono Don Vincenzo Arrici, Parroco della Chiesa di Santa Caterina nel vostro Paese e mi onoro di scrivervi queste notizie...*

– Mamo – powiedziałam – nie znamy włoskiego.

Rzuciła mi zirytowane spojrzenie.

– Hm – mruknęła. – Może jednak powinnam była wyjść za Włocha. Wtedy byście znali ten język. Livvie, bardzo cię proszę, zdejmij tego kota ze stołu.

Livvie porwała Sindbada.

– Czytaj dalej, babciu – powiedziała.

– *Nazywam się Don Vincenzo Arrici i jestem księdzem w parafii Świętej Katarzyny w pani*

34

rodzinnej wsi – czytała Nonna. – Zabrało nam kilka lat, zanim panią odnaleźliśmy, signora Sophia, a mnie przypadł w udziale zaszczyt przekazania pani dobrych wieści odnośnie spadku. Stary znajomy rodziny zostawił pewną nieruchomość. W pani własnym interesie, signora Sophia, leży natychmiastowy przyjazd do Bella Piacere, żeby odebrać, co się zgodnie z prawem pani należy. Zanim będzie za późno.

Zdumieni patrzyliśmy po sobie nawzajem. Potem Livvie zapytała:

– Czy to znaczy, że będziesz bogata?

Nonna uśmiechnęła się do niej.

– Być może – powiedziała, a moje serce zamarło, bo wiedziałam, że naprawdę tak uważa.

Nonna jeszcze raz ostrożnie rozłożyła list, ale jestem pewna, sądząc po jego zmiętym wyglądzie, że czytała go wiele razy. Założyła okulary i spojrzała na nas.

– Przyjechałam do Nowego Jorku, kiedy miałam trzynaście lat – powiedziała. – Przedtem ani razu nie byłam nigdzie poza Bella Piacere. Nigdy nie widziałam Florencji, nie wspominając o Rzymie czy Wenecji. *Allora.* Teraz jadę do domu. Jadę do Włoch, żeby odebrać mój spadek. Zamierzam zobaczyć Bella Piacere ostatni raz. Zanim umrę.

Patrzyliśmy na nią bez słowa, kompletnie oszołomieni, kiedy chowała list z powrotem do koperty. A potem wyskoczyła z kolejną sensacją.

– A wy, Gemma i Livvie, jedziecie ze mną.

Czy ona zwariowała? Wie, że mam odpowiedzialną pracę. Wie, że potrzebuję tej pracy. Mam swoje obowiązki. Nie mam nawet czasu, żeby pójść do kina, a co dopiero, żeby jechać do Włoch!

– Wiesz dobrze, że nie możemy tego zrobić, mamo – powiedziałam. – A poza tym nie wydaje mi się, że powinnyśmy tam jechać. Nawet nikogo nie znasz w Bella Piacere. Tak czy owak, to na pewno jakiś kawał.

– Ksiądz by nie skłamał – orzekła stanowczo.

– Może po prostu trzeba zadzwonić do Don Vincenza i wypytać go dokładnie, co to za nieruchomość? – zasugerowała Patty.

Nonna przycisnęła list do serca tak kurczowo, jakby została dźgnięta nożem.

– Chcecie mi odebrać całą radość z niespodzianki?

– O, przepraszam... Nie, oczywiście, że nie – powiedziała skonsternowana Patty.

Nonna znów spojrzała na mnie.

– Pojedziemy – powiedziała.

– Ale ja nie mogę jechać! – krzyknęła Livvie. – Poza tym nie chcę jechać do Włoch, tam jest pełno tych nudnych cudzoziemców. I w ogóle mam swoje sprawy, muszę chodzić do szkoły... no i jest jeden fajny chłopak, z którym może będę chodzić...

– Pojedziemy w wakacje – przerwała jej Nonna. – A poza tym to będzie pouczające.

Livvie przewróciła pięknymi, brązowymi oczami.

– Jak dla mnie, podróż do Włoch brzmi nieźle. – Jeff próbował bawić się w arbitra. – Nonna odwiedziłaby swój stary dom i dowiedziałaby się, co odziedziczyła, a wy, Gemmo i Livvie, poznałybyście swoje korzenie. Poza tym – dodał, patrząc na mnie – mogłabyś skorzystać z wolnego i odpocząć.

– Pamiętasz mnie? – zapytałam. – To ja, samotna matka. Muszę zarabiać na życie.

– Nie brałaś urlopu od trzech lat – wtrąciła Patty. – Do tej pory na pewno musiało ci się uzbierać kilka tygodni.

Posłałam jej piorunujące spojrzenie. Podkopywała moją pozycję. Potem powiedziałam do Nonny:

– Najrozsądniej będzie zadzwonić do tego Don Vincenza i dowiedzieć się, o czym on właściwie mówi.

Nonna nie patrzyła na mnie. Nie patrzyła na żadne z nas. Po prostu wstała i zaczęła zbierać ze stołu filiżanki po kawie. Zaniosła je w milczeniu do zlewu. Potem, również w milczeniu, wróciła. Przyglądaliśmy się jej z niepokojem.

Osunęła się na krzesło i spojrzała na mnie z wyrzutem. Kiedy zdjęła okulary, zauważyłam w jej oku łzę.

– Więc tak niewiele znaczę dla mojej rodziny – powiedziała głucho. – Mojej rodziny. Jedynej rodziny, jaka mi pozostała na tym świecie. – Zniżyła głos i dodała smętnie: – No, może poza paroma kuzynami, którzy ciągle żyją w Bella Piacere, mojej rodzinnej wsi, gdzie posiadam teraz nieruchomość.

– M-a-m-o. – We własnym głosie słyszałam jęk doprowadzonej do rozpaczy Livvie. Ale byłam nieugięta w swoim postanowieniu. – Mam zobowiązania. Nie mogę tak po prostu wszystkiego rzucić i jechać szukać wiatru w polu. To niemożliwe. Nie pojedziemy do Włoch. Koniec, kropka.

Rozdział 7

No i oczywiście jesteśmy w Rzymie. Jedziemy taksówką z lotniska Fiumicino z kierowcą, który z instynktem samozniszczenia przemyka między gąszczem samochodów; natężenie ruchu bije na głowę to, co dzieje się na Manhattanie, a hałas jest dwa razy taki. Ustawiczne walenie w klakson wydaje się tu czymś zupełnie normalnym, a brawurowa jazda sposobem na sprawdzenie, kto jest bardziej męski; wszystko to sprawia, że kiedy skręcamy na rondach i pędzimy wąskimi bocznymi uliczkami, unikając o włos zderzenia z innymi pojazdami, Livvie wisi na krawędzi siedzenia, Nonna zaciska powieki i najprawdopodobniej się modli, a ja trzymam się kurczowo pasa.

Czuję się wykończona, nie tylko z powodu długiej podróży. Jestem w stresie, bo musiałam wprowadzić zmiany w moim starannie zaplanowanym życiu i wziąć cztery tygodnie z zaległego urlopu, by wybrać się w tę podróż. A jestem tu bynajmniej nie dla tego głupiego „spadku" (moim zdaniem chodzi po prostu o kilka krów w jakiejś walącej się stodole), ale wyłącznie z powodu przeczucia, że Nonna naprawdę chciała odwiedzić Bella Piacere. Chciała znowu zobaczyć dom.

Zmierzcha i Rzym rozbłysnął światłami, które skąpały miasto w złotej poświacie, oświetlając kopuły, zabytkowe budowle, ruiny i place, migocząc w drzewach pełnych rozwrzeszczanych szpaków. Czy to naprawdę Koloseum, złapane w kleszcze ruchu ulicznego? Wydaje się mniejsze niż w *Gladiatorze*, kiedy wielki Russell Crowe stawiał czoło zarówno tygrysom i żołnierzom, jak i niegodziwemu cesarzowi, zagrzewany do walki przez tłumy. Odwróciłam głowę, żeby na nie spojrzeć, kiedy śmignęliśmy obok. Można by to uznać za wystarczający powód przyjazdu do Rzymu, ale wydaje mi się mało prawdopodobne, żebym między ruinami znalazła Russella Crowe'a.

Wspaniała kopuła Bazyliki Świętego Piotra, którą zapewne jutro odwiedzimy, błyszczy nad miastem jak radiolatarnia, a słynne Schody Hiszpańskie są zapchane turystami, wylewającymi się na plac poniżej; kręcą się dookoła, jakby czekali, że coś się wydarzy. Moim zdaniem ktoś powinien im powiedzieć, że nic się nie wydarzy, ale to tylko taka gadka złośliwej turystki z przymusu.

Nie po raz pierwszy żałuję, że uległam i zgodziłam się na ten wyjazd. Tak bardzo byłam zdecydowana nie jechać. Teraz marzę o tym, by być z powrotem w Nowym Jorku, z powrotem w Bellevue, i robić to, w czym jestem najlepsza. Bezpieczna za murem, który sobie wybudowałam.

Taksówka zatrzymała się z szarpnięciem i wszystkie odetchnęłyśmy z ulgą.

– *Buona sera, signore*. – Portier w cylindrze otworzył nam drzwiczki. Wygramoliłyśmy się ociężale na zewnątrz i natychmiast otoczył nas tłum gońców hotelowych i tragarzy w liberiach. Wzięli nasze zmaltretowane marynarskie worki i wiekową walizkę Nonny, tę samą, której używała od co najmniej trzydziestu lat, i w okamgnieniu załadowali na pozłacany wózek.

Gapiłam się oszołomiona na imponującą fasadę hotelu Hassler, a potem spojrzałam oskarżającym wzrokiem na matkę. Unikała mojego spojrzenia, ale dobrze wiedziała, co sobie myślę: to musiało kosztować fortunę. A ja myślałam o tym jeszcze intensywniej w wytwornym marmurowym holu, obwieszonym dziełami starych mistrzów, z kryształowymi żyrandolami i wielkimi wazonami pełnymi świeżych kwiatów. Myślałam także o mojej biednej karcie Amex i modliłam się.

Opadłam na brokatową sofę i zaczęłam grzebać w torebce, szukając lirów na napiwki i zastanawiając się, dlaczego włoskie pieniądze muszą mieć tyle zer – nawet za przejażdżkę taksówką płaci się tu miliony. Livvie klapnęła tuż obok, mamrocząc coś, że to miejsce wygląda jak muzeum, i jednocześnie próbując bez powodzenia dodzwonić się do przyjaciół w Nowym Jorku. Była zupełnie nieświadoma zainteresowania, jakie wzbudzała wśród gości hotelowych. Wcale im się nie dziwię: w jej czerwonym, robionym na szydełku szalu więcej było dziur niż wełny, wyskubane włosy były w kolorze bananowego blond z zielonkawymi końcówkami, a paznokcie krwistoczerwone. Mogłaby statystować w filmie o wampirach.

Tymczasem Nonna podeszła do recepcji i oznajmiła nasze przybycie młodemu, ciemnowłosemu adonisowi, który stał za ladą. Oparła się o kontuar i uśmiechając się do niego przyjacielsko, wyjaśniła, kim jesteśmy i że oczekuje najwyższego standardu.

Szczęka mi opadła. Nie miałam pojęcia, że Nonna jest taka w tym obeznana. Chodzi mi o to, że przez dwadzieścia lat nie ruszyła się dalej niż na Manhattan, i to tylko na wyprzedaż do Macy'ego.

– Urodziłam się we Włoszech – powiedziała do recepcjonisty – i wie pan co? Nigdy nie widziałam Rzymu. Proszę to sobie wyobrazić! Ale to nie wszystko. Odziedziczyłam nieruchomość w Bella Piacere – dodała, tak jakby mówiła mu coś nazwa maleńkiej wioski w Toskanii.

Ale recepcjonista, który stał pochylony nad ladą z dłońmi splecionymi przed sobą, rozpromienił się, jakby właśnie sam dostał spadek.

– Moje gratulacje, *signora* Jericho – odrzekł w końcu. – To będzie niezapomniana wizyta. Będzie pani zadowolona z pobytu tutaj, *signora*. Oczywiście umieścimy panią w jednym z naszych luksusowych apartamentów z dwiema sypialniami. Wszystko jest już załatwione.

– *Bene, bene, e grazie, signore Antonio*.

Poklepała go po ręce, jakby był jej rodzonym synem, a ja aż wstrzymałam oddech, modląc się, żeby go nie pocałowała. Ale nie, odwróciła się, uśmiechając się szeroko.

Uśmiech nie znikał jej z twarzy, kiedy chłopiec hotelowy odeskortował nas do windy i wjechaliśmy na górę. Ruszyłyśmy korytarzem wyłożonym pluszowym dywanem i czekałyśmy, aż otworzy nam wysokie podwójne drzwi. Potem wkroczyłyśmy do prawdziwego raju na ziemi, skąpanego w złocie i różanym luksusie.

Stałyśmy jak kompletne ciołki, rozglądając się z niedowierzaniem. Chłopiec hotelowy pośpiesznie pozapalał lampy, odsłonił zasłony, pokazał nam widok za oknem, dwie marmurowe łazienki, minibarek i wyjaśnił, jak wszystko działa. W końcu wcisnęłam mu do ręki napiwek, naprawdę duży – przynajmniej miałam taką nadzieję, powiedziałam *grazie*, a on uśmiechnął się, zasalutował i wyszedł.

Odwróciłam się i spojrzałam oskarżycielskim wzrokiem na Nonnę.

– Masz pojęcie, ile to musi kosztować?

Unikając mojego spojrzenia, poprawiła jedwabną poduszkę.

– Oczywiście, że mam. W końcu to ja zarezerwowałam ten hotel. Musisz wiedzieć, że to prawdziwa okazja.

– Jasne – mruknęłam z niechęcią – spadkobierczyni zabrała nas w krainę luksusu.

Nonszalancko wzruszyła ramionami.

– Nie martw się – powiedziała. – Postanowiłam, że sprzedam swoją nową posiadłość. I zamierzam wydać wszystkie pieniądze teraz, zamiast zostawiać je tobie w spadku. Więc baw się dobrze, Gemmo. Po prostu baw się.

I poszła dostojnie do swojej eleganckiej sypialni z jedwabnymi zasłonami, zostawiając mnie z rozdziawionymi ustami.

O Boże, pomyślałam spanikowana. W najlepszym wypadku będzie to jałowy kawałek ziemi z kilkoma starymi drzewkami oliwnymi i garstką rozdgdakanych kur. A jej się wydaje, że będzie mogła to sprzedać za duże pieniądze. Co gorsza, już zaczęła je wydawać.

Słyszałam, jak mruczy z uznaniem po włosku, odkrywając marmurowo-złotą łazienkę, nocne lampki z różowymi abażurami, bawełniany szlafrok z kapciami do kompletu i biały płócienny dywanik tuż obok łóżka, żeby spadkobierczyni nie musiała narażać swoich nagich stóp na bezpośredni kontakt z przepięknym dywanem.

Tymczasem ja zastanawiałam się, czy udałoby mi się po powrocie wziąć podwójne dyżury w szpitalu. Ktoś będzie musiał za to wszystko zapłacić.

Rozdział 8

Nie miałam ochoty na kolację w eleganckiej hotelowej restauracji na dachu. Było późno, kiedy zmęczona i nadąsana brałam prysznic, kombinując, jak się od tego wymigać. Ale Nonna była wesoła jak szczygiełek i gotowa na wszystko – a kolacja była właśnie tym, czego chciała, nieważne, że konałyśmy ze zmęczenia spowodowanego długim lotem i zmianą czasu.

Wzdychając ciężko, umyłam włosy, wysuszyłam i napuszyłam samymi rękoma. Mała czarna, którą kupiłam podczas półgodzinnego międzylądowania w jakiejś bananowej republice, była pomięta od pośpiesznego pakowania, ale nie miałam już czasu, żeby cokolwiek z tym zrobić. Wciągnęłam ją przez głowę, przypudrowałam nos, symbolicznie przejechałam po rzęsach mascarą i pomalowałam usta tą samą mało wyrazistą szminką, której używałam od lat.

– No chodź, Gemmo, pośpiesz się. – W głosie Nonny słychać było nutę podniecenia. Założyłam okulary, jeszcze raz spojrzałam w wielkie lustro i niechętnie ruszyłam za nimi.

Elegancka restauracja na dachu górowała nad Rzymem, który mienił się w dole jak noworoczny pokaz fajerwerków w Nowym Jorku. Alabastrowe urny były wypełnione po brzegi kwiatami, barman w białej marynarce mieszał martini w srebrnym shakerze, światło świec rzucało cienie na stoły przykryte świeżymi obrusami, błyszczały kryształowe kieliszki. Elegancki szef sali przypatrywał się nam zza wypolerowanego drewnianego pulpitu. W zasadzie nic nie zrobił, ale miałam wrażenie, że unosi brwi ze zdziwienia na widok Livvie. Jak zwykle była zupełnie nie na miejscu, jak tropikalna ryba w stawie z wytwornymi łabędziami.

Nonna powiedziała: *Buona sera*, wyjaśniła mu, kim jesteśmy i że mamy rezerwację. Tym razem brwi szefa sali naprawdę się uniosły i tak samo jak młody adonis z recepcji, rozpromienił się na widok Nonny.

– Oczywiście. To pani odziedziczyła posiadłość w Bella Piacere. Moje gratulacje, *signora*. Mam nadzieję, że będzie pani zadowolona zarówno z pobytu w Rzymie, jak i z naszej cudownej restauracji. – Podniósł trzy egzemplarze menu i ze słowami: „Proszę tędy, *signore*", zaprowadził nas do pierwszorzędnego stolika przy oknie.

Zapadłyśmy się w pasiaste jedwabne krzesła i Nonna bez wahania zamówiła dla nas podwójne bellini, a dla Livvie colę. Potem otworzyła swoją kartę dań i zaczęła ją studiować z lekkim uśmiechem zadowolenia.

– *E allora* – powiedziała radośnie. – Na początek może *hors d'oeuvre*, nie sądzicie? Albo nie. Może jakaś zupa, potem coś delikatnego, naprawdę bardzo lekkiego, bo mamy za sobą ciężką podróż.

Wpatrywałam się w nią zdumiona. Zachowywała się jak urodzona arystokratka. Przez te wszystkie lata nie przyszło mi do głowy, że moja matka to tak naprawdę bogaczka w przebraniu. Tymczasem

44

Livvie opadła zmęczona na krzesło, nadal próbując bezskutecznie dodzwonić się do Nowego Jorku. W końcu Nonna zabrała jej telefon, po raz kolejny stwierdziła, że nie da się złapać Nowego Jorku z komórki, i nakazała jej, by pamiętała, gdzie jest, i zachowywała się jak dama, na którą została wychowana.

Livvie wpatrywała się wściekła za okno, a ja pociągnęłam łyk bellini. Co ja tutaj robię? – zapytałam sama siebie raz jeszcze. Chcę tylko pójść do łóżka, albo jeszcze lepiej – wrócić do domu. To jakieś szaleństwo. Pociągnęłam kolejny łyk szampana z sokiem brzoskwiniowym i po moim języku przeszły przyjemne ciarki. Muszę przyznać, że smakowało fantastycznie. Pomyślałam, że w zasadzie mogłabym się do tego przyzwyczaić. Ze zmęczenia oczy zaszły mi lekką mgłą, ale wyprostowałam się, by lepiej widzieć, kiedy do restauracji wszedł włoski gwiazdor filmowy. Co to było za wejście!

Powiedziałabym, że był po czterdziestce. Ciemne włosy ze srebrnymi nitkami na skroniach miał zaczesane gładko do tyłu, był wysoki i dobrze zbudowany, a elegancji dodawał mu czarny krawat. Krótko mówiąc, był bardzo atrakcyjny. Trzymał za rękę małą dziewczynkę, może jedenastoletnią. Ubrana była w czarną aksamitną sukienkę i miała długie jasne włosy przytrzymane aksamitną opaską. Prawdziwa księżniczka. Jemu też nic nie brakowało.

Jestem pewna, że gapiłam się na nich z rozdziawionymi ustami, kiedy szli do sąsiedniego stolika. Przypominało to oglądanie włoskiego filmu, a to był z całą pewnością moment w stylu Felliniego. W każdej chwili można się było spodziewać wejścia Marcella Mastroianniego z Sophią Loren albo Catherine Deneuve u boku.

– Ale dziwadło z tej dziewczyny. – Livvie wydęła pogardliwie usta, patrząc na tę dwójkę. – Skąd ona wytrzasnęła taką sukienkę? I aksamitna opaska!

– To bardzo dobrze wychowane dziecko – stwierdziła Nonna.

– Bo ja oczywiście nie jestem, tak? – Livvie spojrzała wściekle na babcię.

– Oczywiście, że jesteś, ale jej matka ma lepszy gust.

Opróżniłam kieliszek i skinęłam na kelnera, żeby mi dolał. Zaczynałam podejrzewać, że może właśnie tego mi potrzeba. Zastanawiałam się, czy bellini stanie się nieodłącznym towarzyszem mojego życia. Może we Włoszech tak, ale nie w prawdziwym życiu w Bellevue – przypomniał mi cichy głos w głowie, kiedy pociągnęłam kolejny łyk zimnego szampana. Cholerna prawda, pomyślałam, prawie z żalem.

Zdjęłam okulary i utkwiłam zamazane spojrzenie w gwiazdorze filmowym i jego córce. Studiował menu i kiwał poważnie głową, kiedy mała dokonywała wyboru, traktując ją tak, jakby była dorosła. Dziewczynka siedziała wyprostowana, nie trzymała łokci na stole, słuchała go z uprzejmą uwagą i ogólnie zachowywała się wzorowo. Gdzie on znalazł takie dziecko? – zastanawiałam się. Było pewne, że nie tam, gdzie ja swoje.

– Jak myślicie, gdzie jest jego żona? – zapytała Nonna. – Ja myślę, że w szpitalu – wydaje na świat jego drugie dziecko i dlatego on jest tu tylko z córką.

Zastanawiałam się nad tą wizją doskonałej rodziny, zapominając na chwilę o Bellevue i pełnych napięcia chwilach walki życia ze śmiercią, które wypełniały moje codzienne życie.

– On – dodała Nonna z pełnym podziwu westchnieniem – jest prawdziwym włoskim dżentelmenem. Takich mężczyzn nie ma już nigdzie indziej na świecie. A z niej jest prawdziwa mała dama. Tylko spójrz, Livvie, na jej piękne długie włosy.

Livvie znowu wydęła wargi.

– To nie jest dziecko, tylko Barbie.

Ujęłam jej dłoń z krwistoczerwonymi paznokciami i ucałowałam, żeby okazać córce swoją miłość i wsparcie. Livvie potrafi się zachować, kiedy istnieje taka potrzeba, ale przenigdy nie włożyłaby aksamitnej sukienki i nie odgrywałaby księżniczki, cokolwiek by Nonna mówiła.

Zanim skończyłyśmy drugi kieliszek bellini, kelner został nowym najlepszym przyjacielem Nonny. Nalewał teraz białe wino, które polecił.

– Prosty pinot grigio z Veneto, *signora* – wyjaśnił. – Będzie *perfetto* do ryby, bardzo lekki zestaw.

Spróbowałam wina, skubnęłam pysznego chleba, skosztowałam zupy pomidorowej ze świeżą bazylią, mojej pierwszej naprawdę włoskiej potrawy, i choć wszystko było wyśmienite, nie mogłam wcisnąć w siebie nic więcej. Tylko Nonnie udało się dokończyć rybę. Zmiana czasu i zmęczenie zrobiły swoje. Skinęłam na kelnera, żeby przyniósł rachunek. Kiedy dostałam go do ręki, nawet na niego nie spojrzałam, tylko po prostu podpisałam. Kto by się przejmował? Ureguluje się to dzięki spadkowi Nonny, prawda?

Zerknęłam na włoskiego gwiazdora. Był już na nogach i podawał rękę zmęczonej córce. Wychodząc, przeszli obok nas. Na moment nasze spojrzenia się skrzyżowały. Nagle uświadomiłam sobie, że na wargach nie został mi ani gram szminki, a moja mała czarna, która bez wątpienia kosztowała marny ułamek tego, co aksamitna sukienka jego córki, była doszczętnie zmięta. Ale jakimś cudem udało mu się sprawić, że przez tę krótką chwilę czułam się tak, jakbym była jedyną kobietą na sali. Skinął głową, powiedział uprzejmie *Buona sera* i wyszli.

Poczułam, że oblewa mnie gorący rumieniec, tak samo jak wtedy, kiedy byłam nastoletnią Królową Parkietu, a najprzystojniejszy chłopak na sali poprosił mnie do tańca. Ukryłam się za serwetką, a Nonna mruknęła:

– Ciekawe, kim on jest.

Zaspokoiła swoją ciekawość, kiedy wychodziłyśmy. Zapytała o to kierownika sali, który powiedział, że gwiazdor filmowy jest tak naprawdę artystą.

– Oczywiście – rzekła triumfalnie Nonna, jakby wiedziała o tym od samego początku. – Kolejny Michał Anioł.

– Nie, nie, *signora*, on nazywa się Ben Raphael – sprostował kierownik. – I jest Amerykaninem.

Roześmiałam się, myśląc, że to by było na tyle, jeśli chodzi o prawdziwego włoskiego dżentelmena. Ten Michał Anioł był prawdopodobnie z Long Island.

Rozdział 9

Szłyśmy ospałym krokiem w dół Via di Minerva, kierując się w stronę Panteonu w poszukiwaniu kultury – zgodnie z pragnieniem Nonny, i śniadania – czego z kolei chciała Livvie. Osobiście wolałabym zostać jeszcze kilka godzin w łóżku, ale Nonna przywołała mnie do porządku pytaniem: „Jak ci się wydaje, gdzie jesteś? W Nowym Jorku?" Miałyśmy zostać w Rzymie tylko jeden dzień: trzeba było zwiedzić zabytki i zrobić zakupy. Zdecydowanie nie było czasu do stracenia. A szkoda, bo nagle poczułam ochotę, by stracić trochę czasu – coś takiego nie zdarzyło mi się od lat. Może mimo wszystko i na mnie zaczął działać Rzym.

Szłyśmy wąską boczną uliczką, kiedy nagle zatrzymałam się, porażona niezwykłym widokiem. Słońce odbijało się od starożytnego muru, kupy sypiących się kamieni, nadając im kolor złota. Z małej tabliczki dowiedziałam się, że tyle pozostało po świątyni wybudowanej przez Marka Agrypę jeszcze przed naszą erą. Ścisnęłam kurczowo Livvie za rękę. Przypomniały mi się lekcje historii.

– O rany, mamo. – Livvie była pod wrażeniem. – Możesz w to uwierzyć? Ci rzymianie przechodzą obok, jakby to było coś, no wiesz, coś zupełnie normalnego!

Weszłyśmy na Piazza della Rotonda, kolejny z tych zapierających dech brukowych placów, których zdaje się, są w Rzymie całe setki. Z trzech stron otoczony był kawiarniami, a z czwartej sterczała kopuła Panteonu. Poczułam zapach kawy i podążyłyśmy do źródła tego zapachu, do Caffè d'Oro.

Wierzcie mi, Włosi naprawdę wiedzą, jak podawać kawę. W d'Oro mełli własne ziarno, wabiąc gości kuszącym aromatem kawy zmieszanym z zapachem świeżo pieczonych bułeczek, posypanych cukrem i z pysznym nadzieniem w środku. Dodatkową atrakcją było kilka tuzinów przystojnych, opalonych, elegancko ubranych włoskich biznesmenów, którzy stali przy barze, racząc się espresso w drodze do biura. Wyprostowałam się, żeby sobie popatrzeć, bo jak wiecie, jedyni mężczyźni, jakich oglądam, noszą zielone fartuchy albo leżą nadzy i nieprzytomni na stole operacyjnym.

– Zapomnijmy o bezkofeinowej – powiedziałam, lekkomyślnie zamawiając talerz bułeczek i podwójne espresso ze śmietanką, co razem prawdopodobnie zawierało więcej kalorii, niż przyswajałam w ciągu całego dnia w Nowym Jorku. Nie pamiętałam, żeby ostatnio coś sprawiło mi równą przyjemność. No i jeszcze te wspaniałe widoki – chodzi mi zarówno o ludzi, jak i o zabytki.

Nonna pochwaliła mój wybór.

– Przydałoby się trochę ciała na tych twoich kościach. – Widzisz, jakie kobiece są rzymianki?

Nonna miała rację. Kobiety były ładne i eleganckie. Przemykały po ruchliwych ulicach w modnych jedwabnych, krótkich sukienkach i butach na gigantycznych obcasach. Wydawało mi się, że tenisówki są o wiele lepsze na śliskie rzymskie bruki, ale dla nich nie stanowiło to chyba żadnego problemu.

Lata praktyki, tak przypuszczam. Wysoka szykowna kobieta w szpilkach minęła nas biegiem; to szczególny rodzaj biegu, kiedy trzeba podnosić wysoko nogi, zupełnie jak sarna, żeby dziesięciocentymetrowe obcasy nie utknęły w szparze między kamieniami. Stwierdziłam, że pewnie wszystkie rzymianki uczą się tej sztuki jako małe dziewczynki, a Livvie dodała z podziwem, że wyglądała jak przymierzająca się do skoku gazela. Następnie zaczęła rozważać, czy nie kupić sobie takich szpilek i nie spróbować tego sportu, na co roześmiałyśmy się i kazałam jej o tym zapomnieć.

Siedziałam sobie po prostu wygodnie, popijając espresso i kontemplując z tarasu kawiarni rzymskie obrazki, na których przeszłość mieszała się z teraźniejszością. Spojrzałam na moją małą rodzinę, a potem na gwarny, nasłoneczniony plac. I w tym momencie, zupełnie niespodziewanie, po raz pierwszy od lat poczułam się niewytłumaczalnie szczęśliwa.

Siedem godzin później, obładowana torbami i paczkami, potykając się ze zmęczenia, wracałam samotnie Schodami Hiszpańskimi. Wcześniej widziałyśmy Panteon; na schodach świątyni Livvie natknęła się na maleńką staruszkę. Wyglądała, jakby wyszła prosto z bajki Hansa Christiana Andersena, cała w czerni, zgięta wpół, ledwie trzymała się na nogach, podpierając się laską. I zanim zdążyłyśmy ją powstrzymać, Livvie ze łzami współczucia w oczach wyjęła pieniądze ze swojej małej torebki przytwierdzonej do paska i dała je starej kobiecie. Były to jej oszczędności, pieniądze, które dostawała na urodziny oraz święta i za które zamierzała kupić włoskie buty. A „staruszka" czmychnęła niczym sportsmenka, kiedy tylko zgarnęła dolary.

– Jak to możliwe, żeby moja wnuczka, cwana mieszkanka Nowego Jorku nie rozpoznała cygańskiego chłopca w przebraniu? – zapytała Nonna.

Livvie, która ciągle miała w oczach łzy współczucia dla staruszki, rozpłakała się na dobre; nie dość, że dała się naciągnąć – została zupełnie bez pieniędzy.

Więc żeby ją pocieszyć, zabrałyśmy ją na lody do sławnej Caffè Giolitti, która wierzcie mi, jest naprawdę wyjątkowa. Mieści się w wielkim budynku z przełomu XIX i XX wieku, z wysokimi sufitami, żłobionymi marmurowymi kolumnami, kryształowymi żyrandolami i kelnerami w eleganckich białych marynarkach z mosiężnymi guzikami i epoletami. Nonna wzięła deser bananowy, Livvie wieżę Eiffla z dodatkami, a ja lekkomyślnie zamówiłam *tartufo*, czekoladową kopułę prawie równie piękną jak ta na Panteonie, uwieńczoną puszystą chmurą bitej śmietany.

Cienka czekoladowa skorupka pękła z trzaskiem pod łyżeczką niczym lód na zamarzniętej kałuży w zimowy dzień na Manhattanie; szukałam malutkich czekoladowych kulek ukrytych w lodowych głębinach. Byłam w niebie. To było prawie tak dobre jak seks.

Chwila! Czy ja naprawdę tak myślę? Że lody są prawie tak dobre jak seks? Wiem, że minęło dużo czasu, ale chyba tracę rozum.

W każdym razie po drugiej takiej rozpuście tego dnia darowałyśmy sobie obiad. Odwiedziłyśmy za to Bazylikę Świętego Piotra, gdzie rozglądałyśmy się wokół z nadzieją, ale nie zobaczyłyśmy papieża. Muszę wyznać, że Rzym przewijał się przed moimi oczami jak piękny sen. Tak naprawdę nie czułam go. Byłam jak za szybą. Po prostu mechanicznie zaliczałam kolejne miejsca.

Obejrzałyśmy też fontannę di Trevi i rzucałyśmy do niej monety, jak wszyscy inni turyści, a potem usiadłyśmy na chwilę na Piazza Navona, żeby się czegoś napić i dać odpocząć nogom przed wyruszeniem na Via Condotti. I do sklepów.

Nie byłam na prawdziwych zakupach od wieków, i to była wspaniała okazja dla Nonny.

– Wybierz, co tylko chcesz – zaproponowała wspaniałomyślnie. – Ja płacę.

O Boże, pomyślałam, spadkobierczyni jest znowu z nami.

– Dzięki, mamo, lepiej kup coś sobie – rzekłam.

A ona odparła:

– A czego mi trzeba? To tobie przydadzą się ładne ubrania.

Pokazałam ręką na bardzo fajne torebki od Gucciego, a Nonna powiedziała:

– Może – i – być może. – Ale ostatecznie weszła do środka i kupiła gładką czarną torebkę z bambusową rączką; torebka była opakowana w specjalny biały pokrowiec i prawdopodobnie była najdroższą rzeczą, jaką moja matka kiedykolwiek miała.

Nonna wpadła w szał zakupów; ruszyłyśmy na drugą stronę ulicy do Prady, gdzie kupiła Livvie jej pierwszą torebkę (zupełnie inną od tej z Panną Kicią, którą miała w wieku siedmiu lat) i płaski czarny tornister, o którym Livvie powiedziała, że jest odlotowy. A potem Livvie zobaczyła w kolejnym butiku czerwone buty na wyprzedaży, co oznaczało, że teraz kosztowały zaledwie parę milionów lirów zamiast paru miliardów, no i były jeszcze te śliczne malutkie koszulki i sweterki… i inne takie, jeśli wiecie, co mam na myśli.

Kupiłam supertorebkę dla mojej przyjaciółki Patty (za bardziej rozsądną cenę) w Furla na Piazza di Spagna i przymierzyłam zwiewną sukienkę z czerwonego szyfonu w butiku o nazwie Alberta Ferretti. Wyglądała na mnie całkiem nieźle i prawie się skusiłam. Ale pomyślałam sobie: Co ja właściwie robię i po co przymierzam zwiewne, jedwabne sukienki? Kiedy niby miałabym włożyć coś takiego? Tak czy owak, później zobaczyłam cenę i prawie zemdlałam.

Byłam wyczerpana. Kompletnie skonana. Zostawiłam więc Nonnę i Livvie same sobie i obładowana pakunkami ruszyłam z powrotem do hotelu i – o, dzięki ci, Boże – do łóżka. Cudownego łóżeczka. Moje stopy wydawały się jakieś dziesięć numerów większe niż były rano.

Chłopiec hotelowy podbiegł, żeby wziąć ode mnie pakunki, ale odprawiłam go ruchem ręki. Więcej wysiłku kosztowałoby mnie wyplątanie się z nich, żeby mógł je ode mnie zabrać, niż targanie ich jeszcze przez kilka minut do pokoju. Wcisnęłam łokciem przycisk windy i czekałam, przestępując z jednej obolałej nogi na drugą. Czy ta winda nigdy tu nie dotrze? Odwróciłam się zniecierpliwiona, a po chwili rozległ się charakterystyczny cichy brzdęk. Weszłam do windy i z typową dla mnie gracją potknęłam się o czyjeś stopy.

Zatoczyłam się na ścianę, niczym obładowany muł na górskim zakręcie, rozrzucając wokół paczki.

– A niech to – burknęłam zdenerwowana, kopiąc najbliższą torbę. – Cholerne zakupy, komu to potrzebne!

A potem zobaczyłam stopy.

Stopy w drogich brązowych zamszowych mokasynach, pewnie z jednego z tych eleganckich sklepów, w których przed chwilą byłyśmy, a do tego odziane w bladożółte skarpetki. Moje spojrzenie powędrowało w górę, przez idealnie wyprasowane spodnie, ciemnoniebieską płócienną koszulę z krótkim rękawem, srebrny zegarek na bardzo męskiej ręce z czarnym gąszczem włosów, silną, opaloną szyję, aż do oczu... Michała Anioła z Long Island. Znowu poczułam, że oblewa mnie rumieniec, rozprzestrzeniając się jak słońce w ognistej poświacie.

Jego oczy były szare – a może piwne? – rozświetlone złotymi plamkami i bynajmniej nie uśmiechały się do mnie.

– Pomogę pani – powiedział chłodno.

– Och. Nie zdawałam sobie sprawy, że ktoś jest w windzie. Przepraszam. Ale ze mnie niezdara. – Świadoma swoich schodzonych tenisówek i tego, że jestem cała zakurzona, uklękłam pośród porozrzucanych pakunków, a on wcisnął „stop". Potem schylił się i pomógł mi pozbierać rzeczy. Nasze oczy spotkały się ponownie nad torbą Prady.

– Owszem – powiedział, kiedy się podnieśliśmy i ułożył paczki w moich wyciągniętych ramionach.

– Co owszem?

– Niezdara z pani.

– Och!

Michał Anioł wysiadł z windy, potem się odwrócił i zapytał:

– Które piętro?

– Och. Siódme. Dziękuję.

Wcisnął przycisk z siódemką i stał, patrząc na mnie, dopóki drzwi się nie zasunęły. Wydawało mi się, że w jego oczach widzę iskierki rozbawienia, ale nie miałam pewności. Jedyną pewną rzeczą było, że czuję się jak idiotka.

Kiedy dotarłam do naszego apartamentu, cisnęłam pakunki na kanapę, a potem poszłam do sypialni, ściągnęłam buty i rzuciłam się na łóżko. Mam gdzieś Pana Wszystkowiedzącego, pomyślałam dziwnie rozzłoszczona. A tak w ogóle, za kogo on się uważa, żeby się ze mnie naśmiewać?!

Zamknęłam oczy i w jednej chwili przeniosłam się myślami do szpitala, mojej bezpiecznej przystani, gdzie byłam za bardzo zajęta, żeby myśleć o sobie. Ta podróż to po prostu przerwa, zapewniłam się po raz kolejny. Wkrótce się skończy. Praca to moje życie, moja tożsamość. Bez białego fartucha jestem po prostu jeszcze jednym samotnym rodzicem, matką Livvie, która stara się postępować właściwie. Mam swoją pracę. Mam Livvie. Nie potrzebuję niczego więcej. A może jednak?

Myślałam o Michale Aniele z Long Island i jego szarozielonych oczach w złote plamki. Myślałam o jego ślicznej małej córeczce i jego pewnie równie ślicznej żonie, i ich życiu, które na pewno przypominało sielankę. I nagle, mimo słońca, zawisła nade mną czarna chmura samotności, i zupełnie nie mogłam zasnąć.

Rozdział 10

Poszłam ciężkim krokiem do łazienki, żeby wziąć gorącą kąpiel. Napuściłam jakieś półtora litra hotelowego olejku do kąpieli, a potem zanurzyłam się w wannie aż po samą brodę. Cały ten Rzym to było dla mnie za wiele. Czułam się kompletnie wyobcowana w tym świecie beztroski i luksusu, gdzie czas nie ma żadnego znaczenia. Byłam przyzwyczajona do życia w niepewności, kiedy wiecznie trzeba być w pogotowiu, przygotowanym na kolejny nagły wypadek, kiedy trzeba żonglować czasem, jakby było to coś cennego, coś co trzeba oszczędnie dzielić: tyle na to, tyle na tamto, a dla mnie wcale. A teraz nagle pławiłam się w wannie, zastanawiając się, co dalej.

Wszystko było nie tak. Nawet nie powinno mnie tu być.

Umyłam włosy, szorując głowę tak energicznie, jakby mogło to pobudzić mój otępiały mózg do myślenia. Potem wygramoliłam się z wanny, otuliłam białym bawełnianym szlafrokiem, a na mokrych włosach zrobiłam turban z ręcznika. Zaczęłam grzebać w torbach, które ciągle leżały na kanapie, aż w końcu znalazłam to, czego szukałam – tubkę drogiej maseczki gwarantującej wygładzenie zmarszczek i skuteczne pozamykanie porów. Trzeba tylko było rozprowadzić ją po całej twarzy, zostawiając dwie dziury na oczy, poczekać piętnaście minut i spłukać.

Pomazałam się tym specyfikiem, a potem przez dłuższą chwilę przyglądałam się sobie w lustrze. Czy to przez tę zieloną gliniastą maseczkę moje oczy wyglądały, jakby nabiegły krwią? A może naprawdę były przekrwione? Może lepiej przystopuję trochę z raczeniem się winem, aczkolwiek na myśl o kieliszku bellini przeszedł mnie przyjemny dreszcz. No i proszę, zganiłam się w duchu, w jednej chwili narzekasz, że nie powinnaś tu być i dłużej nie wytrzymasz, a w następnej nakładasz na twarz maseczkę i zastanawiasz się nad zamówieniem do pokoju butelki bellini. Może się w końcu zdecydujesz.

Zadzwoniłam po obsługę i zamówiłam bellini. Potem, przypomniawszy sobie o zielonej skorupie na twarzy i o tym, że pod szlafrokiem jestem zupełnie naga, powiedziałam im, żeby zostawili wszystko na zewnątrz.

Pięć minut później odezwał się dzwonek. Dałam kelnerowi parę minut na oddalenie się korytarzem i wejście do windy, i dopiero wtedy otworzyłam drzwi. Po lewej stronie zobaczyłam mały wózek ze srebrnym wiaderkiem, w którym pośród lodu spoczywała butelka bellini. Uśmiechając się, wyszłam na zewnątrz, sięgnęłam po wiaderko i usłyszałam, jak zatrzaskują się za mną drzwi.

Odwróciłam się na pięcie, prawie się przyduszając. Drzwi przycięły pasek mojego szlafroka. Pociągnęłam, ale bez skutku. Spróbowałam ponownie. Nic z tego.

Wzdychając, wyciągnęłam pasek ze szlufek i zabrałam się za drzwi. Nie chciały się otworzyć. Może zacięły się właśnie z powodu tego paska. Jeszcze raz nacisnęłam klamkę i pchnęłam drzwi. Nic.

Wpadłam w panikę. Poły mojego pozbawionego paska szlafroka rozchyliły się, a twarz była sztywna pod zieloną spękaną skorupą. To nie mogło dziać się naprawdę. To nie mogło się przydarzyć mnie, doktor Jericho, opanowanej lekarce z ostrego dyżuru. Nie, oczywiście, że nie, pomyślałam gorzko. To przydarzyło się Gemmie, królowej niezdar. Kopnęłam w drzwi, czego zaraz pożałowałam. Teraz potwornie bolała mnie stopa.

Obejrzałam się za siebie. Korytarz, długi i pusty, był łagodnie oświetlony. Wokół panowała cisza. Nasz apartament znajdował się na samym jego końcu, a windy gdzieś w połowie. Naprzeciwko wind była marmurowa konsola z wielkim bukietem kwiatów, telefonem i świeżymi gazetami.

Spojrzałam tęsknie na ten telefon; to była odpowiedź na moje modły. Ale dzielił mnie od niego długi odcinek korytarza z wieloma drzwiami, do tego dochodziły jeszcze windy, z których w każdej chwili mogli się wyłonić niczego nieświadomi goście i doznać na mój widok szoku; byłam półnaga i wyglądałam jak upiór z opery.

Co miałam robić. Poprawiłam turban na głowie, owinęłam się szlafrokiem i popędziłam korytarzem. Chwyciłam za telefon i wybrałam numer, rzucając niespokojne spojrzenia na windy. Wyjaśniłam mężczyźnie po drugiej stronie, że zatrzasnęłam się na zewnątrz pokoju, i poprosiłam, żeby natychmiast przysłał kogoś z kluczem, bo sprawa jest pilna. Powiedział: „*Sì, signora*, już się robi". Odetchnęłam z ulgą. Wtedy brzdęknęła winda.

Przerażona opadłam na jedno z małych, wyścielanych jedwabiem krzeseł obok stolika, chwyciłam gazetę i zasłoniłam nią twarz. Skrzyżowałam nogi, modląc się, żeby – ktokolwiek to był – nie zauważył bosej, półnagiej kobiety w turbanie z ręcznika, w zielonej masce, z oczami jak dwie rozpadliny w śniegu, która udaje, że czyta włoską gazetę.

Usłyszałam, jak otwierają się drzwi i ktoś wychodzi na korytarz. Drzwi się zamknęły, ale nikt się nie ruszył. Spojrzałam w dół, pod gazetę, i zobaczyłam stopy w drogich brązowych zamszowych mokasynach i żółtych skarpetkach. Dziwne, że moja maseczka nie popękała z trzaskiem; twarz oblał mi gorący rumieniec.

– Tak przy okazji – usłyszałam rozbawiony głos – czyta pani tę gazetę do góry nogami.

Opuściłam gazetę i posłałam mu wściekłe spojrzenie.

– Drzwi się zatrzasnęły – powiedziałam pełnym godności tonem. – Czekam, aż boy hotelowy przyniesie mi klucz.

Teraz uśmiechał się już od ucha do ucha.

– Niech pani uważa na szlafrok – powiedział. – Trochę tu chłodnawo z tą klimatyzacją.

Odwrócił się i odszedł korytarzem. Słyszałam, że śmiał się przez całą drogę.

Popędziłam z powrotem pod moje drzwi, chwyciłam butelkę i kuląc się w rogu, zaczęłam ją opróżniać.

W końcu pojawił się mój wybawca z kluczem. Był o wiele grzeczniejszy od Michała Anioła; nawet na mnie nie spojrzał, nie wspominając już o śmiechu. A potem byłam już z powrotem w środku i zmywałam tę idiotyczną maseczkę, która nie usunęła ani jednej zmarszczki, co dopiero mówić o pozamykaniu porów, a moje oczy, niech to szlag, nadal były przekrwione.

Rzuciłam się na kanapę i wyżłopałam bellini do końca. Modliłam się, żeby już więcej nie spotkać tego nadętego palanta. Miałam dosyć Rzymu i mądrali z Long Island.

Rozdział 11

Tego wieczoru jadłyśmy kolację w Il Volte na Via della Rotonda, eleganckiej – ale bez przesady – restauracji z ruchliwym zewnętrznym tarasem, oświetlonym delikatnie przez lampy i otoczonym zielenią.

Noc była gorąca, a granatowe niebo usiane gwiazdami. Ludzie tłumnie wylegli na ulice, uciekając z nagrzanych mieszkań. Taszczyli ze sobą niemowlaki z błyszczącymi oczami, wyławiali maluchy spod kół małych, hałaśliwych skuterów, popijali wino w kawiarniach, delektowali się *gelati*, prowadzili głośne rozmowy przez komórki, ściskali się z przyjaciółmi, całowali w drzwiach lokali. Po prostu rzymianie.

Stoliki były stłoczone pod niebieską markizą, w powietrzu unosiła się muzyka, zapach margherity mieszał się z wonią makaronu z czosnkiem i małżami. Białe wino frascati było wprost wyborne, a od długiego stołu tuż obok naszego docierały wybuchy śmiechu weselników.

Panna młoda była Angielką; wyglądała ślicznie w obcisłej sukience z białej koronki i tiulowym welonie. Jej świeżo upieczony mąż był Irlandczykiem z czerwoną twarzą; z powodu upału zdjął marynarkę i rozpiął kołnierzyk. Przez cały wieczór obejmował żonę ramieniem. Obserwowałam ich tęsknie, wspominając swój ślub, z którego nawet ja miałam ochotę uciec.

Towarzystwo weselne składało się z przedstawicieli wielu europejskich nacji, a wszyscy śmiali się, ucztowali, popijali szampana i ogólnie świetnie się bawili. Napotkałam spojrzenie panny młodej i uniosłam kieliszek.

– Życzę szczęścia – zawołałam, a ona uśmiechnęła się promiennie i zaproponowała, żeby się do nich przyłączyć.

– Zdecydowaliśmy się na ślub w zeszłym tygodniu – wyznała mi, ciągle podekscytowana. – Pomyśleliśmy, że tak będzie bardzo romantycznie, poza tym Rzym był najdogodniejszym miejscem, w którym wszyscy nasi przyjaciele mogli się zebrać. Więc po prostu do nich zadzwoniliśmy. Kupiłam sukienkę, on kupił bilety na samolot, zarezerwowaliśmy hotel – no i jesteśmy.

Śmiałyśmy się razem z nimi, wznosiłyśmy toasty za ich zdrowie i szczęście, a potem zabrałyśmy się z powrotem do naszej margherity i sałatki caprese z pomidorami, które smakowały, jakby rzeczywiście urosły latem na nasłonecznionym polu. Miałyśmy do tego butelkę lekkiego czerwonego, delikatnie musującego wina, które Włosi nazywają *frizzante*.

Ale mieli farta, że udało im się znaleźć takie szczęście, pomyślałam zazdrośnie.

Ben

Ben Raphael, „Michał Anioł z Long Island", przyglądał się Gemmie z rogu tarasu. Jego córka jadła *fragolini*, malutkie, bardzo słodkie poziomki – sezonową włoską specjalność. Skubała je, jakby były cenne niczym perły. Ben był zadowolony, że pomimo wyznawanych przez jej matkę poglądów na temat kobiecej figury Muffie odziedziczyła po nim zamiłowanie do dobrego jedzenia.

Ponownie spojrzał na tę Amerykankę, schowaną za kieliszkami. Jadła pizzę razem ze swoją nastoletnią, dziwacznie ubraną córką z postrzępionymi żółtymi włosami i z babcią wystrojoną w najlepszą czarną sukienkę.

Najbardziej pasuje do niej określenie „dziwna", pomyślał, potrząsając głową i uśmiechając się na wspomnienie ich dzisiejszych spotkań. Przypomniał sobie też, jak po raz pierwszy zobaczył ją zeszłego wieczoru. Sprawiła, że zatrzymał się na moment, myśląc o tym, jak prawdziwie wyglądała: bez makijażu, bezpretensjonalna, wyraźnie zmęczona.

Uderzyło go, jak bardzo różniła się od tych wszystkich eleganckich kobiet, które znał. Patrząc teraz na nią, w prostej białej bluzce i spódnicy, w sandałach na gołych stopach, ze złotymi włosami oświetlonymi przez lampę stojącą za jej plecami, zastanawiał się, kim jest i dlaczego wygląda, jakby nie bawiła się zbyt dobrze. I czy to przez tę swoją niezdarność i skłonność do wypadków wydawała się taka bezbronna. Chyba nie tylko o to chodziło. Sam nie wiedział, czemu tak utkwiła mu w głowie.

Rozdział 12

Gemma

Następnego ranka pędziłyśmy na północ samochodem, który był niczym srebrny pocisk, krzykliwy i potwornie drogi, ale w końcu wiozłam „dziedziczkę". Potężny silnik lancii mruczał miękko jak kołysanka, skórzana tapicerka miała cudowny zapach nowości, a tablica rozdzielcza z tymi wszystkimi nowoczesnymi bajerami aż lśniła. Byłam w samochodowym raju. Wyjechałyśmy na Florencję, ale ja niemal nie miałam ochoty tam dojechać. Jazda tym samochodem była najprostszą drogą do osiągnięcia rozkoszy – i bankructwa, jak sądzę. Ale Nonna oświadczyła, że zamierza wrócić do swojej starej wioski z fasonem, więc jak mogłabym się na to nie zgodzić?

Ruch na drodze był koszmarny. Samochody nacierały na mnie z tyłu, błyskając światłami, zmuszając do zjechania na prawy pas, a potem wyprzedzały z niedopuszczalną prędkością; z prawego pasa zgonił mnie kierowca rozklekotanej ciężarówki – on też błyskał światłami, ostrzegając mnie, żebym nie zajeżdżała mu drogi. W końcu zaczęłam się zastanawiać, czy w ogóle nie zjechać na pobocze.

Ale wkrótce wyjechałyśmy za miasto, minęłyśmy znaki z napisami „urbino i pienza" i jechałyśmy dalej drogami ocienionymi przez sosny, wśród wzgórz usianych cyprysami; mijałyśmy podupadłe gospodarstwa, malutkie wioski, stojące samotnie domy i stodoły, starych mężczyzn siedzących w cieniu, wspartych o laski i obserwujących, jak świat przemyka im przed oczami.

– Już dojeżdżamy – powiedziałam do Nonny, zastanawiając się, o czym myśli, teraz kiedy była już prawie w „domu".

Nonna patrzyła z niepokojem na przesuwające się za oknem krajobrazy. Domyśliłam się, że pewnie się spodziewała, że będzie wszystko pamiętać. Ale to działo się tak dawno, a ona była wtedy dzieckiem.

Miało to być wielkie wydarzenie w jej życiu, w naszym zresztą też – powrót do korzeni, wizyta u nigdy niewidzianych krewnych; miałyśmy zobaczyć starą wioskę i skromny kamienny domek, w którym Nonna się urodziła. Jednak teraz wydawała się jakaś niepewna. A co, jeśli jej wioska wyglądała inaczej, niż ją zapamiętała? Co, jeśli nie został w niej nikt z dawnych lat? Jeśli nie było już nikogo, kto by pamiętał rodzinę Corsini? Dostrzegłam, że Nonna ściąga wielkie okulary przeciwsłoneczne w hollywoodzkim stylu, które kupiła w Rzymie, i ociera oczy. O Boże, ona płakała. Może mimo wszystko to był błąd.

Mogłabym przysiąc, że od pół godziny krążymy w kółko.

– Jesteś pewna, że to dobra droga? – spytałam w końcu Nonnę.

– Myślisz, że nie pamiętam drogi do domu? – odparła urażona.

– Mamo – powiedziałam – nie byłaś tu od prawie pięćdziesięciu lat i myślę, że po prostu nie pamiętasz dokładnie, gdzie jest Bella Piacere.

Livvie wyciągnęła mapę i jeszcze raz się jej przyjrzała. Zerknęła na odległe miasto usytuowane na szczycie wzgórza i powiedziała, że to musi być Montepulciano. Potem Nonna kazała mi jechać dalej i zapewniła, że pozna wioskę, kiedy ją zobaczy.

Wzdychałam nad jej logiką, gdy pięłyśmy się wolno białą drogą; Nonna siedziała na skraju fotela, wyglądając przez szybę z miną żołnierza na zwiadach.

– Tam! – zawołała nagle. – Skręć w lewo na skrzyżowaniu, obok kapliczki świętego Franciszka.

Skręciłam gwałtownie przy małej kapliczce z figurą świętego Franciszka – stał ze wzniesionymi do góry rękami, jakby błogosławił słój z plastikowymi kwiatami, który ktoś postawił mu u stóp. Zaczęłyśmy się piąć wąską dróżką ocienioną topolami, mijając małą farmę z samotną białą krową, która spojrzała na nas poważnie z kamiennej stodoły.

Rozejrzałam się wokół. Więc to jest Toskania, pomyślałam. Pokryte winnicami wzgórza, srebrzyste gaje oliwne, pola olśniewających słoneczników, stare wille pomalowane na pastelowe kolory, starożytne kamienne wsie, chłodne sklepione przejścia rozświetlane przez słońce. I w końcu wioska o nazwie Bella Piacere na szczycie wzgórza. Raj.

Nie. To jest zbyt piękne, żeby było prawdziwe. To miejsce jak z pocztówki, stworzone specjalnie dla turystów, żeby mogli je uwieczniać na zdjęciach. Ale wokół nie było żadnych turystów, nigdzie nie błyskały flesze aparatów. Tylko cisza i wszechogarniający spokój.

Zaparkowałam na małym brukowanym placyku i wysiadłyśmy z samochodu. Trzymając się za ręce, rozglądałyśmy się wokoło. Stąd się wywodziłyśmy.

Bella Piacere drzemała spokojnie za zamkniętymi zielonymi okiennicami w gorącym słońcu sjesty. Wokół placu stały różowe domki z terakoty; pręgowany kot spał za donicą z jasnoczerwonymi pelargoniami, paciorkowe zasłony w drzwiach zabrzęczały w nagłym podmuchu wiatru, a w powietrzu unosił się intensywny aromat bazylii i czosnku – była pora obiadu. Z chłodnego ciemnego wnętrza małego, pomalowanego na miodowy kolor kościoła dochodził zapach kadzidła i kwiatów, a w uliczce obok widać było kamienne schody wijące się tajemniczo do góry. Nigdzie nie było żywej duszy; cisza aż dzwoniła w uszach.

Nagle Nonna zalała się łzami. Otoczyłyśmy ją ramionami i stałyśmy tak w grupowym uścisku pośrodku głównego placu w jej rodzinnej wiosce. To był jej powrót do domu, a ja dziwiłam się, że w ogóle stąd wyjechała. Bo Bella Piacere także mnie chwyciła za serce.

Czy dlatego, że stąd pochodziła moja matka? Czy dlatego, że tu były korzenie mojej rodziny, moje korzenie? A może chodziło o ten spokój, ciszę i poczucie, że czas się tutaj zatrzymał?

Rozdział 13

Albergo d'Olivia był pokryty wyblakłym różowym stiukiem; stał frontem do brukowanego placu z fontanną, pryskającą wodą na parę wyszczerbionych kamiennych cherubinów z delfinem. Nonna powiedziała nam, że jeszcze nie tak dawno *albergo* był oborą dla krów. Toskańskie krowy tradycyjnie trzymano pod dachem i traktowano jak konie szlachetnej krwi. W dawnych czasach często miały lepsze warunki życia niż chłopi, którzy byli ich właścicielami. Ale teraz obora została przerobiona na niewielki hotelik z szerokimi łukowatymi oknami w miejscu dawnych wielkich wrót. Nad wejściem wisiał ozdobny znak z kutego żelaza w kształcie drzewa oliwnego; hotel miał też kawiarniany ogródek – kilka metalowych stolików i krzeseł rozrzuconych swobodnie po placu.

Nie mogę, pomyślałam, to zbyt piękne, żeby było prawdziwe. To jest pocztówka z wiejskim toskańskim hotelem prosto z marzeń!

Przeszłyśmy przez paciorkową zasłonę w drzwiach do długiego, niskiego pomieszczenia z terakotową podłogą i kamiennymi ścianami. Po naszej lewej była jadalnia – sześć stolików przykrytych jasnozielonymi obrusami, na których stały małe flakoniki z różowymi goździkami.

Po prawej stronie był mały salonik z podniszczoną kanapą z zielonej skóry i dwoma twardymi krzesłami o wysokich oparciach; stało tu też kilka stolików, każdy z małą lampką, i niewielki telewizor. Pod oknami sterczały w donicach skarłowaciałe kaktusy, a w tylnej ścianie tkwiły żelazne koryta na paszę z czasów, kiedy hotel był jeszcze oborą.

– *Buon giorno* – zawołała Nonna, naciskając dzwonek przy drzwiach. Zadźwięczał głośno jak wóz strażacki i młoda dziewczyna ukryta w kącie pod schodami pisnęła, podskakując jakieś pół metra w powietrze.

Była niska i chuda, z okrągłymi brązowymi oczami. Miała krótkie czarne, nierówno przycięte włosy, skórę tak bladą, jakby nigdy nie oglądała słonecznego światła, a usta tworzyły małe różowe „O" z zaskoczenia. Wyglądała jak typowy urwis z włoskiego filmu.

– Przepraszam. Nie chciałyśmy cię przestraszyć. – Uśmiechnęłam się.

Zaczęła machać gwałtownie rękami.

– *Prego, un momento, signore* – krzyknęła i minęła nas, pędząc na tyły do drzwi z napisem *cucina*. Po chwili drzwi znowu się otworzyły i wypadła przez nie kolejna niska kobieta. Była dokładną kopią córki: te same ciemne, okrągłe oczy, te same małe usta, ta sama postrzępiona fryzura. Z tym że ta kobieta była gruba. No i była kierowniczką pełną gębą. Wcisnęła się za sosnową ladę pod schodami, wytarła ręce o fartuch i spojrzała na nas wyczekująco.

– *Prego, signore*?

Nonna zmarszczyła brwi. Pochyliła się nad kontuarem, żeby się jej lepiej przyjrzeć.

– *Scusi, signora* – powiedziała – ale znam tę twarz. Musi być pani spokrewniona z rodziną

69

Ambrosini. Carlino i Maria Carmen. Mieszkali na szczycie Vicolo 'Scuro.

– *Sì*, to prawda. Byli moimi dziadkami. Nazywam się Amalia Posoli.

Nonna przycisnęła kurczowo rękę do łomoczącego serca.

– Chodziłam do szkoły z twoją matką, Renatą. Mieszkałyśmy po sąsiedzku. Nie widziałam jej od czasu, kiedy byłyśmy dziewczynkami. Wtedy nazywałam się Sophia Maria Lorenza Corsini. A teraz jestem *signora* Jericho i jestem wdową. Przyjechałam z Nowego Jorku, żeby jeszcze raz zobaczyć Bella Piacere, moją rodzinną wioskę. Zanim umrę – dodała z dłonią w dalszym ciągu dramatycznie przyciśniętą do piersi.

Livvie przewróciła do mnie oczami, ale Amalia grzmotnęła pięścią w sosnowy kontuar z takim entuzjazmem, że aż zadrżał.

– Ale mama się ucieszy, kiedy znowu panią zobaczy, *signora* Jericho. Witamy w domu. *Mamma* będzie zachwycona. Wyszła za Ricarda Posolego. Pamięta go pani?

– Ricci Posoli? – Nonna się rozpromieniła. – Oczywiście, że go pamiętam, wysoki i chudy jak fasolka szparagowa, a Renata była niska i okrągła.

Amalia się roześmiała.

– Pokażę wam pokoje. Tu mam rezerwacje. – Wskazała na zeszyt, który służył za książkę meldunkową. – A jak już będziecie gotowe, zabiorę was do mamy. Będzie zachwycona. *Madonnina mia!* Ale będzie miała niespodziankę.

Nonna dostała duży kwadratowy pokój z oknem wychodzącym na oplecioną winoroślą pergolę i zarośnięty ogród, gdzie maleńkie pomidory niczym jasnoczerwone róże trzymały się kurczowo nagrzanych kamiennych murów; sprawiały wrażenie, że zaraz wybuchną, tak bardzo były dojrzałe, a cukinie, na których zakwitły imponujące żółte kwiaty, triumfowały nad zagonem przyduszonej sałaty. Livvie miała uroczy kwiecisty pokoik od frontu, a mój pokój, połączony z pokoikiem Livvie łazienką, był cały biały. Białe ściany, białe koronkowe firanki, biała płócienna narzuta.

Jak pokój dziewicy, pomyślałam, rzucając się na łóżko, żeby je wypróbować. I oczywiście mógłby to być pokój dziewicy. Uśmiechnęłam się, kiedy łóżko zaskrzypiało. Nikomu nie udałoby się tu stracić dziewictwa, żeby nie wiedziało o tym zaraz pół hotelu; będę pewnie wstrzymywać oddech za każdym razem, kiedy będę się przewracać na drugi bok, ze strachu, że obudzę innych gości.

Zajrzałam do łazienki, gdzie zobaczyłam białe kafelki w drobne różowe kwiatki, głęboką wannę z ręcznym prysznicem i różową plastikową zasłonką w gwiazdki.

Wróciłam do mojego dziewiczego pokoju, podeszłam do okna i otworzyłam zardzewiałe zielone okiennice. Wystawiłam głowę na zewnątrz. Po lewej, na szczycie łagodnego pagórka, zauważyłam stary pretensjonalny budynek w połowie ukryty za drzewami. Była to Villa Piacere, będąca, jak powiedziała mi Nonna, siedzibą hrabiów Piacere przez ponad trzysta lat.

Livvie wychyliła się obok mnie, dotrzymując mi towarzystwa. Patrzyła na pogrążony w ciszy plac, porośnięte winoroślą stoki i gaje oliwne. Łagodny dźwięk fontanny sączył się do pokoju, a powietrze było upajająco czyste. Czułyśmy na twarzach gorące promienie słońca, ptaki ćwierkały, kościelny zegar wybił trzecią, gdzieś zaszczekał pies.

– Czy ludzie się tutaj nie nudzą? – szepnęła Livvie.

Rozdział 14

Szłyśmy na spotkanie z matką Amalii. Nonna miała na sobie nową suknię z czarnego jedwabiu, kupioną na wyprzedaży u Macy'ego zaledwie kilka tygodni wcześniej; wtedy jeszcze uważała osiemdziesiąt pięć dolarów za oburzającą cenę. Suknia miała stójkę, rząd błyszczących gagatowych guzików, wąski pasek i plisowaną spódnicę, która kończyła się kilka centymetrów nad kostką. Prosta, ale gustowna, w sam raz dla sześćdziesięcioletniej babci. Na nogi włożyła czarne czółenka na niskich obcasach, wzięła też nową drogą torebkę kupioną w Rzymie, czarną i błyszczącą. Włosy jak zwykle spięła w kok, założyła też wielkie ciemne okulary. Wyglądała jak wdowa na mafijnym pogrzebie.

Livvie i ja szłyśmy po obu jej bokach, trzymając ją pod ramiona, niczym żałobnicy. Livvie miała na sobie czarną spódniczkę mini, obcisłą białą koszulkę i tenisówki. Z jakiegoś powodu Nonna nalegała, żebym i ja włożyła „najlepszą" czarną sukienkę, tylko że teraz była jeszcze bardziej pomięta, po tym jak w ostatniej chwili cisnęłam ją do mojego marynarskiego worka.

Bez wątpienia stanowiłyśmy dziwne trio; podążałyśmy za Amalią schodami obok kościoła, prowadzącymi z placu do 'Scuro – Nonna nazywała tak Vicolo Oscuro, czyli Cienistą Aleję, wąską brukowaną uliczkę wijącą się w górę po stoku.

Malutkie żelazne balkoniki kamiennych domków były obstawione doniczkami z pelargoniami i jaśminem, a nad naszymi głowami trzepotały bezwstydnie sznury prania. Długa sjesta dobiegła końca i wieś zaczynała ożywać. Z domów powychodziły kobiety z siatkowymi torbami na zakupy przewieszonymi przez ramię, rozwrzeszczane małe dzieci biegały nam pod nogami, a stary mężczyzna siedział w progu, tkając koszyk z sitowia.

– Pamiętam to. – Usłyszałam, jak Nonna mruczy do siebie. – O, tak, pamiętam.

Pagórek był stromy i Nonna ciężko oddychała. Zaproponowałam, że przystaniemy na chwilę, ale uparła się dotrzymać kroku Amalii, która skakała przed nami jak zapasiona sarna.

W końcu wąska brukowana uliczka przeszła w coś w rodzaju szerokiej półki skalnej bezpośrednio nad kościołem i teraz patrzyłyśmy nad miedzianą, zielonkawą kopułą z dużym krzyżem na Albergo d'Olivia po drugiej stronie placu, na fontannę i na ludzi, którzy wyglądali jak schematyczne figurki na prostym obrazku – przechadzali się i robili zakupy w domu towarowym, w piekarni, u rzeźnika i w wędliniarni, przed którą zatknięto wielką plastikową głowę dzika, by było wiadomo, że w sprzedaży jest także salami z dzika. To był swoisty mikrokosmos, doskonały i samowystarczalny, świat sam w sobie.

Uliczka kończyła się ślepo; stało przy niej rzędem sześć małych kamiennych domów, każdy z dwoma oknami na parterze i trzema na piętrze. Do środka wchodziło się po pojedynczym wyszorowanym schodku. Na zewnątrz stały przypadkowo dobrane krzesła ogrodowe i stoliki, otoczone całą masą doniczek, drewnianych wanienek i starych puszek po oliwie. Znowu obrazek jak z pocztówki.

Amalia obejrzała się, by zobaczyć, gdzie jesteśmy; czekałyśmy, aż Nonna złapie oddech.

Była blada, ale uśmiechnięta. Jej uśmiech był radośnie zaraźliwy i nagle dotarło do mnie, po kim odziedziczyłam tę tryskającą szczęściem osobowość – tę z młodości, która najwyraźniej zużyła się w miarę upływu czasu; która zniknęła na zawsze, kiedy Cash Drummond zniknął z mojego życia.

– *Ecco, bambini* – powiedziała Nonna, wyrzucając ramiona tak szeroko, że Livvie i ja musiałyśmy zrobić unik, by zapobiec walnięciu w głowę. – Teraz jestem w domu. – Poszła prosto do ostatniego domu, odsunęła paciorkową zasłonkę i krzyknęła: – Jest tam kto?

Amalia wrzasnęła ile sił w płucach:

– Giuseppe, Maria, chodźcie poznać Sophię Marię Lorenzę Corsini Jericho, która przyjechała prosto z Nowego Jorku, żeby przed śmiercią odwiedzić swój stary dom. Kiedyś mieszkała właśnie w tym domu. Jest przyjaciółką mojej mamy.

Giuseppe – mniej więcej dwudziestopięcioletni, w niebieskich dżinsach, podkoszulku, spod którego wystawały czarne kręcone włosy, i z szerokim uśmiechem – pojawił się w drzwiach, trzymając na rękach dziecko; mała miała na sobie tylko pieluchę i czerwoną kokardkę we włosach. Za nim stała Maria, ciemnowłosa, o oliwkowej cerze. Na jej pięknej twarzy malowało się miłe zaskoczenie, kiedy zapraszała moją matkę do swojego domu, ściskając ją, jakby znały się całe życie.

Nonna w milczeniu rozglądała się po swoim starym domu. Wszystko się zmieniło. Zamiast klepiska, paleniska i prostych drewnianych krzeseł były teraz kafelki, kuchenka i meble z obiciami. Ale jakimś cudem nadal było tak samo: ta sama atmosfera, te same uczucia.

Wieść o naszym przyjeździe zdążyła się już rozejść i znajome twarze, tyle że starsze, zaczęły tłoczyć się w drzwiach. Wszyscy pamiętali rodzinę Corsini; wszyscy chcieli poznać córkę Sophii oraz jej wnuczkę i posłuchać o jej życiu w Nowym Jorku. Kraciaste kolorowe obrusy zostały rzucone na stoliki na zewnątrz, przyniesiono więcej krzeseł, otwarto butelki z winem. Na stoły wyjechały oliwki, chleb, sery, pomidory, *biscotti* i jeszcze więcej wina. Livvie trzymała małą na rękach, z radia sączyła się cicha muzyka. Ni z tego, ni z owego zaczęła się impreza.

Siedzieliśmy wszyscy razem, obserwując zachód słońca nad Bella Piacere, a Nonna, która pozbyła się wyglądu mafijnej wdowy razem z okularami, trzymała za rękę starą przyjaciółkę Renatę Posoli, nadrabiając zaległości z pięćdziesięciu lat.

Zauważyłam, że Livvie z czułością obserwuje babcię, i pomyślałam, że przyjazd do Bella Piacere był słuszną decyzją. Sophia Maria Lorenza Corsini Jericho była znowu w domu.

Rozdział 15

Było już późno, kiedy wróciłyśmy do *albergo*. Na placu i w kościele paliły się światła. Na podświetlanej wystawie sklepu spożywczego widać było zakurzone butelki wina, skrzynki z melonami i błyszczące czerwone papryczki. Neon rzucał zieloną poświatę na stację benzynową z pojedynczym dystrybutorem i małym, ciemnym warsztatem na tyłach. Obok, w zadymionym barze Galileo, z wyblakłymi reklamami grappy i piwa, którymi była oblepiona cała szyba, kręcił się niezły biznes. Ze środka dochodziło głośne trzeszczenie telewizora z transmisją meczu piłki nożnej i ryki klientów, kiedy Juventus zdobywał kolejnego gola. *Gelateria* naprzeciwko przyciągała wieczornych spacerowiczów i dzieci napisem *granita fatta a casa*, lody domowej roboty, a sękaci starzy mężczyźni grali w bocce na zakurzonym boisku osłoniętym sosnami, zagrzewani do walki przez próżniaków pod barem.

Na metalowym krześle przed *albergo* czekał samotny ksiądz w czarnej sutannie i kapeluszu z szerokim rondem. Był pulchny, rumiany, w okrągłych drucianych okularach. Na jego twarzy malował się niepokój. Podniósł się, kiedy podeszłyśmy.

– *Signora* Jericho? – Wyciągnął rękę. – Słyszałem,
że pani przyjechała. Jestem Don Vincenzo Arrici.

Więc Don Vincenzo rzeczywiście istniał, był
prawdziwy, aż po święty pierścień na palcu, starą
czarną sutannę i zdarte czarne buty wiejskiego proboszcza.

Oho, pomyślałam, kiedy usiedliśmy wokół małego stolika, zamówiliśmy grappę i wodę san pellegrino i przez chwilę przyglądaliśmy się sobie nawzajem. Nadeszła chwila prawdy. Zaraz usłyszy-
my o bezwartościowym poletku z dwoma oliwnymi
drzewkami i paroma starymi kwokami.

Don Vincenzo prawie nie mówił po angielsku,
więc Nonna musiała nam tłumaczyć.

– Od razu przejdę do rzeczy, *signore* – powiedział, upijając łyk grappy i patrząc na nas promiennie znad okrągłych okularów. – Doszło do tego tak.
Pewnej zimy, wiele lat temu, pani ojciec, *signora*
Jericho, ryzykował własne życie, żeby ocalić naj-
młodszego syna hrabiego Piacere przed utonięciem
w wezbranej rzece. Chłopiec nigdy nie zapomniał
swojego strachu przed śmiercią ani swojego wybawcy. Lata mijały i rodzina Piacere topniała, aż w końcu został tylko najmłodszy syn. Nigdy się nie ożenił,
nie miał żadnych spadkobierców, więc kiedy przy-
szedł na niego czas, zostawił Villę Piacere i całą ziemię rodzinie człowieka, który go ocalił.

– *La mia famiglia*? – Nonna znowu przycisnęła
rękę do serca, jakby chciała uspokoić jego przyspie-
szone bicie.

– *Sì, signora, la sua famiglia*. Teraz Villa Piacere z całym wyposażeniem należy do pani.

– *Dio mio* – powiedziała oszołomiona.

Nagle zdałam sobie sprawę, że to nie był żaden
głupi dowcip; to się działo naprawdę. Pociągnęłam

77

łyk grappy, krztusząc się, kiedy wpadła mi do gardła jak ogień. Zastanawiałam się, dlaczego ludzie w ogóle to piją; wódka była tak mocna, że można by się nią leczyć z ciężkiego przeziębienia. Ale nie złagodziła mojego szoku.

Livvie wpatrywała się we mnie przerażona.

– Czy to znaczy, że teraz będziemy musiały tu mieszkać? – szepnęła.

Pokręciłam głową.

– Oczywiście, że nie, skarbie. To po prostu jakaś stara zaniedbana willa, której nikt nie chce. – Ale nagle pomyślałam: A jeśli Nonna naprawdę chce tu mieszkać? Co wtedy zrobię?

– Musi się pani spotkać z prawnikiem – tłumaczył Nonnie Don Vincenzo. – *Signor* Donati wyjaśni wszystkie szczegóły pewnych drobnych… komplikacji.

Wpatrywałyśmy się w niego tak oszołomione, że nawet nie zauważyłyśmy tego złowieszczego słowa… komplikacje.

– Trzeba się będzie porozumieć z adwokatem, żeby umówić się na inspekcję pani willi – ciągnął. – Ale w tej chwili *signor* Donati jest… poza miastem.

Ksiądz obracał w palcach kieliszek grappy, unikając naszego spojrzenia.

– Jest jeszcze jedna drobnostka – dodał. – Villa Piacere została wynajęta na lato pewnemu człowiekowi, który przyjeżdża tu od paru lat. To znaczy, że przez jakiś czas nie będzie pani mogła zająć swojej własności, nawet jeśli wszelkie komplikacje zostaną usunięte. Ale – dorzucił, tym razem z uśmiechem – co roku *signore* wydaje w willi wielkie przyjęcie z okazji Czwartego Lipca. Zaprasza wszystkich miejscowych, zarówno z wioski, jak i okoliczną arystokrację. Dosłownie wszystkich. Przyjęcie jest w tym tygodniu. Będzie pani mogła zobaczyć swoją posiadłość.

Nonna zamówiła więcej grappy, żeby to uczcić, a ja ciężko opadłam na niewygodne metalowe krzesełko, gapiąc się na grających w bocce, miedziany krzyż kościoła i wyszczerbione cherubiny omszałej fontanny. Willę trzeba będzie sprzedać, nie było co do tego wątpliwości. Ale ilu może być chętnych na zrujnowaną, starą willę, która, mogłam się założyć, potrzebowała nowego dachu i nowej sieci wodno-kanalizacyjnej, nie wspominając już o instalacji elektrycznej? Jęknęłam w duchu. To była studnia bez dna.

A tak w ogóle, kto wynajmuje ten dom? I za ile? Ożywiłam się trochę na myśl o ewentualnych dochodach, ale zaraz wróciłam na ziemię. Pomyślałam ponuro, że ta cała Villa Piacere pochłonie pewnie więcej pieniędzy, niż jest warta.

Ale Nonna najwyraźniej była innego zdania. Podekscytowana nowinami, od razu weszła w rolę właścicielki trzystuletniej willi. Long Island i niebieski domek z gankiem odeszły w przeszłość. Byłam tego pewna. Wiedziałam również, że wszelkie próby wybicia jej tego z głowy po prostu mijały się z celem.

Rozdział 16

Następnego dnia po południu siedziałam w cieniu pergoli na starym wiklinowym krześle w zarośniętym ogrodzie za hotelem. Na kolanach trzymałam książkę, a na stoliku obok mnie stała szklanka świeżej lemoniady. Twarde zielone winogrona wielkości rodzynek dyndały mi nad głową, cukinia o żółtych kwiatach górowała nad zagonem sałaty i dosłownie czułam słodycz różowych pomidorów, których zapach promieniował od nagrzanej kamiennej ściany. W oddali, na pagórku pomiędzy drzewami, dostrzegłam koralowe dachy Villi Piacere, błyszczące w świetle niskiego popołudniowego słońca.

Zamknęłam oczy i westchnęłam. Jakby życie nie było dość skomplikowane, teraz miałyśmy jeszcze na głowie stary, walący się dom. Będziemy musiały zapłacić podatki, a Bóg jeden wie, jakie podatki obowiązują we Włoszech. Nie żeby nas było na to stać; no chyba że wpłyną pieniądze z czynszu za wynajem, ale jakoś wątpiłam, by ta suma wystarczyła na uregulowanie wszystkich zobowiązań.

Kilka dni temu, w Rzymie, żałowałam, że w ogóle tu przyjechałam, ale teraz, niezależnie od nowych problemów, poczułam się nagle pogodzona ze światem. W każdym razie czułam się tak tego popołudnia.

Nie mogłam sobie przypomnieć, kiedy po raz ostatni spędziłam calutki dzień, nie robiąc absolutnie nic. Tego ranka spałam do późna. Wzięłam prysznic, potem zjadłam śniadanie, w tym ciepły chleb prosto z pieca, wypiłam świeżo paloną kawę z gorącym spienionym mlekiem. Pomachałam na pożegnanie Nonnie i Livvie, które pojechały do Florencji na zakupy (Nonna za kółkiem, cała pewna siebie), żeby kupić nowe sukienki na przyjęcie z okazji Czwartego Lipca. Nie chciałam z nimi jechać. W zamian postanowiłam skontaktować się z tym prawnikiem Donatim i rozwiązać „komplikacje", które pojawiły się razem z willą.

Już wcześniej usiłowałam się do niego dodzwonić, ale numer, który dał mi Don Vincenzo, nie odpowiadał. Teraz spróbowałam ponownie. Ciągle bez odpowiedzi. Poszłam do kościoła, gdzie zastałam księdza w trakcie modlitwy; jednocześnie odkurzał chusteczką mosiężne świece na ołtarzu.

– *Signor* Donati jest prawdopodobnie w Lucce – powiedział mi pocieszająco. – Prowadzi tam dużo interesów. Może spróbuje się pani z nim skontaktować *domani*?

Czemu nie, pomyślałam. Zaczynał mi się udzielać leniwy włoski nastrój. Może być i jutro.

Spacerowałam po placu, zaczepiana przez nowych znajomych, poznanych zaledwie wczoraj, którzy chcieli uścisnąć moją dłoń i zapytać o zdrowie. Ja też rozpromieniałam się na ich widok, próbując sklecić coś po włosku:

– Wszystko w porządku. Czujemy się dobrze. Dziękujemy za gościnę.

Jęknęłam z wysiłku. Jak to możliwe, że potrafiłam zdiagnozować tętniaka mózgu, a nigdy nie nauczyłam się ojczystego języka mojej matki?

Postanowienie numer dwa tego dnia: nauczyć się włoskiego.

Zajrzałam do baru. W małym czarno-białym telewizorze z rozłożoną anteną leciał mecz piłki nożnej, mimo że lokal był zupełnie pusty. Wycofałam się szybko, przecięłam plac i kupiłam przepyszny rożek lodów pistacjowych w lodziarni. Liżąc loda, dokonałam przeglądu rzędów mortadeli, salami i pachnących szynek, obejrzałam sery, którymi kusiła *salumeria*, i zatoczywszy kółko, wróciłam powoli do *albergo*, gdzie na powrót zasiadłam w wiklinowym krześle ogrodowym. Pomyślałam, że może spróbuję wymyślić rozwiązanie choć części moich problemów. Zamiast tego natychmiast zasnęłam.

Możliwe, że był to najspokojniejszy dzień mojego życia. I ani razu nie pomyślałam o Cashu Drummondzie.

Rozdział 17

Nazajutrz był czwarty lipca, dzień wielkiego przyjęcia w willi. Oczywiście wolałabym posiedzieć z książką w cieniu obrośniętej winoroślą pergoli, ale została zmuszona do zachowania pozorów, że się szykuję.

Kiedy Livvie i Nonna wróciły późnym wieczorem z Florencji, były obładowane eleganckimi torbami, ale nie chciały mi pokazać, co kupiły. „Poczekaj, to zobaczysz", rzuciły tajemniczo, choć Livvie nie mogła stłumić chichotu. Teraz miała nastąpić ich wielka odsłona.

Włożyłam jasnoniebieską lnianą sukienkę z zeszłego roku, a może jeszcze starszą, przeciągnęłam lekko szminką po ustach i pośpiesznie przeczesałam rękami włosy. Stanęły dęba, jakby trafił w nie piorun; szybko nałożyłam żel i za pomocą szczotki zmusiłam je do uległości. Wpatrywałam się w lustro, przerażona rezultatem.

Użyłam za dużo żelu i teraz każdy kosmyk był przylepiony do czaszki. Niezadowolona chwyciłam okulary przeciwsłoneczne i zeszłam na dół. Szłam na to przyjęcie tylko po to, żeby zobaczyć tę zakichaną willę. Willę Nonny. Uznałam, że równie dobrze mogę poznać najgorszą prawdę.

Nonna i Livvie czekały na mnie w głównym holu. W każdym razie tak mi się wydawało, że to była Nonna. To była ona? Czy to możliwe?

Miała na sobie elegancką sukienkę z zielonego jedwabiu z głębokim dekoltem i wciętą talią, buty na wysokich obcasach i włosy zaczesane do góry. Wyglądała jak Sophia Loren na rozdaniu Oscarów. Nie założyła okularów – wisiały na złotym łańcuszku na jej szyi; miała je założyć, by przyjrzeć się dokładnie swojej willi.

– O Boziu – powiedziałam, używając ulubionego wyrażenia mojej córki. – Mamo, to naprawdę ty?

Sophia Maria Lorenza Corsini – bo właśnie ona stała teraz przede mną – dotknęła swoich włosów, poprawiła zieloną jedwabną sukienkę i uśmiechnęła się do mnie.

– Podoba ci się szminka? – zapytała. – Dziewczyna ze sklepu powiedziała, że idealnie pasuje do tej zieleni.

Byłam tak oszołomiona, że prawie zaniemówiłam.

– Szminka jest w porządku – wydusiłam. – Wyglądasz... wyglądasz fantastycznie... tak samo jak na zdjęciu z kredensu, kiedy miałaś siedemnaście lat.

Uśmiechnęła się, podniosła swoją dużą czarną torbę, wcisnęła na włosy czarny słomkowy kapelusz z wielkim rondem, poprawiła perły w uszach oraz na szyi i powiedziała:

– Chodźmy, dziewczęta, bo się spóźnimy.

Livvie, która dzięki Bogu ciągle wyglądała jak Livvie – z długimi nogami, dużymi stopami, pączkującym biustem, w obcisłej, ręcznie farbowanej koszulce, krótkiej białej spódniczce i potężnych platformach – ruszyła za nią potulnie, tak samo jak i ja.

W drzwiach Nonna odwróciła się i obdarzyła mnie lustrującym z góry na dół spojrzeniem, jak zawsze z okazji niedzielnego obiadu.

– Musiałaś włożyć tę sukienkę? – zapytała. – Nigdy nie było ci zbyt dobrze w niebieskim, a poza tym len się strasznie gniecie. – Z tymi słowami, hołdująca najnowszym trendom mody właścicielka Villi Piacere wyszła do swojego srebrnego rydwanu, a ja, jej oddany szofer, siadłam za kółkiem i zawiozłam nas na przyjęcie.

Był to sielankowy dzień z niebem bardziej niebieskim od mojej niefortunnej sukienki. Jastrzębie o czerwonych ogonach wisiały nieruchomo w powietrzu jak maleńkie latawce, a gorące słońce świeciło mi prosto w oczy. Wyboista piaszczysta droga pięła się w górę za wsią między gajami sękatych starych drzew oliwnych, których srebrne liście szeleściły w podmuchach lekkiego wietrzyku niczym tafta. W końcu dotarłyśmy do wysokiej żelaznej bramy, której jedno skrzydło zwisało krzywo na starych zawiasach. Na jego szczycie widniało ozdobne P w wieńcu z liści laurowych. Ruszyłyśmy dalej długim podjazdem. A potem ją zobaczyłyśmy. Villa Piacere. Z mojej strony była to miłość od pierwszego wejrzenia.

Willa wznosiła się na szczycie wzgórza, na końcu alei cyprysowej. Była ogromna, zbudowana na planie kwadratu pomiędzy dwoma bliźniaczymi wieżami, i błyszczała w słońcu jak dojrzała złota morela. W wysokich oknach były okiennice, których niebieska farba wyblakła, i teraz były prawie szare. Po lewej stronie znajdowała się otoczona arkadami loggia; cienkie, pełne wdzięku kolumny podtrzymywały miedziany dach, który zwietrzał i teraz był w kolorze szarej zieleni. Po prawej stronie stał budynek, który zgodnie ze słowami Don Vincenza nazywał się *limonaia*; tam właśnie umieszczano delikatne drzewka cytrynowe, żeby ochronić je przed zimowymi mrozami.

Przed frontowymi schodami znajdowała się wielka fontanna, na której ryby z brązu baraszkowały razem z lwami, a uzbrojony w trójząb Neptun wpatrywał się w Wenus wynurzającą się z muszli; była to zadziwiająca metaforyczna mieszanina, wizja dawnego rzeźbiarza, którego zwyczajnie poniosło. Woda ochlapywała żwirek, mech zarósł przestrzeń nad wyżłobioną w kamieniu sadzawką, w której zielonym mroku złota rybka trzepotała małymi płetwami.

Kamienne schody prowadziły do olbrzymich drzwi ze zwietrzałego drewna. Po obu stronach drzwi w wielkich urnach z terakoty stały cytrynowe drzewka uginające się pod ciężarem żółtych owoców. Od frontu był kiedyś ozdobny ogród z niskimi, równo przyciętymi żywopłotami i eleganckimi żwirkowymi ścieżkami, których teraz nie było widać spod morza chwastów i trawy; tu i ówdzie wystawał z tego gąszczu marmurowy posąg.

Siedziałyśmy w samochodzie zupełnie oszołomione; respekt, jaki czułyśmy, odebrał nam mowę. Potem Livvie powiedziała: „O Boziu", a Nonna głęboko westchnęła.

Moje serce zamarło, kiedy patrzyłam na nierówną linię dachu (bez wątpienia oznaczało to kłopoty), na zaniedbany teren wokół willi, odłażący stiuk i ogólnie cały ten ogrom. Z niepokojem przeczesałam palcami włosy. Nie jest nigdzie napisane, że trzeba koniecznie przyjąć spadek, prawda?

Samochody stały na zarośniętym trawniku od frontu; włoski urwis z chudymi nogami, wielkimi oczami, w bejsbolówce i reebokach wskazał nam miejsce do parkowania. Nonna wcisnęła mu do ręki plik lirów, jak przystało na prawdziwą damę, właścicielkę rezydencji, a potem wspięłyśmy się po dwunastu kamiennych schodach do wnętrza willi.

Kiedy po raz pierwszy przekroczyłam próg Villi Piacere, wszystko wydawało mi się takie tajemnicze i przesiąknięte historią; wszędzie stały stare meble i pamiątki po minionych pokoleniach. I nagle niemal zapomniałam o izbie przyjęć, razem z jej dźwiękami i zapachem. Zupełnie jakby działo się to w całkiem innym życiu.

Hol ciągnął się przez całą szerokość domu; na jego końcu znajdowały się oszklone drzwi prowadzące na taras, po którym przechadzały się dziesiątki ludzi z kieliszkami w rękach. Miejscowe dziewczyny w czarnych sukienkach i falbaniastych muślinowych fartuszkach krążyły ze srebrnymi tacami pełnymi przekąsek, mężczyzna w białej marynarce brzdąkał w holu na pianinie koktajlowe piosenki, kwartet smyczkowy grał cicho Mozarta na tarasie, a w altance za domem miejscowa młodzież skakała w rytm dyskotekowych przebojów.

Na trawniku był zacumowany olbrzymi, wypełniony gorącym powietrzem balon w narodowych barwach Stanów Zjednoczonych; stała przy nim długa kolejka chętnych do odbycia krótkiej wycieczki nad wzgórzami. Olbrzymi grill już się palił, czekając na niewyczerpane zapasy hot dogów, hamburgerów i kurczaków, a obok stały długie stoły na kozłach, udekorowane włoskimi i amerykańskimi flagami.

Przyjęcie rozkręciło się już na dobre i wkrótce Nonna została otoczona przez starych znajomych, rozpływających się nad tym, że ciągle jest taka piękna. Przyjmowała to wszystko, jakby całe życie nie robiła nic innego. Sama Królowa Matka nie mogła się z nią równać. Potem Livvie zniknęła, żeby przyjrzeć się otoczeniu, a konkretnie chłopcom, a ja zostałam sama.

Stałam przez chwilę, delektując się myślą, że to wszystko należy do nas, do rodziny Jericho. Myślałam o moim włoskim dziadku, którego znałam jedynie jako brodatego starego mężczyznę z sepiowej fotografii na kredensie, i o tym, jak skoczył do wzburzonego lodowatego potoku, żeby ocalić życie chłopcu. Myślałam też o tym, jak ten sam chłopiec, kiedy już się zestarzał, zostawił wszystko, co miał, rodzinie swojego wybawcy.

Wyszłam przez oszklone drzwi na chłodny, otoczony kolumnami taras, z którego rozciągał się widok na ogrody i ciągnące się bez końca połacie porośniętych winoroślami pagórków, miękkich i okrągłych jak piersi. Pejzaż ten artysta pokrył całą paletą barw: złotem, umbrą, paloną sjeną, oliwką i wpadającą w błękit zielenią. Stałam bez ruchu i patrzyłam. Patrzyłam w sposób, w jaki nie robiłam tego nigdy przedtem – naprawdę to widząc. To miejsce. Ten raj.

Nagle moje serce drgnęło. Wszystkie myśli o wydatkach, nowym dachu czy podatkach gdzieś się ulotniły. To było piękne. To była Toskania. To było nasze.

Po chwili wróciłam do rzeczywistości i weszłam do środka. Zabrałam się do tego, po co tu w ogóle przyszłam: zaczęłam inspekcję naszej posiadłości.

Wyłożony biało-czarnymi kafelkami hol wejściowy był zwieńczony przedpotopową rotundą; marmurowe schody prowadziły na słoneczny, kruszący się balkonik; parkiety były porysowane, zielone satynowe tapety w *grande salone* wyblakłe, a orientalne dywaniki wytarte. Jednak było w tym klimacie ruiny i zapomnienia coś, co chwyciło mnie za serce – Villa Piacere była jak starzejąca się piękność, która potrzebowała czułej, pełnej miłości opieki. Na razie ktoś zadbał, żeby wypełnić wnętrza kwiatami, podretuszował zakurzone złocone amorki zdobiące gzymsy w *grande salone*, odkurzył zabytkowe stoły o wrzecionowatych nogach, porozkładał stare jedwabne poduszki na rozdarciach i łatach wyblakłych kanap ze złoconymi drewnianymi poręczami.

Komuś najwyraźniej zależało, a ja byłam ciekawa komu.

W swojej wędrówce natknęłam się na wielki ośmiokątny pokój, który z miejsca mnie oczarował. Na ścianach były namalowane fryzy, przedstawiające, jak się domyśliłam, ulubione zwierzęta wielu pokoleń rodziny Piacere. Trójka spanieli baraszkowała w półprzezroczystym zielonym potoku; mały złoty pekińczyk uganiał się za czerwoną piłką; dog niemiecki leżał na przymałej sofie ze zwieszonymi wielkimi łapami, łypiąc jednym, pełnym wyrazu okiem na nieznanego artystę; syjamskie koty siedziały przycupnięte na krzesłach z czerwonymi jedwabnymi obiciami, traktując ich oparcia jak drapaki i spoglądając na mnie inteligentnymi niebieskimi oczami. Te krzesła nadal stały w tym pokoju; ich czerwone obicia były wystrzępione przez kocie pazury: wiecznie żywe wspomnienia.

W głównej wnęce była namalowana papuga o zielonych, niebieskich i czerwonych piórach, siedząca na szczycie wysadzanej klejnotami złotej klatki. Sprawiała wyniosłe wrażenie, a nogi miała całe w rubinach, szmaragdach i perłach.

Kątem oka zauważyłam jakieś poruszenie, błysk koloru, i zdałam sobie sprawę, że patrzę na oryginał tego malunku. Dokładnie ta sama papuga siedziała

Rozdział 18

Moja droga – powiedział ktoś głośno czystą angielszczyzną wprost do mojego ucha – cudowne przyjęcie, prawda?

Niemal wyskoczyłam ze skóry. Kobieta stała tak blisko mnie, że tonęłam w jej ciężkich perfumach. Zrobiłam krok do tyłu, potem spojrzałam jeszcze raz. To dopiero był widok.

– Witam. – Uśmiechnęła się. – Jestem hrabina Marcessi. Dla przyjaciół Maggie. Mów mi Maggie, moja droga.

Jej krótkowzroczne oczy były tuż przy moich, więc znowu szybko się cofnęłam.

– Tak naprawdę mam na imię Margaret – wyjaśniła. – Maggie Lynch to było kiedyś, zanim poznałam starego hrabiego i weszłam do towarzystwa. Tak naprawdę jestem showgirl, której się powiodło, moja droga. Od tancerki do kochanki, nie tylko hrabiego. Później się ze mną ożenił i wszystko zalegalizował, ale tak naprawdę nie wyszłam za niego, tylko za jego włości. Posiadłość Marcessich. Znasz ją, prawda? Rozciąga się na następnym wzgórzu i jeszcze następnym, i następnym. Więcej pagórków, niż byłabyś w stanie policzyć, moja droga. Teraz sprzedałam ich trochę razem z tymi małymi farmami i starymi

91

szopami pasterskimi, które Anglicy zamienili w „atrakcyjne rezydencje". Bóg jeden wie dlaczego. Myślę, że po prostu nie mają pojęcia, jak paskudnie jest tu zimą, kiedy dmucha *tramontana*, a Dziadek Mróz szczypie w nos. Czy nie było takiej piosenki? Zdaje się, śpiewałam ją kiedyś w Boże Narodzenie, okryta w stosownych miejscach białymi gronostajami, a na głowie miałam czapę z lisa – wspominała hrabina. – Dziadek Mróz szczypie w nos – zaśpiewała nagle łamiącym się sopranem. – Teraz już pamiętam. Ale nie jest to odpowiedni utwór na Czwartego Lipca, prawda, moja droga?

Moja nowa „najlepsza przyjaciółka" zamilkła na chwilę. Wpatrywała się zmrużonymi oczami w moją twarz, potem wyciągnęła złoty lornion i zaczęła mi się przyglądać z jeszcze bliższej odległości. Przestępowałam z nogi na nogę, czując się jak jakiś okaz pod mikroskopem.

– Kim jesteś, moja droga? – zapytała, sprawiając wrażenie niezwykle zaskoczonej; przyszło mi do głowy, że pewnie wzięła mnie za kogoś innego.

– Nazywam się Gemma Jericho – powiedziałam, przyglądając się jej.

Miała jakieś osiemdziesiąt lat i była wyższa nawet ode mnie w butach na gigantycznych złotych obcasach. A do tego potężna. Pulchne uda były opięte jedwabną spódnicą od Pucciego, a piersi ściśnięte błyszczącym, wyszywanym cekinami topem w gwiazdki i paski, którego nawet Livvie by nie włożyła. Włosy miała bardziej czerwone niż wóz strażacki i utapirowane w sztywną stożkowatą fryzurę, przystrojoną bodajże diamentowymi zapinkami. Na pulchnej szyi wisiał, mogłabym przysiąc, sznur prawdziwych szmaragdów, do tego dochodziła jeszcze cała masa wielkich pierścieni z brylantami i rubinami. Najwyraźniej była zwolenniczką szkoły: „Jeśli coś masz, to się z tym obnoś", ale jej długa końska twarz była sympatyczna, a wyblakłe niebieskie oczy bardzo miłe.

Przyłapała mnie na tym, że się jej przyglądam, i po przyjacielsku szturchnęła lekko dłonią z lornionem.

– Założę się, że nigdy nie spotkałaś kogoś takiego jak ja, Gemmo – powiedziała. – No dalej, przyznaj to. Spotkałaś?

– Nie, proszę pani... to znaczy pani hrabino. Z całą pewnością nie spotkałam.

– A ja nigdy nie widziałam kogoś takiego jak ty. Czy nikt ci nie powiedział, moja droga, że to będzie przyjęcie? Dziewczyny powinny się wystroić. W ten sposób łapie się facetów.

Roześmiałam się głośno.

– Doprawdy?

– Wierz mi. – Pokiwała głową. – Złapałam czterech, każdy następny bogatszy od poprzednika. Chcesz poznać mój sekret? Po prostu bądź sobą, moja droga. Do diabła z ich tytułami i pieniędzmi, po prostu wystaw cycki – mrugnęła do mnie – i powiedz im, co myślisz. Prosto z mostu, ot tak. Zaufaj mi, padną ci do stóp i będą uwielbiać. A to bardzo wygodne mieć faceta u swoich stóp. – Po raz kolejny szturchnęła mnie z szelmowskim uśmiechem. – Tego nigdy za wiele. I możesz mnie cytować, jeśli o to chodzi, Gemmo. Oczywiście dobrze znałam starego hrabiego Piacere – powiedziała nagle, gdy zastanawiałam się, co powiedzieć. – Byliśmy sąsiadami przez prawie trzydzieści lat, a on był starszy nawet ode mnie, jakkolwiek jestem za bardzo próżna, żeby się przyznać do swojego wieku. Zawsze uważałam czterdzieści dziewięć za sympatyczną liczbę, więc pozostałam przy czterdziestu dziewięciu i każdego roku świętuję te same urodziny. Będą w przyszłym tygodniu, moja droga. Musisz przyjść. Przyślę ci zaproszenie.

– Dziękuję, hrabino, będę zaszczycona – powiedziałam szczerze. Ta starsza kobieta miała w sobie więcej życia niż wielu trzydziestolatków. – Proszę mi powiedzieć, jaki on był, to znaczy hrabia? – zapytałam.

– Jak wyglądał? Był małym człowieczkiem, raczej kościstym, no wiesz, żadnych mięśni. Miał strzechę białych włosów, od kiedy pamiętam. Wyglądał jak stuknięty stary profesor, i tak naprawdę był odrobinę stuknięty. „Roztrzepany" byłoby pewnie najbardziej odpowiednim słowem. Nigdy nie pamiętał mojego imienia, przez lata nazywał mnie Eleonorą, choć mam na imię Margaret. Mówiłam ci już, że wszyscy mówią do mnie Maggie? W porządku. Cóż, mieszkał tu sam, bo reszta rodziny wykruszyła się w miarę upływu czasu, a duży dom jak ten, kiedy nie ma żadnych dzieci, to bardzo puste i przygnębiające miejsce. Nigdy nie rozumiałam, dlaczego się nie ożenił. To znaczy nie był, no wiesz – zgięła palec – taki. O nie, był jak najbardziej normalny. Więc myślę sobie, że gdzieś po drodze przytrafiła się mu nieodwzajemniona miłość. Co za staroświeckie określenie, prawda? Nie słyszy się tego teraz zbyt często... nieodwzajemniona miłość. – Przerwała i jeszcze raz obdarzyła mnie przeszywającym spojrzeniem. – Czy kiedykolwiek byłaś zakochana, moja droga? – Zauważyła, jak mrugnęłam zaskoczona, i pokiwała głową. – Oczywiście, że byłaś. Widać to po tobie. Ale nie chodzi o to, że zostałaś wzgardzona, o nie. Jest w tobie smutek, który ma coś wspólnego z mężczyzną. Niejedno przeżyłam, moja droga, znam się na tym, więc nie próbuj zaprzeczać. Powiem ci coś,

Gemmo. Jestem genialna w stawianiu tarota. Może wpadniesz do mnie jutro, Villa Marcessi, wszyscy wiedzą, gdzie to jest, i postawię ci karty. Dowiemy się, co przyniesie przyszłość.

– Dziękuję, *Contessa*...

– Och, proszę cię, mów mi Maggie.

– Dziękuję, Maggie – powiedziałam – ale nie jestem pewna, czy chcę wiedzieć, co przyniesie przyszłość. Najpierw muszę się uporać z teraźniejszością.

– Hm, cóż, zobaczymy. Myślę, że niedługo zmienisz zdanie. Możesz mi wierzyć – dodała, wbijając we mnie przeszywające spojrzenie wyblakłych niebieskich oczu. – Jestem pewna.

Rozejrzała się wokół, jakby nagle zauważyła, gdzie właściwie jest.

– Och – powiedziała z ożywieniem – zapewne powinnam znaleźć gospodarza i się przywitać. Poznałaś go już? Nie? Cóż, tak naprawdę nie zna go zbyt wiele osób. No wiesz, jest dość skryty. Ale artyści już tacy są, prawda, moja droga?

Potem poklepała mnie po ręce, mówiąc: „Miło było cię poznać, Gemmo", i chwiejnie podreptała na wysokich obcasach tam, gdzie toczyła się akcja.

Patrzyłam, jak powędrowała prosto na początek kolejki do balonu, a w następnej chwili wdrapywała się już do kosza i wznosiła nad toskańskimi wzgórzami. Płomiennie czerwone włosy i złoty lornion mieniły się w słońcu. Mogłabym przysiąc, że słyszałam jej śmiech, i pomyślałam: Oto kobieta, która odkryła sekret życia. Żałowałam, że ja nie miałam tyle szczęścia. A potem uświadomiłam sobie, że zapomniałam zapytać ją o Luchaya.

Znowu pozostawiona sama sobie, przechadzałam się krętymi ścieżkami wokół domu. Każdy zakręt zarośniętej chwastami dróżki był ozdobiony posągiem boga lub bogini, anioła lub amora; był nawet Pan z szelmowskim uśmiechem, tyle tylko, że jego fujarki były połamane. Przeszłam przez wykafelkowaną grotę w stoku wzgórza, gdzie zimna woda sączyła się do zabytkowego kamiennego zbiornika; potem minęłam zniszczoną oranżerię z podłużnym basenem, otoczonym rzędami drzew brzoskwiniowych i pustymi półkami, gdzie w dawnych czasach zapewne hodowano egzotyczne owoce, storczyki i kwiaty passiflory.

Znalazłam jeszcze jeden stary kamienny budynek i otworzyłam skrzypiące drzwi. W środku było ciemno. Macałam ścianę w poszukiwaniu włącznika, modląc się, żebym nie natrafiła na jakieś pająki. W końcu znalazłam pstryczek i zobaczyłam, co to za miejsce. *Cantina*. Zakurzone półki były wypełnione rzędami stojaków z winem i słojami z etykietkami „oliwa z oliwek" wraz z datą wyciśnięcia. Najwyraźniej komuś zależało na tyle, żeby zadbać i o to.

Wędrowałam dalej i w końcu dotarłam do starych stajni; przegrody były puste, a drewniane drzwi otwarte na oścież. Słodki zapach siana i koni nadal unosił się w powietrzu, mieszając z aromatem małych toskańskich różyczek, ale zamiast koni znajdowały się tam betoniarka, koparka, jakiś ciężki sprzęt i worki z cementem. Przyglądałam się temu wszystkiemu zdezorientowana, zastanawiając się, o co tu właściwie chodzi.

Stałam tam, wdychając czyste, pachnące powietrze, wsłuchując się w ciszę. I przyszło mi do głowy, że człowiek mógłby być tu szczęśliwy, dokładnie w tym miejscu, i już nigdy nie prosiłby o więcej. Ale zaraz westchnęłam, bo wiedziałam, że to tylko marzenia.

Kiedy znalazłam się z powrotem na chłodnym tarasie, oparłam się o kamienną balustradę. Przejechałam palcem po jej pokrytej porostami powierzchni, spoglądając na pergolę przyduszoną wodospadem fioletowej wisterii, na białe hortensje w pełnym rozkwicie i lawendowy żywopłot, w którym brzęczały pszczoły. Zapach lawendy dryfował w moją stronę, mieszając się z wonią tuberozy; aromat był nie mniej podniecający niż francuskie perfumy. Urazówka była czymś tak odległym, jakby zupełnie z innej planety.

Zamknęłam oczy, żeby stłumić emocje, ale nie pomogło. Znałam to uczucie z dawnych czasów. Nie było wątpliwości. Zakochałam się. Byłam w mieniącym się kolorami świecie zapachów, miejscu, gdzie liczą się tylko zmysły i podszepty serca. Był to swoisty ziemski raj i nie miałam ochoty kiedykolwiek go opuścić. Ale surowo przypomniałam samej sobie, że nie stać mnie na raj. Nie było rady. Trzeba sprzedać Villę Piacere.

Rozdział 19

Ben

Ben Raphael był zadowolony ze swojego przyjęcia. Przechadzał się po tarasie, witając się z gośćmi. Znał wszystkich tubylców, bo przyjeżdżał tu od lat. Znał Nica – rzeźnika, Cesarego z warzywniaka, Sandra z małej stacji benzynowej, gdzie tankował swojego land-rovera. Znał Ottavia, farmera, od którego kupował świeże jaja; znał Benjamina z miejscowej spółdzielni, gdzie kupował wino w plastikowych beczkach, a potem osobiście przelewał je do butelek, co sprawiało mu wielką przyjemność; znał Rocca, który miał psa tropiącego trufle i który zawsze zostawiał dla niego najcenniejsze okazy grzybów; od Rocca kupował również mleko. Znał Flavię z lodziarni i jej trójkę małych dzieci; znał również miejscowego nauczyciela Renata Posolego i Don Vincenza – proboszcza. I choć nie był stałym mieszkańcem wioski, bardzo się liczył z miejscowymi. Dlatego zaprosił ich wszystkich na przyjęcie, żeby uczcić amerykańskie święto narodowe: chciał się tym z nimi podzielić.

Ponieważ nierodowici mieszkańcy okolicy byli niezwykle gościnni i bywał na obiadach we wszystkich miejscowych rezydencjach, zaprosił na przyjęcie imigrantów oraz angielskich letników, którzy mieszkali w wynajętych willach i wiecznie narzekali na brak wszystkiego, zwłaszcza ciepłej wody, pokojówek i hydraulików. Czasami zastanawiał się, dlaczego wracają tu każdego roku, skoro to takie tortury.

Ale kiedy siedziało się wieczorem na swoim wzgórzu z kieliszkiem lokalnego wina w dłoni, patrząc na zachodzące słońce, które przemieszczało się nad doliną jak mglista kula czerwonej włóczki, nie miało się ochoty być w żadnym innym miejscu na świecie. A już na pewno nie w Nowym Jorku.

Oparł się o balustradę, wypatrując córki. Była na huśtawce, zupełnie sama. Zastanawiał się, czy powinien do niej pójść i przyprowadzić z powrotem na przyjęcie. W końcu postanowił tego nie robić. Wróci, jak będzie chciała. Westchnął, patrząc, jak się buja, wznosząc coraz wyżej i wyżej, a jej długie jasne włosy migoczą, kiedy przechyla głowę, żeby spojrzeć na żeglujący po niebie balon.

Mało brakowało, żeby jej tu ze sobą nie przywiózł. Zwykle przyjeżdżał sam. Mieszkał na przestronnym poddaszu w SoHo, ale nie zawsze tak było. Dzięki ciężkiej pracy wydostał się z Bronksu – zaczął od drobnych interesów i sprytnie utorował sobie drogę na szczyt jako developer. Zaczynał od zera. W wieku dwudziestu siedmiu lat miał już jeżeli nie wszystko, to z całą pewnością bardzo dużo. I uderzyło mu to do głowy. Myślał, że jest panem świata, i ruszył na podbój wielkiego miasta jak prawdziwy chłopak z Bronksu, którym ciągle był w głębi duszy; szalał w klubach i przebierał w kobietach, jakby nie istniało żadne jutro.

Ale jutro nadeszło i musiał wrócić na planetę Ziemia, by się zająć walącym się imperium. Potem już nigdy się nie wahał – praca była wszystkim. Jasne, były też kobiety, wytworne kolacyjki, modne prywatne kluby, do których można wejść tylko na zaproszenie, ale praca zawsze była na pierwszym miejscu. Teraz jego imperium było znowu bezpieczne, a on bogatszy, niż mógłby sobie wymarzyć.

W wieku trzydziestu lat ożenił się zaślepiony Bunty Mellor, piękną jasnowłosą Amerykanką o anglosaskim rodowodzie, i jej starą, zamożną rodziną z koneksjami. Był bystrym młodym facetem, seksownym i nieokrzesanym, czymś zupełnie nowym dla Bunty. Bunty. Nawet jej imię go oczarowało. Tam, skąd pochodził, dziewczęta miały na imię Teresa, Marilyn albo Sharon.

Nauczył Bunty wszystkiego o seksie. Przedstawił ją starym kumplom, z którymi dorastał i których wciąż nazywał przyjaciółmi, a których ona ani nie lubiła, ani nie rozumiała. Bunty zaś wprowadziła go w świat letnich domów w Main, grających w polo przyjaciół z Palm Beach i dobroczynnych balów w Metropolitan Opera. Nie wyszło.

Nie wyszło też po rozwodzie, ani z modelkami, ani z dziewczynami od PR, aktorkami czy „wolnymi" blondynkami z towarzystwa. Nie wiedzieć czemu, życie wcale nie miało smaku, jakiego spodziewał się po sukcesie. Tylko jego córka była prawdziwa – była częścią niego.

Dwa dni przed planowanym wyjazdem do Rzymu zadzwonił telefon. Był wieczór, a on siedział w domu. Sam. Łagodna muzyka, której akurat słuchał, stała się tłem kłótni, jaką miał ze swoją byłą. Poinformowała go, że zamierza wyjść ponownie za mąż w przyszłym tygodniu, a on odparł prostolinijnie, że się cieszy i ma nadzieję, że tym razem będzie szczęśliwa. Mówił to szczerze. Bunty była zepsuta, samolubna i bogata, ale nie ponosiła całej odpowiedzialności za rozpad ich związku, który był skazany na porażkę od samego początku.

Potem powiedziała, że wyjeżdża na długi miesiąc miodowy i chce, żeby zabrał Muffie ze sobą do Włoch. Muffie! Tak samo jak w przypadku Bunty, nie było to prawdziwe imię jego córki. Nazywała się Martha (po babce) Sloane (po dziadku) Whitney (po jeszcze bogatszej ciotce) Raphael (po nim), ale Bunty ochrzciła ją przy narodzinach Muffie i tak już miało zostać na zawsze.

Kochał swoją córkę, rozumiał ją bardziej niż jej matka, ale umowa była taka, że to Bunty ma ją pod swoją opieką podczas tego letniego miesiąca, kiedy wyjeżdżał do Włoch. Była to dla niego jedyna okazja w ciągu całego roku, żeby mógł pobyć sam. Jedyna okazja, żeby mógł być sobą. Żeby malować, czytać, chłonąć spokój. W pewnym sensie na nowo zaczynać życie.

Czuł, że odpowiadałoby mu takie życie, gdyby był innym człowiekiem. Gdyby nie zarobił tylu pieniędzy i nie musiał zmagać się ze światem biznesu – to było jak nieustanna walka. A poza tym w tym roku miał się tu zabrać do prawdziwej roboty. Prawdziwej roboty, przy której trzeba sobie dosłownie pobrudzić ręce. Czekał na to od miesięcy.

Ale Bunty, jak zawsze, kiedy czegoś chciała, była nieugięta. Więc oczywiście zabrał Muffie ze sobą i teraz był z tego bardzo zadowolony. Uwielbiał jej towarzystwo, jej dziecięce spojrzenie na Włochy, przyjemność, z jaką jadła poziomki, prawdziwą pizzę i włoskie lody, jej entuzjazm z powodu wyjazdu za granicę i jej radość, że może być z nim sama. „To jak przygoda, tato" – powiedziała ze śmiechem, i miała rację.

Ale martwił się o nią. Muffie była zepsutym, bogatym dzieciakiem, które w ogóle nie ma styczności ze zwykłymi ludźmi. Żyła zamknięta za ochronnym kamiennym murem posiadłości dziadków – matka trzymała ją uwięzioną w sztucznym świecie bogaczy.

Ale jedno jest pewne, pomyślał, patrząc na córkę, która ciągle się huśtała, muskając trawę palcami stóp. W te wakacje odkryje razem z nim prawdziwe życie. Bo nie ma prawdziwszego życia niż to.

Rozdział 20

Wszyscy na jego przyjęciu bawili się w najlepsze, w pewnej chwili zauważył jednak jakieś zamieszanie przy balonie. Mógł się tego domyślić: Maggie Marcessi nie chciała wysiąść; chciała przelecieć się jeszcze raz i nie zamierzała czekać na swoją kolej.

– Im dłużej, tym lepiej – słyszał jej wrzask przebijający się przez ogólny hałas i śmiechy. Uśmiechnął się pod nosem; Maggie zawsze musiała mieć wszystko natychmiast. To była jedna z jej licznych wad, wliczając w to jej styl ubierania. Ale mimo wszystko uwielbiał ją.

Maggie była pierwszą osobą, która go odwiedziła, kiedy po raz pierwszy wynajął Villę Piacere. Przyszła z podarunkiem: butelką rzadkiego porto z 1890 roku z zasobnej piwnicy swojego zmarłego męża. Dała mu butelkę, mówiąc: „Mam nadzieję, że sprawi ci to o wiele większą przyjemność niż mnie. Tylko nie bądź taki jak Billy (zawsze nazywała zmarłego męża Billy, choć tak naprawdę miał na imię Benedetto) i nie chowaj go zbyt długo, bo w końcu umrzesz i nie zdążysz go posmakować". Potem odjechała z zawrotną szybkością, wciśnięta do fiata tak maleńkiego, że uderzała głową w dach, kiedy samochód podskakiwał na koleinach podjazdu, z otwartym oknem, by mieć miejsce na łokieć.

Gdy królik wyskoczył jej wprost pod koła, zahamowała z piskiem opon, cofnęła auto, wysiadła, przyjrzała się martwemu stworzeniu, podniosła do góry za ogon i rzuciła na tylne siedzenie.

Następnego dnia przybył jej tak zwany majordomus. Właściwie był to włóczęga z północy, którego Maggie przygarnęła wiele lat temu. „Zresocjalizowała" go i teraz nazywała majordomusem, lokajem albo szoferem, zależnie od tego, co akurat robił. W każdym razie przyjechał nazajutrz z kamionkowym naczyniem i krótkim liścikiem: *Mam nadzieję, że będzie ci smakował ten pasztet z królika – jest świeży!*

Właśnie taka była Maggie; teraz patrzył, jak wzbija się ponownie w górę, śmiejąc się i machając do tłumu. Maggie wnosiła ze sobą życie, gdziekolwiek się pojawiła, i uwielbiał ją za to.

Rozejrzał się po tarasie i aż go zatkało. Czy to nie ta kobieta z Hasslera? Ta chodząca zagadka w wielkich okularach, zachowująca się, jakby miała w nosie całe przyjęcie? Nie mieszała się z innymi gośćmi, wydawała się dziwnie nieobecna. Wpatrzona w zieloną dolinę rozciągającą się poniżej, pogrążona we własnych myślach. I z całą pewnością nie zawracała sobie głowy wyglądem: wymięta lniana sukienka, sandały, ledwie pomalowane usta dobitnie świadczyły, że została zaciągnięta na to przyjęcie wbrew własnej woli.

Zauważył, że nogi ma długie i zgrabne, ale ciągle blade – efekt niekończącej się nowojorskiej zimy. Zauważył też, że jest smukła i porusza się z gracją. Dostrzegł miękkość jej spojrzenia i czułość pieszczoty, kiedy gładziła szarą od porostów balustradę, o którą się opierała.

Nie wiadomo dlaczego odniósł wrażenie, że ta kobieta ma więcej temperamentu niż gwiazda filmowa, jest bardziej kapryśna niż jej własna córka i bardziej pamiętliwa nawet od jego byłej żony. A poza tym zdecydowanie nie była w jego typie.

Zaciekawiony, podszedł do niej.

– Jak ci się podoba willa? – zapytał.

Rozdział 21

Byłam tak zatopiona w myślach, że aż podskoczyłam, słysząc głos zza pleców. Odwróciłam się jak przestraszone źrebię i spojrzałam prosto w oczy Michała Anioła z Long Island.

Patrzyłam w jego oczy przez dłuższą chwilę, nie mówiąc ani słowa, jakbym sprawdzała kliniczną reakcję jego źrenic. Ale tym razem nie byłam lekarzem i widziałam tylko, że jego oczy są zielonkawopiwne, z małymi złotymi plamkami.

Był taki doskonały w swojej białej, płóciennej koszuli z podwiniętymi rękawami, ukazującymi opalone ręce porośnięte ciemnymi włosami. Miał na sobie znoszone lewisy, które leżały na jego szczupłym tyłku, jakby zostały specjalnie dla niego uszyte, i te brązowe zamszowe mokasyny, które zauważyłam już wcześniej, tyle tylko że tym razem nie miał skarpetek. Zaczesane do tyłu włosy były przyprószone siwizną na skroniach. Zmrużone oczy pod krzaczastymi brwiami, na szczęce ślad zarostu. A usta... cóż, były ładne. Właściwie bardzo ładne, stanowcze, ale mimo to bardzo zmysłowe, jeśli wiecie, co mam na myśli. Pomyślałam sobie, że wygląda na faceta, który zawsze dostaje to, czego chce. Zobaczyłam to wszystko w ciągu sekundy, choć oczywiście tak naprawdę nie byłam nim wcale zainteresowana. To było odruchowe, można powiedzieć. Zboczenie zawodowe.

– Co tu robisz? – wyrzuciłam z siebie i natychmiast zdałam sobie sprawę, że się odkryłam. Jeszcze z czasów nastoletnich flirtów pamiętałam, że dziewczyna nigdy nie powinna się zdradzić, że w ogóle zauważa faceta.

– To samo co ty, jak sądzę. Mam wakacje. – Stanął przy balustradzie obok mnie. – Jak ci się podoba willa?

– Podoba? – Podparłam się łokciami o kamienną poręcz, oparłam brodę na dłoniach i westchnęłam. – Myślę, że się zakochałam.

Roześmiał się, błyskając doskonale białymi zębami, a ja pomyślałam, jak bardzo jest przystojny. Mężczyźni tacy jak on po prostu żeglowali przez kobiecy świat, siejąc spustoszenie. Był tak cholernie pewny siebie, że aż się zjeżyłam. Ale jednocześnie czułam się, jakbym była jedyną kobietą w jego polu widzenia.

– Podzielam twoje odczucia – powiedział. – To o niebo lepsze niż lato w Nowym Jorku, kiedy wilgotność rośnie, żar unosi się z chodników, a wszyscy są wściekli na pogodę i siebie nawzajem. Rozumiesz, o co mi chodzi.

– Skąd wiesz, że jestem z Nowego Jorku?

Spojrzał na mnie przeciągle, zagadkowo unosząc brew.

– No cóż, po prostu masz typowy nowojorski wygląd. Wydajesz się spięta, nerwowa.

– Och. A ty nie?

– Oczywiście, że tak. Nie jestem tu jeszcze na tyle długo, żeby zdążyć się tego pozbyć.

Kiwnął na jedną z dziewczyn w falbaniastym fartuchu, żeby przyniosła więcej wina, potem podał

mi kieliszek. Upiłam łyk; pachniało ciepłymi jago-
dami, a w smaku było jak ciemnoczerwony aksa-
mit.

– Czym się zajmujesz w Nowym Jorku? – Znów
oparł się o barierkę, z oczami ciągle utkwionymi we
mnie.

– Czy nie jest to jedno z tych niegrzecznych
pytań, których nie powinno się zadawać na przyjęciu? – Upiłam kolejny łyk, wpatrując się w niego wy-
zywająco znad oprawek okularów.

– Pewnie tak, ale jakkolwiek by było, widziałem
cię półnagą. Nie czuję się jak obcy.

Oblał mnie ten głupi gorący rumieniec, zaczyna-
jący się od dekoltu.

– A ty co robisz? – zapytałam nagle.

– Maluję.

– Więc mógłbyś tu popracować. Willi przydałoby się malowanie.

Pokiwał smutno głową.

– Doprawdy, czuję się dotknięty.

Wbrew sobie uśmiechnęłam się szeroko.

– W porządku. Słyszałam, że jesteś artystą.

Spojrzał na mnie zaskoczony, więc dodałam:

– Moja matka pytała o ciebie szefa sali w Hasslerze. Myślała, że jesteś włoskim arystokratą.
Była dosłownie zdruzgotana, kiedy się okazało, że
jest inaczej. Bo wiesz, Nonna jest... To znaczy jest
Włoszką, nie arystokratką. – Trajkotałam jak głupia
licealistka. – Przyjechałyśmy tu, żeby poznać nasze
korzenie – dodałam nieprzekonująco.

– Nie mów mi, że twoja rodzina mieszkała
w Bella Piacere.

– Dwa pokolenia temu. Mama chciała jeszcze
raz zobaczyć swoją wioskę. Zanim umrze – dodałam
automatycznie.

– Fascynujące. – Sprawiał wrażenie, jakby naprawdę tak myślał. – Ale co robisz poza tym, że jesteś matką?

– Poza tym? Pracuję w szpitalu.

– Jesteś pielęgniarką?

Spojrzałam na niego spod rzęs, potem zdałam sobie sprawę zszokowana, że właściwie to z nim flirtuję. Zdaje się trudno wykorzenić stare nawyki.

– Raczej majstrem od wszystkiego. Jestem lekarką na ostrym dyżurze. Mamy tam wszystko, od bezdomnych liczących na łóżko, żeby spędzić gdzieś noc, po chore niemowlaki i zabójców przykutych do łóżek, wykrwawiających się od ran postrzałowych.

Spojrzał na mnie, jakby mu to zaimponowało.

– Sporo roboty, nawet jak na majstra od wszystkiego.

Ni stąd, ni zowąd coś między nami zaiskrzyło. Natychmiast to stłumiłam. Niektórzy faceci zaczynają zachowywać się głupkowato, kiedy dowiadują się, że jesteś lekarzem; teraz pewnie przebiega w myślach wszystkie swoje dolegliwości i zaraz poprosi mnie o darmową poradę na temat stanu swojego zdrowia.

Zawisła między nami cisza.

– Wybacz, nie jestem zbyt dobra w towarzyskich pogawędkach – powiedziałam. – W zasadzie rozmawiam tylko z córką, która przeżywa akurat nastoletnie cierpienia, i średnio przytomnymi pacjentami w szoku doznanym po incydencie. Incydencie – dodałam w zamyśleniu. – Sympatyczny eufemizm na rzeź na autostradzie, morderstwo na ulicy, przemoc domową. Bardzo ładnie wszystko przykrywa. Jak całun.

Zagwizdał łagodnie.

– To dopiero robota, pani doktor.

Przewróciłam oczami.

– Och, proszę, nie mów tak do mnie. Czuję się, jakbym była w telewizyjnym sitcomie.

– Przepraszam, panno, pani... nawet się sobie nie przedstawiliśmy. Ben Raphael. – Wyciągnął rękę.

– Gemma Jericho. – Jego dłoń była ciepła i mocna, a nie gładka i wypielęgnowana, jak się spodziewałam. Skóra była szorstka, jakby pracował rękami. – Skoro przełamaliśmy już pierwsze lody, mogę zapytać, czym dokładnie się pan zajmuje, panie Raphael?

– Och, proszę – przedrzeźniał mnie, błyskając w uśmiechu doskonale białymi zębami, a w zielonkawych oczach pojawiły się złośliwe iskierki. – Chcesz powiedzieć, że nigdy o mnie nie słyszałaś?

Otworzyłam szeroko oczy, zgrywając niewiniątko.

– Jesteś sławnym artystą?

Westchnął po raz kolejny i upił łyk wina.

– Nie, nie jestem sławnym artystą, i najwyraźniej nie jestem nawet tak dobrze znany, jak myślałem.

– Więc? – pozwoliłam, by to pytanie zawisło między nami, a on się roześmiał.

– Jestem niedoszłym artystą, co najmniej *artist manqué*.

– Co znaczy *artist manqué*?

– Niespełniony, taki, który nie odniósł sukcesu.

– Brzmi jak historia mojego życia. – Pociągnęłam kolejny łyk wina. Zaczynałam dobrze się bawić. Może go nawet polubiłam, tak odrobinę.

– Czyli – powiedział, ocierając się swoim ramieniem o moje, kiedy ponownie oparliśmy się o barierkę, przyglądając się idealnie zielonej dolinie – zakochałaś się w tej willi?

– Tak, muszę to przyznać. Nie pamiętam, kiedy ostatnio czułam coś takiego, ale to musi być miłość.

Uśmiechnął się.

– Wiem, co masz na myśli. Czuj się zaproszona – możesz tu przychodzić, kiedy tylko zechcesz.

– Dziękuję. Chętnie skorzystam z zaproszenia. Będziemy musiały zrobić dokładną inspekcję i dokonać wyceny, zanim wystawimy ten dom na sprzedaż.

– Słucham?

– No cóż, jaki jest sens trzymać walącą się willę, skoro nie ma się nawet pieniędzy na jej utrzymanie? A poza tym moje życie, nasze życie, to Nowy Jork.

Zmarszczył brwi.

– Ale ja nie zamierzam sprzedać willi twojej matce ani nikomu innemu.

– Co znaczy: nie zamierzam sprzedać willi? Willa należy do mojej matki. Hrabia Piacere zapisał ją jej w testamencie.

– Musimy porozmawiać – powiedział i biorąc mnie pod ramię, poprowadził do *grande salone* z zielonymi satynowymi tapetami i poduszkami rozlokowanymi strategicznie na sofach.

Zmarszczyłam brwi, nic nie rozumiejąc.

– W zasadzie nie ma o czym rozmawiać. Moja matka została powiadomiona przez Don Vincenza, że hrabia zapisał jej willę w testamencie. Wprawdzie minęło kilka lat, zanim udało się ją odnaleźć, ale to jeszcze nie znaczy, że willą można było dowolnie dysponować. *Signore* Donati popełnił omyłkę.

– Przykro mi – powiedział – nie chciałem cię rozłościć, ale najwyraźniej twoja matka została wprowadzona w błąd.

Pomyślałam o Nonnie, jej podekscytowaniu i determinacji, żeby tu przyjechać, i o tym, jak bardzo była przejęta faktem, że jest spadkobierczynią; rozmyślałam, jak wpłynęło to na jej wygląd i jak cholernie była szczęśliwa, że po prostu tutaj jest. To była jej wioska, przyjaciele jej rodziny, jej spadek. Niech to szlag!

– Słuchaj. – Ben był teraz poważny, śmiertelnie poważny. – To ja jestem właścicielem tej posiadłości. Kupiłem ją w zeszłym roku, mam wszystkie dokumenty. Zapłaciłem za pośrednictwem adwokata, Donatiego. Złożyłem wniosek o pozwolenie na budowę i zrobię tu hotel. Wszystko jest już przygotowane i w zasadzie można zaczynać od zaraz.

Przypomniałam sobie ciężki sprzęt na placu przed stajniami. Teraz już wszystko jasne. Nozdrza rozszerzyły mi się jak u konia w bramce.

– Będę z tobą walczyć – powiedziałam. – Nie pozwolę ci odebrać willi mojej matce.

Pokręcił głową.

– Bardzo proszę, ale i tak nie wygrasz.

– Zobaczysz. Odzyskam tę willę!

Uniósł ostrzegawczo palec i wycelował go we mnie.

– Po moim trupie.

Spojrzałam na niego wściekle, uniosłam palec i wycelowałam w niego.

– Możliwe – powiedziałam. A potem, nie mając pojęcia co dalej, odwróciłam się na pięcie i zaczęłam się dostojnie oddalać.

Niestety, potknęłam się o dywanik; to trochę zepsuło efekt. Słyszałam, jak się śmieje, jeszcze kiedy wypadłam wściekła do ogrodu, szukając... no właśnie, czego?

Rozdział 22

Nonna siedziała przy długim drewnianym stole na kozłach przykrytym jednorazowym obrusem w barwach flagi Stanów Zjednoczonych, w cieniu ogromnego kasztanowca, którego rozłożone gałęzie sięgały prawie do ziemi. Chorągiewki łopotały w podmuchach wiatru, znajomy zapach hamburgerów mieszał się z cukierkową wonią młodego czerwonego wina nalewanego prosto z drewnianych beczek i gorącym słodkim aromatem świeżo zrywanych pomidorów. Ptaki obsiadły drzewa i ćwierkały z nadzieją, wypatrując okruszków chrupiącego chleba, ktoś grał stare melodie na akordeonie, a ci, którzy już sobie trochę popili, zaczęli podśpiewywać.

Nonna pomyślała, że było to doskonałe połączenie tego, co znała z domu, to znaczy z Ameryki, i tego, co znała ze swojego starego domu, czyli stąd, z Włoch. W każdym razie tak jej się wydawało, a może po prostu wino zaczęło jej już uderzać do głowy.

Rozglądała się wokół stołu, po ogorzałych twarzach mężczyzn, których znała z czasów, kiedy byli chłopcami, mężczyzn niewiele starszych od niej, którzy spędzali życie na świeżym powietrzu, w winnicach, sadach, na polach. To były twarze farmerów, pomarszczone od letniego słońca i przez ostre zimowe wiatry, poorane zmarszczkami zmartwienia o uprawy, kaprysy pogody i o to, że trzeba zebrać winogrona, zanim przyjdą mrozy. Ale mimo to naprawdę potrafili cieszyć się życiem. Tylko spójrzcie, jak śpiewają z zapałem, wznoszą toasty, delektują się pysznym jedzeniem, piją dobre wino, cieszą się swoim towarzystwem. Tutaj wszyscy się znali i szanowali wzajemnie – pomijając kilka rodzinnych waśni, ale te trwały już od jakiegoś stulecia i się nie liczyły. To, że jej ojciec wskoczył do lodowatego, wzburzonego potoku, żeby ocalić życie chłopcu, wcale nie zaskoczyło Nonny. Uważała, że każdy z obecnych tu mężczyzn zrobiłby to samo. Nie wyobrażała sobie za to zupełnie, żeby komuś przyszło do głowy skoczyć do Hudsonu, aby uratować czyjeś życie.

I czuła się tu jakoś inaczej. Tylko spójrzcie na nią, kobietę, która od lat nosiła tylko praktyczne czarne ubrania. Teraz ma na sobie zieloną jedwabną sukienkę z domu handlowego Rinascente we Florencji, a pod spodem stanik na fiszbinach – sprzedawczyni powiedziała, że koniecznie musi go włożyć do tego dekoltu. Musiała przyznać, że jej dekolt podkreślony sznurem pereł wyglądał całkiem nieźle. I choć specjalne rajstopy z pasem wyszczuplającym dawały jej nieźle do wiwatu, mogła dzięki nim poszczycić się zupełnie dobrą figurą. Zawsze miała zgrabne nogi, po prostu od lat o nich nie myślała. Teraz w tych paseczkowych butach na prawie dziesięciocentymetrowych obcasach wyglądały, cóż... prawie olśniewająco.

To prawda. Wyglądała olśniewająco. Tak powiedziała Livvie i sprzedawczynie, które pomagały jej skomponować ubiór. Dobrały jej nawet szminkę o nazwie Begonia i róż. Nigdy wcześniej nie używała różu ani tego typu rzeczy, ale musiała przyznać, że dodawały młodzieńczego blasku. Nie czuła się tak młodo od wielu lat, pomijając nawet kłopoty z sercem.

Postanowiła jednak, że nie będzie o tym rozmyślać, przeprosiła towarzystwo przy stole i poszła do domu. Zamierzała obejrzeć swoją willę. W zasadzie była to ich willa, bo wszystko co jej, było także Gemmy i Livvie.

Stała z zadartą głową, przyglądając się wysokim oknom z poszarzałymi okiennicami, obłażącym morelowym ścianom i błyszczącym płytkom na tarasie. W jej oczach pojawiły się łzy. To było naprawdę jej?

Rocco

Rocco Cesani zaparkował białą przerdzewiałą furgonetkę na skraju dawnego trawnika i zaczekał, aż opadnie chmura kurzu. Dopiero wtedy wygramolił się na zewnątrz, otrzepał czarną marynarkę, wciągnął ją na niebieską koszulę z krótkimi rękawami, poprawił węzeł niebieskiego jedwabnego krawata kupionego specjalnie na tę okazję i zagwizdał na swojego psa – białego bullterriera z długim różowym nosem, różowymi uszami i różowymi obwódkami wokół oczu, który był znany jako najlepszy pies na trufle w okolicy. Balansując na jednej nodze, wyczyścił nogawką spodni najpierw jeden but, potem drugi. Przygładził rzadkie siwe włosy, włożył stary kapelusz przeciwdeszczowy w kolorze maskującej zieleni, przejechał palcem po wąsach, żeby się upewnić, czy każdy włosek jest na swoim miejscu, i był gotowy.

Fido dreptał posłusznie u jego nogi, nawet nie rozglądając się na boki. Gdziekolwiek szedł Rocco, tam też szedł Fido, a o ile szczęście mu dopisało, szli tropić trufle albo polować na króliki.

– Nie dzisiaj, staruszku – powiedział Rocco przez ramię. – Dzisiaj spróbujesz amerykańskiego jedzenia. Hamburgerów. – Przewrócił z rozpaczą oczami. – Zupełnie nie rozumiem, czemu jedzą hamburgery, skoro mogliby zjeść dobry stek *fiorentina*.

Przystanął, żeby przyjrzeć się gościom na przyjęciu. Pies usiadł pół kroku za nim. Rocco znał wszystkich, oprócz Anglików, których nie znał nikt, bo ci przyjeżdżali tylko na dwa tygodnie w czasie lata. Nieczęsto się ich widywało, jakkolwiek wszędzie ich było słychać: piskliwe głosy kobiet w spożywczym, dzieciaki kłócące się w lodziarni, a mężczyźni, spoceni, o czerwonych od słońca twarzach, siedzieli w wiecznie zadymionym barze Galileo i popijali zimne piwo z grappą, czekając na swoje żony i dzieci.

Za to dobrze znał *americano*. Ben Raphael przyjeżdżał tu co roku. Zostawał na miesiąc, czasem dłużej. Czasami nawet przyjeżdżał zimą, kiedy walił śnieg i aby w Villi Piacere była ciepła woda, a w kominkach płonął ogień, potrzeba było całych ton drewna. Rocco zawsze przynosił mu trufle, a *americano* przywoził mu butelkę dobrego szampana, którego Rocco pił w Wigilię do tradycyjnej włoskiej kolacji, na którą składały się ryby i małże.

Rocco uważał, że *americano* jest dobrym człowiekiem, chociaż ostatnio zaczęły chodzić słuchy, że wystąpił o pozwolenie na budowę i zamierzał przerobić willę na hotel. Nie wróżyło to dobrze. A tak w ogóle, kto chciałby przyjeżdżać do Bella Piacere?

Rocco wypatrywał w tłumie pewnej znajomej osoby. Wreszcie ją zobaczył; stała sama, przygląda-

116

jąc się willi. Wziął głęboki oddech, a potem wypuścił powietrze z miękkim westchnieniem zadowolenia.

Sophia Maria nie zmieniła się dużo od czasu, kiedy miała trzynaście lat. Zawsze była wyższa od innych dziewczyn z wioski i miała lśniące, czarne włosy, zawijające się jej na ramionach, choć teraz były uczesane w elegancką fryzurę. Była taka wytworna w zielonej jedwabnej sukience i perłach. Oczywiście pamiętał, że zawsze miała świetne nogi – i to z całą pewnością się nie zmieniło. A jednak w pewnym sensie była jakaś inna. Czy wyglądała jak bogata Amerykanka z Nowego Jorku, która nie ma czasu dla starego przyjaciela? Starego adoratora, którym mógłby być, gdyby została w Bella Piacere wystarczająco długo.

Był tylko jeden sposób, żeby się o tym przekonać.

– Fido. – Pies skoczył mu do nóg. – *Avanti* – powiedział Rocco i razem pomaszerowali tam, gdzie stała Sophia Maria, zupełnie sama.

Rozdział 23

Sophia Maria.

– Rocco Cesani! – Nonna stała z rękami opartymi na biodrach, wpatrując się w niego. Chłopiec, którego zapamiętała jako niechlujnego urwisa w wiecznie przymałych podniszczonych ubraniach, był teraz krępym wąsatym mężczyzną o szczeciniastych włosach. W ręce trzymał kapelusz, ubrany był w elegancki ciemny garnitur. Nawet założył krawat. Wyglądał jak dobrze prosperujący biznesmen.

– Rocco Cesani – powtórzyła bardziej miękko, patrząc, jak się jej przygląda, tak samo zresztą, jak i ona jemu.

– Sophia Maria Lorenza Corsini. – Słowa te wypłynęły z jego ust łagodnie jak płynne złoto, a on myślał o tym, jak bardzo jest piękna, olśniewająca, elegancka. Wytłumaczył sobie szybko, że Sophia Maria jest bogatą kobietą, zbyt bogatą, żeby chciała na niego spojrzeć. Ale jej ciemne włosy nadal były poskręcane w jedwabiste loki, zielona sukienka tylko podkreślała oliwkową barwę skóry, a oczy nadal płonęły, tak samo jak na szkolnym podwórku, kiedy ciągnął ją za warkoczyki. I ciągle była od niego wyższa o całą głowę.

Nonna zrobiła krok do przodu i wzięła go w ramiona. Rocco wylądował twarzą w wyperfumowanym, okrytym koronką biuście.

Pozwolił sobie na jakieś dwie sekundy tego luksusu, a potem się odsunął. Położył jej dłonie na ramionach i ucałował w oba policzki.

– Sophia Maria – powtórzył. – Zobacz, co zrobiła z tobą Ameryka. Wyglądasz jak modelka.

– A ty, Rocco, wyglądasz jak facet z Wall Street.

Stali odsunięci od siebie na długość rąk; Rocco nadal trzymał dłonie na jej ramionach, cały rozpromieniony. Oboje odnieśli mylne wrażenie na swój temat.

Prawda była taka, że Rocca można było zazwyczaj zastać przy pracy w gajach oliwnych, a czarny garnitur był jedynym, jaki miał. Wkładał go na śluby, pogrzeby i coroczne przyjęcie w willi. A Sophia Maria to była po prostu Nonna, amerykańska wdowa z przedmieścia, zawsze w czerni, która rzadko wyściubiała nos poza swoją dzielnicę, chyba że na wyprzedaż do Macy'ego, i przeważnie krzątała się po kuchni, przygotowując niedzielny obiad.

Chociaż miał teraz wiele gajów oliwnych i *frantoio*, własną olejarnię, Rocco nadal mieszkał w swoim starym małym domku, nosił roboczy kombinezon oraz trzewiki i co wieczór pił ze starymi przyjaciółmi w tym samym barze, który odwiedzał regularnie od ponad czterdziestu lat. Nigdy nie wyjeżdżał dalej niż do Florencji. Gdyby go zapytać dlaczego, wzruszyłby ramionami. „Nie było takiej potrzeby. Mam tu wszystko, czego mi trzeba" – powiedziałby. I naprawdę tak myślał.

– Sophia, teraz jesteś bogatą amerykańską księżniczką – zachwycał się.

Nonna zamrugała oczami. Może powinna mu powiedzieć, że to nie całkiem prawda, choć oczywiście dostała spadek; ale tak czy inaczej, w tej chwili nie miało to znaczenia.

– A ty, Rocco – stwierdziła z podziwem – wyglądasz dokładnie jak biznesmen, któremu się powiodło.

Rocco przestępował z nogi na nogę. Co mógł powiedzieć, kiedy kobieta, którą podziwiał, prawiła mu takie komplementy, nawet jeśli było trochę inaczej. Nie mogąc wymyślić nic sensownego, przywołał psa.

– To jest Fido – powiedział – najlepszy pies na trufle w całej Toskanii.

Nonna uniosła z niedowierzaniem brew. Pamiętała, że Rocco zawsze miał skłonność do przesady.

– W całej Toskanii?

– *Sì, sì*... cóż, we wsi na pewno jest najlepszy, może nawet w całej okolicy. Nie ma wątpliwości, jest najlepszy. Fido, przywitaj się. To jest Sophia Maria.

Dziwaczny białoróżowy pies podbiegł truchtem do Nonny. Przyglądała mu się z lekkim niepokojem, ale pies tylko spojrzał na nią dobrodusznie i wystawił prawą łapę, czekając cierpliwie, aż ją weźmie. W końcu szczeknął zniecierpliwiony.

– *Ciao*, Fido. – Potrząsnęła łapą psa. – *Come stai*?

Rocco przywołał psa z powrotem do siebie, uśmiechając się z dumą.

– Jest jak moje dziecko – powiedział miękko. – Prawie jak syn, którego nigdy nie miałem.

Nonna wsunęła mu rękę pod ramię, kiedy wchodzili schodami na taras.

– Nigdy się nie ożeniłeś, co Rocco?

– Owszem, ożeniłem się. Nie znałaś jej. Była z okolic Montepulciano, córka miejscowego farmera, urocza dziewczyna. Ale nie mogła mieć dzieci. Zmarła dziesięć lat temu, zostawiając mnie samego.

Rocco przeżegnał się, Nonna też. A potem opowiedziała mu o swoim świętej pamięci mężu, córce, która jest lekarką na Manhattanie, i o wnuczce Olivii.

– Lekarka. – Rocco był pod wrażeniem. – I nazwałaś swoją wnuczkę dla uczczenia oliwnych gajów Toskanii.

A potem, kiedy przechadzali się po tarasie willi, Nonna opowiedziała mu też o tym, jak jej ojciec uratował młodemu hrabiemu życie, i że teraz dostała się jej w spadku Villa Piacere.

– Możesz w to uwierzyć, Rocco? – zapytała z uśmiechem. – Możesz uwierzyć, że ta wspaniała willa teraz należy do mnie?

Spojrzał na nią dziwnym wzrokiem i powiedział:

– Nie wiesz, że ta willa jest własnością *americano*? Tego, u którego jesteśmy właśnie na przyjęciu. Kupił ją w zeszłym roku. Wszystko jest już zalegalizowane. Jak możesz być spadkobierczynią?

Rozdział 24

Livvie

Livvie była znudzona. Krążyła po ogrodach, szukając towarzystwa w swoim wieku, ale chłopcy i dziewczyny podskakujący na altanie w rytm włoskich przebojów patrzyli na nią, jakby była z zupełnie innej planety. Dziewczyny chichotały, zakrywając usta rękami, a chłopcy szczerzyli zęby w uśmiechu i krzyczeli coś, co brzmiało mniej więcej jak ciao, bella. Nie była pewna, co to znaczyło, ale miała wrażenie, że się z niej śmiali.

Rozczarowana poszła z powrotem do willi, robiąc szybką inspekcję pokoju za pokojem, zatrzymując się na chwilę, by przyjrzeć się uważniej uroczym malowidłom ściennym ze zwierzętami. Niemal wyskoczyła ze skóry, kiedy stara papuga, którą wzięła za wypchaną, nagle zaskrzeczała.

Livvie mogłaby przysiąc, że powiedziała: „Poppy. Poppy *cara*". Papuga powtórzyła to jeszcze raz. Livvie wiedziała, że po włosku *cara* oznacza „kochanie". Wyciągnęła rękę, żeby dotknąć wylinialych piór ptaka, ale ten odskoczył do tyłu na swoim drążku. Livvie pochyliła się, by się przyjrzeć szmaragdowym, rubinowym i brylantowym obrączkom na jego nogach.

– Wow! – westchnęła z podziwem. – Poppy *cara* musiała cię bardzo kochać, papugo. – A potem zobaczyła tabliczkę z imieniem. – Luchay – przeczytała. Ptak mrugnął do niej paciorkowym złotym okiem, po czym skulił się, przyglądając się jej uważnie.

– Na razie, Luchay – krzyknęła, wychodząc. – Mam nadzieję, że Poppy *cara* niedługo wróci po ciebie.

Z powrotem na tarasie zaczęła rozglądać się za matką i zobaczyła, jak ta rozmawia z jakimś mężczyzną. To był facet z Hasslera, ten, o którym mama mówiła „Michał Anioł z Long Island". Zastanawiała się, co on tutaj robi. Ale skoro tu był, musiała gdzieś tu być także ta afektowana gówniara w aksamitach.

Podeszła na skraj tarasu i zaczęła przyglądać się okolicy. Tak. Tam była. Na huśtawce, zapatrzona w przestrzeń. Cała w bieli i zupełnie sama. Cudownie, pomyślała Livvie, uśmiechając się szelmowsko.

Zbiegła w podskokach z tarasu i przecięła nonszalancko trawnik. Na jej widok mała przestała się huśtać. Przez chwilę przypatrywały się sobie z rezerwą. Mała miała na sobie białe spodenki, słodką koszulkę na ramiączka i białe sandałki. Świeżutka jak stokrotka, pomyślała pogardliwie Livvie.

– Cześć – powiedziała w końcu mała.

– Cześć. – Livvie przeszła na drugą stronę huśtawki, a mała odwróciła się nerwowo, śledząc ją wzrokiem.

– Jak masz na imię? – zapytała Livvie i zrobiwszy kółko, stanęła znowu na wprost niej.

– Muffie.

Livvie przewróciła oczami. Czego innego można się było spodziewać?

– A ty… jak masz na imię?

– Olivia.

Muffie nie powiedziała nic; wzrok miała utkwiony w ziemi.

– Mam złotego labradora. Wabi się Weronika – odezwała się w końcu, a Livvie westchnęła.

– I co z tego? Ja mam rudego kota, który waży osiem kilogramów.

Muffie uniosła oczy; ich spojrzenia się spotkały.

– Jak się wabi?

– Sindbad. Ale zwykle mówimy na niego po prostu Bad.

Muffie znowu wpatrywała się w trawę.

– Mam też kucyka.

Livvie wdrapała się na konar starego kasztanowca i usiadła na nim okrakiem.

– Akurat.

Muffie przygryzła wargę. Ryła dużym palcem od stopy w trawie, zataczając nim małe kółeczka. Nagle przestała i podeszła bliżej, wpatrując się w Livvie.

– Podobają mi się twoje włosy. To znaczy ich kolor.

Livvie przejechała nonszalancko dłonią po swoich krótkich żółtych włosach z zielonym akcentem z przodu.

– To jeszcze nic. Zwykle mam naraz trzy albo i cztery kolory, ale tym razem mama mi zabroniła. – Wzruszyła ramionami. – Wiesz, jakie są matki.

– O, tak, wiem – powiedziała żarliwie Muffie. – Aż za dobrze.

– Widziałam cię w Rzymie, w Hasslerze. – Livvie zwisała na rękach z gałęzi nad głową Muffie. – Jesteś tu na wakacjach?

– Tak, z tatą. Mama ponownie wyszła za mąż. Kazała tacie, żeby zabrał mnie ze sobą. Chyba nie miał na to ochoty. Latem lubi być sam. Żeby po prostu malować i myśleć. Tak mówi.

– Dlaczego nie może myśleć w domu?

– Mówi, że w SoHo jest za głośno, a poza tym cały czas pracuje.

– Jest bogaty?

– Tak. Tak myślę. Ale mama jest bogatsza, a przynajmniej tak mówi.

Livvie była pod wrażeniem.

– Nigdy nie widziałam mojego taty – powiedziała.

– Och – westchnęła zaskoczona Muffie. Znowu zaczęła wiercić dużym palcem w trawie. – Przykro mi – dodała uprzejmie.

Livvie wzruszyła ramionami.

– My też jesteśmy teraz bogate, tak mi się wydaje – pochwaliła się. – Hrabia Piacere zostawił tę willę mojej babci, no wiesz, po swojej śmierci. Teraz należy do nas. – Zeskoczyła lekko na ziemię. – Jesteś na terenie prywatnym. W przyszłości będziesz musiała prosić mnie o pozwolenie, żeby tu przyjść.

Muffie opadła szczęka.

– Ta willa? Villa Piacere? Przecież ona należy do mojego taty. Kupił ją w zeszłym roku. Zamierza zrobić z niej hotel. Wszyscy o tym wiedzą.

Przez dłuższą chwilę Livvie stała bez ruchu. Zszokowana patrzyła na Muffie.

– Kłamczucha – syknęła w końcu. I rzuciwszy przez ramię ostatnie piorunujące spojrzenie, odeszła, żeby znaleźć swoją matkę.

Rozdział 25

Cała nasza trójka zebrała się na nadzwyczajnej naradzie; siedziałyśmy wokół jednego z tych lichych cynowych stolików przed *albergo* nad filiżankami kojącego cappuccino. Wszyscy inni nadal byli na przyjęciu, więc sama musiałam rozpracować, jak działa ekspres do cappuccino. Zrobiłam tyle piany, że kawa oczywiście się przelała, ale choć niechlujnie podana – stwierdziła Nonna – ciągle smakowała dobrze.

– Jakie znaczenie ma ta odrobina na spodeczku? – zapytałam ponuro. – Villa Piacere jest zagrożona.

– Po prostu nie mogłam uwierzyć, kiedy ta cała Muffie powiedziała, że jej tata kupił willę w zeszłym roku – rzekła Livvie. – Nazwałam ją kłamczuchą.

– Wygląda na to, że nie kłamała. – Nonna nasypała sobie cukru ze szklanej cukiernicy z chromowanym wieczkiem. – Rocco Cesani też mi mówił, że właścicielem willi jest pan Raphael.

– Czyżby? – zapytałam. – Jak może być właścicielem willi, skoro to tobie zostawił ją hrabia? Don Vincenzo widział testament.

– Może istnieje jakiś limit czasowy. – Nonna wzruszyła bezradnie ramionami. – Może po paru latach można wystawić wszystko na sprzedaż.

– Testament to testament i założę się, że niezależnie od kraju nie można dopełnić postanowień testamentu, dopóki nie odnajdzie się spadkobierców. Nikt nie może tak po prostu pozbyć się willi, nawet prawnik. A skoro już mowa o prawnikach, to gdzie tak w ogóle jest ten Donati? To on zna odpowiedzi na te wszystkie pytania i mogę się założyć, że w jakiś sposób jest w to zamieszany. Zaraz do niego zadzwonię.

Poderwałam się od stolika i pobiegłam do swojego pokoju. Grzebałam w torbie, aż znalazłam kartkę papieru z numerem Donatiego, który dostałam od Don Vincenza, a potem pognałam na dół do telefonu w holu.

Wybrałam numer do miasta o nazwie Lucca. Telefon dzwonił i dzwonił, a ja słyszałam tylko ten ostry sygnał. Zacisnęłam usta. Gdzie się podziewa ten bydlak? Bez wątpienia wyjechał i wydawał nieuczciwie zarobione pieniądze. A co bardziej istotne, gdzie był testament? Jak do tej pory nawet go nie widziałyśmy. Mogłyśmy polegać tylko na tym, co powiedział nam Don Vincenzo.

– Nie martw się – powiedziałam do Nonny. – Rozpracuję to. Nikt nie pozbawi cię tego, co ci się prawnie należy.

Dzwoniłam do Donatiego co godzinę przez dwa dni, ale bez powodzenia. Teraz byłam porządnie wkurzona. Nonna zabrała Livvie na spotkanie z Rockiem Cesanim, jej starym przyjacielem, a ja włóczyłam się markotna po wiosce.

Poszłam do kościółka, usiadłam w zniszczonej ławce, wsłuchując się w szum ciszy i przyglądając się drobinom kurzu wirującym w promieniach słońca i błyszczącym mosiężnym lichtarzom na ołtarzu.

Moja matka została tu ochrzczona, pomyślałam, właśnie w tej kamiennej chrzcielnicy. Tu przystępowała do pierwszej komunii, w białej sukience, woalce i wianku na głowie, jak mała narzeczona Chrystusa. Moi dziadkowie też byli tu chrzczeni, a potem tu się pobrali, tak samo jak ich rodzice... i kto wie, ile jeszcze pokoleń przed nimi.

Kiedy wyjeżdżałam z Nowego Jorku, byłam po prostu Gemmą Jericho, córką Nonny, matką Livvie. Teraz nagle stałam się częścią nieprzerwanego łańcucha życia. Życia, nad którym nigdy wcześniej się nie zastanawiałam, nawet nie wiedziałam o jego istnieniu. Poczułam się dziwnie, jakoś inaczej. Jakbym należała do tego świata.

Schyliłam głowę w podziękowaniu i wyszłam na zewnątrz w oślepiające słońce. Było gorąco i musiałam napić się czegoś zimnego. Bar Galileo znajdował się tuż obok kościoła, za boiskiem do *bocce*. Szłam powoli, apatycznie, trzymając się rzucanego przez sosny cienia. Nie musiałam wchodzić do baru, żeby poczuć nagromadzone przez całe dziesięciolecia piwne opary, a wewnątrz było jeszcze gorzej. Przez chmurę papierosowego dymu i pary unoszącej się z syczącego ekspresu do kawy wpatrywałam się w migający telewizor nastawiony na mecz piłki nożnej. Pozdrowiłam kiwnięciem głowy mężczyzn w roboczych kombinezonach i szybko wyszłam na zewnątrz.

Może kupię sobie lody. Nazwa *mocha granita* brzmiała tak cudownie zachęcająco, że prawie czułam malutkie kryształki kawowych lodów spływające w dół mojego spieczonego gardła.

Miałam na sobie tylko bezrękawnik, krótkie spodenki w kolorze khaki i klapki z miejscowego sklepu spożywczego – odniosłam wrażenie, że w tym sklepie sprzedawali dosłownie wszystko. Tak czy inaczej, zanim przeszłam na drugą stronę placu do lodziarni, byłam już lepka i spocona. Pchnęłam szklane drzwi, oddychając z ulgą, kiedy owiało mnie zimne powietrze z zamrażarek.

– Dzień dobry.

Zesztywniałam jak pies myśliwski wystawiający zestrzelonego bażanta. Ben Raphael. Jeszcze jego mi brakowało. Odwróciłam się, żeby na niego spojrzeć.

Siedział przy stoliku ze swoją córką, która wcinała olbrzymi deser lodowy. Uniosła się uprzejmie, kiedy mnie zobaczyła, tak samo jak pan Raphael. Zawsze dżentelmen, pomyślałam zjadliwie, nawet jeśli jesteś złodziejem!

– Dzień dobry, panie Raphael – powiedziałam lodowatym tonem.

– Pani Jericho... Doktor Jericho – poprawił się – wydaje mi się, że musimy porozmawiać. Próbowałem skontaktować się z Donatim, żeby jakoś rozwiązać tę sytuację. – Wzruszył ramionami, rozkładając bezradnie ręce. – Na razie bez powodzenia. Cóż mogę powiedzieć więcej? Musiało zajść jakieś koszmarne nieporozumienie.

– Oczywiście, że zaszło nieporozumienie.

– Może mógłbym... postawić ci lody? Muffie poleca Mount Everest.

Był moim wrogiem. Co z tego, że był tak cudowny, że aż trudno to opisać słowami? Nie mogłam sobie pozwolić na poufałość z wrogiem.

– Dzięki – odparłam – jestem jedną z tych dziewczyn, które same kupują sobie lody.

Słyszałam, jak wzdycha, kiedy odwróciłam się, żeby kupić mały pucharek *mocha granita*. W drodze do drzwi zatrzymałam się.

– Dla twojej wiadomości – powiedziałam – też próbuję skontaktować się z Donatim. A kiedy mi się uda, każe ci przerwać wszystkie prace na terenie posiadłości. Wykurzy cię stamtąd, zanim się obejrzysz.

Drzwi nie zamknęły się za mną z trzaskiem, choć dzwonek zabrzęczał wyjątkowo głośno. A potem uderzyłam się w palec u nogi o wielką kostkę brukową. Lody wyśliznęły mi się z ręki, lądując z chlupnięciem na ziemi. Zacisnęłam zęby, patrząc na nie z wściekłością. Potem szybko je pozbierałam i cisnęłam do kosza na śmieci.

Usłyszałam, jak dzwonek ponownie zabrzęczał, kiedy otworzyły się drzwi i Ben Raphael wystawił głowę.

– Chcesz, żebym kupił ci nową porcję? – zapytał, szczerząc zęby w uśmiechu.

– Nie, dzięki – powiedziałam, gwałtownie odrzucając do tyłu głowę. Niech to szlag trafi. Dlaczego choć raz nie mogłam zrobić wielkiego wyjścia?

Rozdział 26

Kiedy wróciłam do *albergo*, czekało na mnie zaproszenie, wypisane ręcznie połyskliwym pawioniebieskim atramentem. Pismo było kunsztowne, a gruby kremowy papier miał chropowate brzegi, świadczące o tym, że był drogi. Na górze był herb: paw ze swoim wspaniałym, rozłożonym ogonem, który miał na sobie coś, co wyglądało na diamentowy diadem.

Hrabina Marcessi ma przyjemność zaprosić Panią Jericho,
Doktor Jericho i Panienkę Jericho
na uroczystość z okazji jej czterdziestych dziewiątych urodzin.
Środa, 10 lipca, godzina 19.00.
Kolacja i tańce. Stroje wieczorowe.

Maggie Marcessi nie zapomniała o mnie. Kolacja, tańce, stroje wieczorowe. Co, u licha, ja na siebie włożę? Nie tańczyłam od lat. Ale czyż nie byłam kiedyś Królową Parkietu? Ciekawe, kto jeszcze będzie na przyjęciu. Na pewno nie Ben Raphael. Ależ oczywiście, że będzie. Maggie Marcessi była na jego przyjęciu, prawda? Poza tym była jego sąsiadką i znali się od wielu lat. To przesądziło sprawę. Nie mogę tam pójść. Pomiędzy Benem Raphaelem a rodziną Jericho toczyła się wojna, a ja nie zamierzałam zadawać się z wrogiem.

– Dlaczego nie możemy pójść? – zapytała Livvie. – To przyjęcie. Będą tam pewnie setki ludzi, tak jak na tym w Villi Piacere. Oj mamo, daj spokój, chcę pójść.

– Nie rozumiem, dlaczego miałybyśmy nie iść – poparła ją Nonna, zaskakując mnie. – W końcu to tylko przyjęcie, a Livvie miałaby szansę poznać jakichś młodych ludzi.

– Młodych ludzi? Maggie Marcessi obchodzi czterdzieste dziewiąte urodziny chyba po raz trzydziesty. Jak myślisz, dużo tam będzie osób w wieku Livvie?

– Myślę, że wszystkie będziemy się dobrze bawić – stwierdziła stanowczo Nonna. – Zaraz zadzwonię do hrabiny, żeby potwierdzić zaproszenie, i może zapytam ją, czy mogę przyprowadzić przyjaciela.

– Nie wiedziałam, że jest ktoś specjalny, kogo byś chciała zaprosić na przyjęcie do Maggie.

– To Rocco Cesani – zdradziła Livvie, uśmiechając się porozumiewawczo do babci. – Wiesz, jest na niego napalona.

– Livvie! – Nonna spiorunowała ją wzrokiem. – Rocco jest starym przyjacielem. Chodziliśmy razem do szkoły. Rano oprowadził nas po swoich gajach oliwnych i pokazał *frantoio* – dodała.

– Nuda – mruknęła Livvie.

– Jest producentem najlepszej oliwy z oliwek w całym regionie. Nawet eksportuje ją do Stanów.

– Mieszka na farmie – powiedziała Livvie – razem z krową i psem, który wygląda jak białoróżowa kiełbasa węsząca za truflami. Pokazał mi trufle. –

Zmarszczyła nos. – To było coś obrzydliwego. Jak ludzie mogą to w ogóle jeść?

– Trufle są rarytasem dla smakoszy – rzekła Nonna surowo. – Ludzie w Nowym Jorku wydają fortunę w restauracjach, żeby je jeść.

– Idiotów nie brakuje – skomentowała Livvie, a ja uśmiechnęłam się szeroko, bo w głębi duszy uważałam, że ma rację.

– Tak czy inaczej – powiedziała energicznie Nonna – już postanowione. Idziemy na przyjęcie.

– Pójdziesz na bal, Kopciuszku – mruknęłam, ciągle zdecydowana, żeby nie iść. Będę musiała się jakoś od tego wykręcić.

Bella Piacere miała na mnie magiczny wpływ. Zauważyłam, że zwalniam – zwolniłam tak bardzo, że prawie się czołgałam, i przypuszczałam, że niedługo na dobre się zatrzymam. Ale w końcu miałam czas, żeby smakować życie. Prawdziwe życie. Mogłam cieszyć się obiadami na placu, chodzić na samotne spacery po wzgórzach i zwiedzać sąsiednie wioski.

Teraz byłam na starym cmentarzu, gdzie grobowce wbudowano w mury, a na kamiennych tablicach wygrawerowano nazwiska, daty, anioły i cheruby. Do niektórych tablic były przytwierdzone fotografie zmarłych oprawione w ramki. Były tam małe bukieciki zarówno z żywych, jak i plastikowych kwiatów, omszałe kamienne alejki i dzwonnica.

Napiłam się lodowatej źródlanej wody z małej fontanny, usiadłam na kamiennej ławce i zamknęłam oczy, słuchając śpiewu ptaków i myśląc sobie, że to nie całkiem złe miejsce ostatecznego spoczynku. Przez zamknięte powieki prześwitywała mgiełka rozmazanej czerwieni zabarwionej fioletem;

tutejsze zachody słońca zawsze są takie widowiskowe. Pszczoły brzęczały w lawendzie, cykady robiły,
co do nich należy, nasycając powietrze dźwiękiem
lata, coś szeleściło w poszyciu. Czułam, że odpływam, łagodnie dryfując w stronę snu.

– Ach, *dottoressa* Jericho... dobrze, że panią widzę.

Wyprostowałam się gwałtownie i spojrzałam
w różową, uśmiechniętą twarz Don Vincenza. Zdobyłam się na coś w rodzaju uśmiechu, odgarniając
do tyłu włosy. Nie cierpiałam, kiedy ktoś zaskakiwał
mnie podczas snu; zawsze czułam się wtedy jakby
obnażona.

– O, Don Vincenzo, co za niespodzianka. Cieszę się, że księdza widzę – wydusiłam po włosku.

– *Dottoressa*, mam to, czego pani potrzebuje –
powiedział tajemniczo. W każdym razie dla mnie
było to tajemnicze, bo mówił po włosku, ale wydaje
mi się, że powiedział właśnie coś takiego.

Don Vincenzo zaczął grzebać w kieszeni sutanny; z bliska, w silnym słońcu zobaczyłam, że była pozieleniała ze starości, tu i ówdzie upstrzona plamami
czegoś, co wyglądało na sos do spaghetti. Ksiądz wyciągnął zmięty kawałek papieru, rozłożył i wygładził
ostrożnie na kolanie.

– Mam go tu, *dottoressa* – powiedział, ciągle
po włosku, oczywiście. – Nowy numer telefonu Donatiego. Rozmawiałem z nim dziś rano i umówiłem
was na spotkanie. Spotka się z nim pani we Florencji, w Caffè Gilli na Piazza della Republica o dziesiątej przed południem w przyszły wtorek. Wtedy on
pani wszystko wyjaśni.

– Zaraz, zaraz. – Uniosłam rękę, nie nadążając. – Mówi ksiądz, że mam umówione spotkanie
z Donatim?

– *Sì, con Donati*, tym prawnikiem.

– We Florencji? – Szybko przeleciałam w myślach włoskie nazwy poszczególnych dni tygodnia. – We wtorek?

– *Sì*.

– Naprawdę? – Byłam uradowana.

– *Sì, dottoressa* Jericho. Wtorek, dziesiąta, w Caffè Gilli na Piazza della Republica. *Signor* Donati zapewnił mnie, że musiała zajść jakaś pomyłka i że wszystko wyjaśni, tak żeby była pani zadowolona.

– Lepiej niech to zrobi – powiedziałam groźnie, myśląc o Villi Piacere w łapach Bena Raphaela. Sprzedana przez tego samego Donatiego. Podziękowałam wylewnie Don Vincenzowi i popędziłam z powrotem do wioski, by znaleźć Nonnę i Livvie i podzielić się z nimi dobrymi wieściami.

Dni pozostałe do wtorku płynęły w żółwim tempie, tak bardzo chciałam rozwiązać wreszcie tę sprawę i upewnić się, że Nonna dostanie swój spadek. Zwiedzałyśmy okolicę, spotykałyśmy się z przyjaciółmi Nonny, biesiadowałyśmy pod gwiazdami, zajadając się makaronem z pomidorami jeszcze ciepłymi od słońca, świeżą mozzarellą i oliwą z oliwek – smakiem Toskanii. Pochłaniałyśmy nieskończone ilości cukinii z zarośniętego ogrodu za hotelem, przyrządzanych na milion różnych sposobów: gotowanych, smażonych w jajku, zapiekanych, przecieranych. Jadłyśmy nawet ich kwiaty, nadziewane i smażone na chrupko.

Tymczasem ciągle wpadałam na Bena Raphaela: na targu, w spożywczym, popijającego campari przed barem Galileo, tankującego na stacji benzynowej. Za każdym razem pozdrawialiśmy się chłodnym skinieniem głowy; trudno było nie dostrzec naszej wzajemnej wrogości. Irytujące było to, że przyłapałam siebie na wypatrywaniu go, gdziekolwiek się ruszyłam.

Oczywiście nie zamierzałam mu mówić, że mam spotkanie z Donatim. Wiedziałam, że to byłby samobójczy gol.

Rozdział 27

W końcu nadszedł wtorek i popędziłyśmy autostradą do Florencji.

Było wcześnie, ruch znikomy; jasne, błękitne niebo zapowiadało upał. Livvie i Nonna rozmawiały o ciuchach, planując po spotkaniu z Donatim kolejną wyprawę na zakupy, żeby mieć się w co ubrać na przyjęcie u Maggie. Ja natomiast koncentrowałam się na znakach drogowych, martwiąc się, co Donati ma nam do powiedzenia.

Don Vincenzo powiedział mi, że jako prawnik starego hrabiego, *signor* Donati jest w posiadaniu oryginalnej i, o ile było mu wiadomo, jedynej kopii testamentu. Nie został poświadczony u notariusza, bo wówczas ciągle poszukiwali spadkobiercy. Albo spadkobierczyni, jak przyzwyczaiłam się myśleć o Nonnie. Zabawne, jak bardzo nie chciałam, żeby tu przyjeżdżała szukać wiatru w polu, a teraz sama byłam zdeterminowana, by odzyskać ten spadek. Dla niej. Przyrzekłam sobie, że niezależnie od konsekwencji willa będzie jej. Jedyny problem polegał na tym, że bez testamentu nie miałyśmy się na czym oprzeć.

Piękno Florencji zapierało dech w piersi. Było dosłownie wszędzie: na starych ulicach, w kamiennych budynkach, na placach upstrzonych posągami, targowiskach ze stertami owoców i warzyw, drzwiach udrapowanych jaśminem i wisterią. Nawet Livvie milczała, kiedy szłyśmy wąskimi arkadowymi ulicami, przy których stały budynki tak stare, że w końcu uświadomiłyśmy sobie, jak krótka jest historia Ameryki.

Przeszłyśmy wzdłuż brzegu rzeki Arno, podziwiając pomnik Czterech Pór Roku na Ponte Santa Trinità, wyłowiony z rzeki po II wojnie, w czasie której most uległ zniszczeniu. Teraz most został odbudowany i stanowi wierną kopię oryginału.

Natomiast Ponte Vecchio był jak najbardziej prawdziwy, ze sklepami, których wystawy kusiły złotą biżuterią i wyglądały mniej więcej tak samo jak w XIV wieku – wieku, o którym, przyznaję, nigdy wcześniej nie rozmyślałam. Aż do teraz.

Zwabione blaskiem złota zatrzymałyśmy się przed malutkim sklepikiem, żeby przyjrzeć się biżuterii na wystawie. Moją uwagę przykuł jeden z pierścionków: dwie skręcone złote wstążki uwieńczone czystym kryształem otoczonym maleńkimi brylancikami. Bez wątpienia był bardzo stary i zastanawiałam się, czy kiedyś, dawno temu, został podarowany pięknej florenckiej arystokratce przez jej ukochanego. Po raz pierwszy w życiu czegoś zapragnęłam, ale odsunęłam od siebie to pragnienie. Wiedziałam, że pierścionek byłby dla mnie za drogi, poza tym były sprawy, którymi musiałam się zająć.

Na Piazza della Republica było kiedyś miejskie targowisko. Teraz plac jest otoczony kawiarniami ze stolikami rozstawionymi pod niebieskimi i żółtymi markizami. Historia Caffè Gilli sięga 1973 roku, kiedy był to po prostu mały bar i herbaciarnia. Teraz jest to popularne we Florencji miejsce spotkań.

Kiedy tam dotarłyśmy, kawiarnia już była wypełniona po brzegi przez florentczyków, relaksujących się przy porannym espresso i *dolce*; przerzucali gazety, obserwując toczące się życie.

Po drugiej stronie placu, w domu handlowym Rinascente, interes kręcił się już na całego. Nonnie zaświeciły się oczy. Z pewnością dobrze pamiętała przyjazne sprzedawczynie, które „zrobiły ją na bóstwo" za pomocą szmaragdowego jedwabiu, pereł i szminki w kolorze begonii. Czując, że jest gotowa na powtórkę z rozrywki, szybko skierowałam ją w drugą stronę.

Wypatrywałyśmy małego, chudego, dobrze ubranego mężczyzny z ciemnymi włosami i wąsami. Don Vincenzo powiedział, że o tej porze roku *signor* Donati będzie miał na sobie letni garnitur z białego płótna. „*Signore* jest zawsze nienagannie ubrany. Nosi same najlepsze rzeczy, jakie da się kupić za pieniądze" – to słowa księdza.

Ta informacja dotycząca finansów sprawiła, że zadrżałam z niepokoju. Właściwie czyje pieniądze Donati wydawał na swoje eleganckie letnie garnitury? – zastanawiałam się, mając nadzieję, że chodzi o grube miliony, jakie Ben Raphael musiał mu zapłacić za willę. W każdym razie były to pieniądze, które z całą pewnością nie należały do niego.

Przyjrzałyśmy się każdemu mężczyźnie w Caffè Gilli, zarówno w staromodnym, mahoniowym, obwieszonym lustrami wnętrzu, jak i pod markizami na placu. Oczywiście były całe dziesiątki wąsatych Włochów w białych płóciennych garniturach, wszyscy o nienagannym wyglądzie, zalatującym dużymi pieniędzmi. Przemierzałam rzędy stolików, wpatrując się w ich skryte za ciemnymi okularami oczy. Ci Włosi naprawdę dobrze wyglądali, a każdy z nich puścił do mnie oczko. Jestem pewna, że to tylko taki odruch, narodowa przypadłość, coś w rodzaju tiku. Ale muszę przyznać, że mi się to podobało. Nawet uśmiechałam się w odpowiedzi, aczkolwiek tylko odrobinę. Coś takiego wystarczy, żeby w głowie kobiety zrodziły się kosmate myśli. Ale oczywiście na mnie to nie działało; trzy lata temu rozpoczęłam życie w celibacie i przyrzekłam sobie, że tak już zostanie.

– Jeszcze go nie ma – powiedziałam, wracając do naszego stolika pod markizą.

– Żyje według włoskiego czasu – zauważyła Nonna. Jak na mój gust była zbyt spokojna, biorąc pod uwagę napiętą sytuację. – Pojawi się. Don Vincenzo nam to obiecał.

Szkoda, że ja nie byłam tego taka pewna. Zamówiłam dwa podwójne espresso ze śmietanką, małe cukrowe ciasteczka z malinami, do tego ogromny deser lodowy o smaku czekoladowym i colę dla Livvie. Livvie piła tyle tego świństwa, że zaczęłam martwić się o jej zęby. Obawiałam się, że całkiem spróchnieją, zanim wrócimy do domu i pójdziemy do dentysty. Nonna popijała kawę i skubała ciasteczko, spokojnie przeglądając poranną gazetę, a ja wypatrywałam na placu Donatiego.

Minęło pół godziny. Czterdzieści pięć minut.

– Czekamy już godzinę – narzekała Livvie. – Gdzie on jest?

Wzruszyłam ramionami, chwytając torbę.

– Nic z tego nie rozumiem – powiedziałam tak spokojnie, jak tylko mogłam, bo w środku aż się we mnie gotowało. – Zaraz do niego zadzwonię. – Pomaszerowałam do środka Caffè Gilli, znalazłam automat i wybrałam numer, który dostałam od Don Vincenza. Poddałam się po dziesiątym dzwonku. *Signor* Donati był nieuchwytny jak duch.

Wróciłam do stolika i przygryzałam w zamyśleniu dolną wargę, zastanawiając się, co dalej.

– Nie możemy tego tak dłużej ciągnąć – stwierdziłam w końcu. – Porozmawiam z Benem Raphaelem. Będzie musiał to jakoś rozwiązać.

Nonna westchnęła ciężko.

– A jeśli pan Raphael nie zechce się tym zająć – rzekła cicho – myślę, że jest pewien sposób, by zachęcić go do działania.

Czekałyśmy, żeby nam wyjaśniła, co dokładnie miała na myśli, ale Nonna szybko zmieniła temat.

– Czyż kobiety nie mawiają, że kiedy wszystko inne zawodzi, trzeba iść na zakupy? – Chodźcie, *bambini*, musimy sobie kupić sukienki na przyjęcie.

– Wcale nie chcę iść na to przyjęcie.

Livvie spiorunowała mnie wzrokiem, a ja pomyślałam, że wygląda zupełnie jak jej babcia: ta sama postawa z rękami na biodrach, te same brązowe oczy miotające błyskawice.

– Oj, daj spokój, mamo – mruknęła niecierpliwie. – To tylko zakupy. No wiesz, dziewczyny to lubią.

– Aha – powiedziałam potulnie. – Skoro tak, to chodźmy.

Rozdział 28

Więc byłyśmy we Florencji. Ale czy widziałyśmy Duomo? Przelotnie. Czy zatrzymałyśmy się, żeby obejrzeć Galerię Uffizi? Ledwie rzuciłyśmy okiem. Czy zaliczyłyśmy Piazzale Michelangelo z posągiem Dawida, skąd rozciągał się widok na całe miasto? Nawet się nie zbliżyłyśmy. O, nie. Byłyśmy na zakupach. Oddawałyśmy się zajęciu, które znajdowało się na samym końcu listy moich ulubionych czynności. Dotychczas myślałam, że tak samo jest w przypadku Nonny. Ale to się zmieniło po jej powrocie do Włoch i od tej pory nie byłam w stanie jej powstrzymać.

Uderzyłyśmy w Via de'Tornabuoni z prędkością światła, wpadając i wypadając z butików w takim tempie, że czułam się jak kwiat więdnący z braku wody. Tęskniłam za ciszą, spokojem, bezruchem, za tym wszystkim, do czego zdążyłam się przyzwyczaić w Bella Piacere. Tymczasem wysiadywałam na małych pozłacanych krzesełkach w modnych sklepach, a Livvie i Nonna wynurzały się z kolejnych przymierzalni, żeby wysłuchać mojej niezbyt fachowej opinii na temat coraz to nowych kreacji.

Myślałam o willi: o ośmiokątnym pokoju ze starą papugą, o wyblakłej elegancji tego miejsca i o tym, jak błyszczały w promieniach słońca zielone satynowe tapety. Wspomnienia te wywołały lekki dreszczyk; czułam się związana z tym miejscem, tak jakbym tam wcześniej mieszkała. Fakty są jednak takie, że jeśli już któremuś z moich przodków udało się zbliżyć do willi, to najwyżej w charakterze służącego. Tak czy inaczej, willa cały czas tkwiła mi w głowie, i we śnie, i na jawie, i zdałam sobie sprawę, że wcale nie chcę jej odzyskać tylko ze względu na Nonnę. Chciałam ją dla siebie.

Zastanawiałam się, jak przyprzeć do muru Bena Raphaela na jutrzejszym przyjęciu u Maggie. Myślałam, że najpierw wyciągnę go na taras, z dala od tłumu, a potem... no właśnie, co potem? Powiem mu, co o nim myślę? Że uważam go za kłamcę, a Donatiego za złodzieja? A może że się dogadali, bo obaj są kłamcami i złodziejami?

Nawet ja wiedziałam, że w ten sposób niczego nie osiągnę. Będę musiała trochę załagodzić sprawę, może zatrzepotać rzęsami, podejść na tyle blisko, żeby poczuł woń moich perfum... Jakich perfum? Nie miałam żadnych perfum. Ale temu można zaradzić, gdy tylko wyjdziemy z tego cholernego butiku. Może powinnam spojrzeć Benowi prosto w oczy i zaapelować do jego uczuć? O ile jakieś w ogóle miał.

Potem przypomniałam go sobie z Hasslera. Jaki był czuły dla swojej małej córeczki, jaki opiekuńczy. Może wcale nie jest aż takim złym facetem. Może powinnam dać mu jakiś kredyt zaufania.

Zupełnie skołowana, skupiłam uwagę na Livvie, która wirowała przede mną. Jasnoniebieska sukienka przylegała do niej jak syrenie łuski, podkreślając każdą krzywiznę i, może nawet zbyt prowokująco, każdą wypukłość. Nigdy wcześniej nie widziałam

143

takiej Livvie i nagle zdałam sobie sprawę, że stawała się kobietą. Jeszcze nie, krzyczało moje serce. Jeszcze nie teraz, proszę. Zostań małą dziewczynką jeszcze przez chwilę...

Z przymierzalni wyłoniła się Nonna, żeby rzucić okiem na Livvie. Zacisnęła usta, cmoknęła z dezaprobatą i pokręciła głową.

– Zdejmij to – zarządziła.

Livvie jęknęła.

– Ale babciu!

– Zdejmij, powiedziałam.

Livvie obróciła się przed lustrem.

– Już czas, żebyś sobie uświadomiła, że jestem kobietą – oznajmiła. – I mam piersi. – Przejechała dumnie dłońmi po małych, bliźniaczych pączkach. – I miesiączki.

– Za to w tej sukience nie będziesz długo dziewicą. Zdejmuj ją – poleciła Nonna.

– N-o-n-n-a! – Livvie spłonęła dziecinnym rumieńcem, tak mocnym, że jej włosy zrobiły się niemal czerwone. Umierała ze wstydu, a ja dziękowałam Bogu, że mimo wszystko nadal jest małą dziewczynką.

Szperały jeszcze trochę po wieszakach, a słodka ekspedientka kręcąca się za ich plecami doradzała uprzejmie i wyszukiwała odpowiednie rozmiary. Patrzyłam, jak Nonna wraca do przymierzalni z sześcioma nowymi sukienkami, i zrozumiałam, że przybyłyśmy tu na wielkie łowy. No dobra, co ja na siebie włożę? Niechętnie podniosłam się i zaczęłam przeglądać wieszaki. Żałowałam, że nie mogę włożyć swojego białego kitla.

– *Signora* będzie w rozmiarze *trentaquattro*, *trentasei* – powiedziała cierpliwa sprzedawczyni, wyciągając kilka sukienek. Potrząsnęłam głową. Nie chciałam, żeby mi cokolwiek pokazywała; jeśli już muszę, sama wybiorę i zrobię to szybko. Ściągnęłam z wieszaka beżową jedwabną sukienkę i uniosłam przed sobą, żeby się jej przyjrzeć. Miała dekolt w szpic, wąską talię i spódnicę bombkę. Może być; jak mówią, beż pasuje do wszystkiego.

– Maaamo, nie możesz tego włożyć. – Livvie wyrwała mi sukienkę.

– Dlaczego nie?

– Bo jest beżowa. Właśnie dlatego. I tylko spójrz na tę spódnicę; będziesz wyglądała jak kula do kręgli. Mamo, jesteś we Włoszech! Dlaczego nie wybierzesz czegoś bardziej kolorowego? Jak myślisz, dużo będzie na przyjęciu kobiet ubranych na beżowo? Niezbyt dużo, możesz być pewna.

O Boże, pomyślałam, teraz moja dorosła córka udziela mi porad, w co mam się ubrać. Żałuję, że w ogóle ją tu zabrałam.

– Nie czuję się zbyt kolorowo. – Porwałam z wieszaka białą sukienkę z szyfonu, z płytkim okrągłym dekoltem i prostą spódnicą do kolan. – Ta będzie dobra – powiedziałam stanowczo i ignorując protesty Livvie, że najpierw powinnam przymierzyć, a także metkę z pokaźną ceną, kazałam ekspedientce zapakować sukienkę.

– *Madame* będzie potrzebowała butów – powiedziała kobieta, i zanim się obejrzałam, dreptałam chwiejnie w złotych sandałach na takich obcasach, jakich nie nosiłam od czasów Casha. Wątpiłam, czy będę w stanie przejść w nich więcej niż dziesięć kroków, ale doszłam do wniosku, że wystarczy, jeśli przedostanę się z samochodu do domu. Potem już będzie dobrze.

Zatwierdziłam ostateczny wybór Livvie – obcisłą sukienkę z czerwonej lycry. Uważałam, że jest zbyt wyzywająca, ale byłam zbyt wyczerpana, żeby się sprzeciwiać. Zaaprobowałam też bananowożółty jedwabny kostium Nonny z marszczoną talią i prostokątnym dekoltem upstrzonym kryształkami, choć nie omieszkałam zapytać, gdzie go będzie nosiła po powrocie na Long Island. Nonna zmiażdżyła mnie wzrokiem, nie zadając sobie trudu, by cokolwiek odpowiedzieć.

Zauważyłam jednak błysk w jej oku i zaczęłam się zastanawiać, na kim, oprócz Maggie Marcessi, chce wywrzeć wrażenie. Przypomniałam sobie o Roccu Cesanim. Czy to możliwe? Nie, oczywiście, że nie. Odsunęłam od siebie myśl, że moja matka mogłaby zakochać się w starym szkolnym przyjacielu. Nie chciałam wiedzieć nic na ten temat. Życie i tak było wystarczająco skomplikowane.

Pomyślałam o Benie Raphaelu i przypomniałam sobie, że potrzebuję perfum. Zajrzałam do przewodnika, żeby ustalić położenie sławnej perfumerii i zielarni – wiedziałam, że będą tam mieli dokładnie to, czego chciałam. Był pewien zapach, który odkryłam lata temu. Używała go pacjentka, włoska turystka, która trafiła na ostry dyżur z kostką skręconą na oblodzonym chodniku. Kiedy nachyliła się w moją stronę, pomyślałam, że pachnie wiosną. Powiedziała, że ten zapach to Violetta di Parma i że te perfumy sprzedają głównie w Parmie i wybranych perfumeriach, jak ta we Florencji. Nigdy nie kupiłam sobie tych perfum, ale zapamiętałam ich nazwę i łagodny fiołkowy zapach.

Officina Profumo-Farmaceutica di Santa Maria Novella była częścią starego klasztoru pod tym samym wezwaniem, mieszczącego się przy Via della Scala. Po blichtrze Via de'Tornabuoni było to jak podróż w czasie. Prawdziwa *farmacia* z minionej epoki. Kolorowe eliksiry połyskiwały w bulwiastych szklanych butelkach na lustrzanych półkach, stare drewniane gabloty były wypełnione porcelanowymi słojami. Były tam zabytkowe freski, malowane płytki, a w powietrzu unosił się zapach ziół i perfum. Można tu było kupić środki na uspokojenie skołatanych nerwów i poprawienie witalności; płyny do kąpieli i ręcznie ugniatane mydła, nadające skórze gładkość, wygładzające kremy do twarzy, a także perfumy, które sprawiają, że kobieta staje się bardziej ponętna; a wszystko sporządzone według spisanych ręcznie przez dominikanów starych receptur, które zachowały się do dzisiaj.

Znalazłam tester z Violetta di Parma i rozpyliłam delikatnie perfumy w powietrzu. Pachniało dokładnie tak, jak wyobrażałam sobie zapach fiołków otwierających się w mglisty wiosenny poranek, i na nowo się zakochałam.

Kupiłyśmy urodzinowy prezent dla Maggie: wielki koszyk mydeł, balsamów, płynów do kąpieli i eliksirów, opakowany białym tiulem i przewiązany gigantyczną satynową kokardą. Przyszło mi do głowy, że wygląda zupełnie jak Maggie.

Potem, obładowane pakunkami, wytoczyłyśmy się ze sklepu, który już zamykali na obiad, tak jak dzieje się to wszędzie we Włoszech. Złapałyśmy taksówkę i pojechałyśmy do małej, gwarnej restauracji Garga na Via del Moro – wąskiej bocznej uliczce zastawionej skuterami i samochodami, ściśniętymi na niemożliwie małych miejscach parkingowych.

W środku ścisk był jeszcze większy. Klienci tłoczyli się w rustykalnym wejściu, otaczali trzema rzędami bar, okupowali stoliki. Kłęby papierosowego dymu wisiały pod belkami niskiego żółtego sufitu, w powietrzu unosił się ciężki zapach wina, a dźwięki rozmów odbijały się echem od ozdobionych dziełami sztuki ścian. Czuć było zupę fasolową, słychać było skwierczenie wieprzowiny pieczonej w rozmarynie, ogólnie panowała atmosfera radosnego podniecenia. Przecisnęłyśmy się przez tłum do maleńkiego stolika w bocznej sali; stoły były tak ściśnięte, że siedząc, dotykałyśmy się biodrami.

Kelner postawił na papierowym obrusie butelkę czerwonego wina, wymienił jednym tchem specjalności zakładu i przyjął nasze zamówienie. Po chwili przyniósł chleb w małym koszyczku, z trzaskiem postawił przed nami kieliszki i napełnił je winem; w jednym zmieszał wino pół na pół z San Pellegrino *per la signorina*.

Rozparłam się wygodnie na małym drewnianym krzesełku, szczęśliwa, że wreszcie siedzę, że mam już za sobą zakupy, i wciąż maksymalnie wkurzona, że Donati się nie pokazał. Ale chwilowo odsunęłam na bok wszystkie zmartwienia, by spokojnie cieszyć się obiadem.

Zaczęłam od wielkiego talerza *prosciutto* z figami tak dojrzałymi, że prawie pękały mi w palcach, i tak słodkimi, że nadawały się raczej na deser. Potem wszystkie uraczyłyśmy się wieprzową pieczenią w rozmarynie, z chrupiącą skórką, która rozpływała się w ustach, a w końcu spłukałyśmy to wszystko gorącą mocną kawą.

Pozbierałyśmy pakunki i przepchnęłyśmy się z powrotem przez zatłoczoną salę na ulicę. Wystarczyło, by Nonna podniosła władczo rękę, a taksówka zatrzymała się z piskiem przed naszymi nosami. Dojechałyśmy na parking, a potem znów trzeba było mozolnie torować sobie drogę przez florenckie korki, sunące powoli wąskimi uliczkami, zaprojektowanymi raczej dla lektyk niż dla samochodów. W końcu wydostałyśmy się z centrum na autostradę.

Wróciłyśmy do Bella Piacere, spędziwszy cały dzień w jednym z najpiękniejszych miast świata i nie obejrzawszy ani jednego z jego wspaniałych zabytków.

Rozdział 29

Ben wspiął się na łagodne wzgórze za willą ze szkicownikiem i małym pudełkiem akwarel. Muffie pędziła przed nim, przeskakując nad kępami trawy i wykrzykując radośnie na widok królika. Ze lśniącymi srebrnoblond włosami ściągniętymi w kucyk, z długimi opalonymi nogami, w różowo-białych kraciastych szortach i tenisówkach wyglądała jak typowy amerykański dzieciak. Była elfem, leśnym duszkiem – wolnym i tryskającym radością życia. Ben nie musiał nawet myśleć, jak bardzo ją kocha; to była po prostu część jego natury. Bez Muffie jego życie nie miałoby sensu.

– Tato – krzyknęła ze szczytu wzgórza – stąd widać cały, calusieńki świat! – Podskakiwała w miejscu, machając rękami nad głową – wcielenie nieopanowanej energii. Ben roześmiał się na jej widok.

Resztę drogi pokonał biegiem; w końcu stanął obok niej, oddychając ciężko.

– Zgadza się – powiedział. – Stąd widać cały, calusieńki świat.

Muffie zachichotała, dając mu kuksańca.

– Oj, tato. Przecież wiesz, o co mi chodzi.

– Tak, wiem. A teraz chciałbym, żebyś to namalowała.

– Żebym namalowała? Ja?

– Ty – powiedział stanowczo. – Tu masz blok rysunkowy, akwarele i pędzel. Po prostu maluj, co widzisz.

Patrzyła na niego niepewnie, a potem spojrzała na imponujący widok.

– Ale ja nie umiem.

– Nie umiesz? To znaczy, że nie widzisz tego wszystkiego?

– Oczywiście, że widzę. Po prostu nie umiem malować.

– Muffie, umiesz malować. To nie musi być doskonałe, po prostu masz się przy tym dobrze bawić.

Położyli się obok siebie na brzuchach i Ben poprosił Muffie, żeby mówiła mu, co widzi.

– Cyprys – powiedziała, wskazując palcem. – Tam, dokładnie pośrodku.

– Więc cyprys będzie w centrum twojego obrazka. No dobra, co jeszcze?

– Kościół, wioska, farma, gaje oliwne, winnice na stokach wzgórz…

– Świetnie – powiedział, odwracając się na plecy. – No to zaczynaj.

Leżał z rękami założonymi pod głowę, wpatrując się w nieskończony błękit nieba. Pomyślał, że takiego błękitu nie widuje się w mieście. Zupełnie jakby ktoś zamiótł je do czysta, dzięki czemu światło było jaśniejsze, wyraźniejsze, bardziej intensywne. Kolory były bardziej nasycone, cienie głębsze, a słońce świeciło mocniej. A zimą, kiedy niebo szarzało, od Alp wiała *tramontana* i sypał śnieg, światło nie traciło swojej intensywności – zarówno przedmioty, jak i uczucia wydawały się w nim bardziej wyraziste.

Ben uważał, że podobnie jest z całym życiem w Toskanii. Że wszystko przeżywa się silniej, że żyje się bardziej z dnia na dzień, czasem wręcz chwilą. Nawet kupno bochenka chleba, wybór wina czy podziwianie pięknej kobiety dawały więcej radości. Każdy aspekt życia trzeba było troskliwie rozważyć, posmakować, dostrzec; każdy komplement był dobierany z uwagą i namysłem.

Nie miał co do tego wątpliwości – w Toskanii prowadził życie, jakie nie było możliwe w Nowym Jorku. Tutaj mógł leżeć do góry brzuchem na porośniętym trawą wzgórzu, wpatrując się w niebo i rozmyślając o swoim życiu, zamiast konfrontować się z nim twarzą w twarz każdego dnia, nawet podczas snu, co zdarzało się aż nazbyt często. Tak samo jak bezsenne noce.

Kiedy kupił sobie czterystumetrowy apartament w SoHo, pomyślał: „To jest to. Symbol mojego sukcesu. Czego więcej mi trzeba?" Ale już wkrótce odkrył, że potrzebuje czegoś więcej. Dużo więcej. Jego dni wypełniały zajęcia typowe dla każdego biznesmena: spotkania, obiady, negocjacje, transakcje. A wieczorami, czasem nocami, paradowały przez jego życie całe tabuny pięknych kobiet; niektóre go bawiły, inne budziły jego pożądanie, a jeszcze innych nie mógł znieść dłużej niż pięć minut.

Doszedł do wniosku, że gdzieś musi istnieć inne życie. Że musi być coś więcej ponad to. I wtedy właśnie zrobił sobie wolne i wyjechał do Europy, by ostatecznie trafić do Bella Piacere. Kiedy wreszcie zdołał doprowadzić do końca sprawę kupna willi, wydawało mu się, że to najlepszy interes, jaki ubił w życiu. A teraz Gemma Jericho próbowała go tego pozbawić.

Oczywiście natychmiast poszedł do starego księdza, Don Vincenza, który zapoczątkował całą aferę, odnajdując rodzinę Jericho. Ksiądz twierdził, że widział zapis w testamencie i że hrabia zostawił willę rodzinie Jericho. A potem wycofał się i powiedział, że byłoby najlepiej, gdyby Ben wyjaśnił całą sprawę z Donatim, od którego kupił willę.

I słono za nią zapłaciłem, przypomniał mu Ben, a Don Vincenzo rozłożył ręce i wymownie wzruszył ramionami. Ben aż za dobrze wiedział, co to miało oznaczać. Został naciągnięty.

Jego myśli powróciły do Gemmy, zadziornej i ekscentrycznej, a jednocześnie niepewnej siebie kobiety, która była oddana swojej nastoletniej córce tak samo jak on Muffie. Widział też, że choć Gemma bardzo kocha matkę, wiecznie ze sobą walczą; starsza pani bez wątpienia chciałaby, żeby Gemma wyszła za mąż. Gemma wydawała się oddana swojej pracy, choć trudno mu było wyobrazić ją sobie jako chirurga w nowojorskim szpitalu, na najbardziej obleganym ostrym dyżurze. Po prostu była zbyt... ekscentryczna. Zbyt niezdarna. Zbyt... powściągliwa. Pomyślał, że lepiej nadawałaby się na bibliotekarkę. Nawet wyglądała jak małomiasteczkowa bibliotekarka, jakie czasem widuje się w filmach.

Ale najbardziej pociągały go jej usta. Podobało mu się, jak unosiły się w kącikach, tak jakby się uśmiechała, podobały mu się jej górna warga i to, w jaki sposób przygryzała ją małymi białymi zębami, kiedy była zła albo myślała o czymś nieprzyjemnym. A może najbardziej pociągały go jej oczy? To, jak je mrużyła, patrząc na niego, jak taksowała go głębokim niebieskim spojrzeniem. A może...

– Tato.

Uniósł się, żeby spojrzeć na córkę i obrazek, który mu pokazywała. Potrząsnął głową, chcąc odpędzić od siebie myśli o Gemmie.

– Cudownie, skarbie – powiedział. – Cyprys jest dokładnie pośrodku, a drzewa oliwne w idealnym kolorze. Teraz już rozumiesz, że nie zawsze chodzi o to, co widzisz. Chodzi o to, jak to widzisz.

Czyż nie tak jest z całym światem? – dodał w myślach.

Rozdział 30

Po tych wszystkich godzinach spędzonych na zakupach przygotowania do przyjęcia u Maggie zabrały mi dokładnie jedenaście minut. W ciągu pięciu minut wzięłam prysznic, umyłam włosy i natarłam swoim nowym drogim balsamem. Przez minutę napuszałam włosy, mając nadzieję, że wyschną, zanim dotrę na przyjęcie. W trzy minuty przypudrowałam nos, pomalowałam usta begoniową szminką Nonny i przejechałam policzki różem Livvie. Minuta na mascarę i leciutkie, dokładnie tak – leciutkie – podkreślenie oczu brązowym cieniem – znowu Livvie. Jak to możliwe, że nie wiedziałam o tym ukrytym arsenale kosmetyków mojej córki? Zaczęłam podejrzewać, że jest więcej rzeczy, jakich o niej nie wiem. Kolejną minutę zabrało włożenie sukienki i zapięcie suwaka (pomijając już wszystko inne – właśnie w takiej sytuacji naprawdę potrzebuje się faceta!) i wsunięcie stóp w złote sandały. Potem można było sprawdzić końcowy efekt w lustrze.

Jedyny problem stanowiło to, że lustro miało zaledwie pół metra wysokości, a ja na tych obcasach mierzyłam dobrze ponad metr osiemdziesiąt; musiałam więc przykucnąć, żeby zobaczyć głowę i ramiona. Podniosłam się odrobinę, żeby przyjrzeć się okolicom talii, następnie musiałam przechylić lustro, by obejrzeć spódnicę muskającą kolana i w końcu złote sandały.

Zaniepokojona zaczęłam przygryzać dolną wargę, aż zorientowałam się, że zlizuję szminkę, i powstrzymałam się. Nie byłam zachwycona tym, co zobaczyłam. Sukienka wyglądała świetnie na wieszaku; na mnie wyglądała zupełnie inaczej.

Livvie miała rację, pomyślałam ponuro. Powinnam była ją przymierzyć, ale byłam zbyt uparta i miałam wszystkiego po dziurki w nosie. A teraz za to płaciłam. Po prostu była to fajna sukienka na niewłaściwej kobiecie. Dla piękności, którą nie byłam.

Mówią, że kobieta pięknieje w dwóch sytuacjach – kiedy jest zakochana i kiedy jest w ciąży. Nie wiem, czy wyglądałam pięknie, kiedy byłam w ciąży z Livvie, ale wtedy nie byłam kochana. Byłam sama, dzielnie znosząc trudności. Nie byłam pewna swoich uczuć do mającego się urodzić dziecka, nie wiedziałam, co przyniesie przyszłość, nie rozumiałam sama siebie. Ale potem urodziła się Livvie i może to komunał, a może cud – w zależności, jak się na to spojrzy – ale zakochałam się w niej.

Oczywiście było inaczej, kiedy zakochałam się w Cashu. Wtedy czułam się kochana. I może właśnie wtedy wydarzył się prawdziwy cud. Szłam przez życie w stanie błogiej radości: pozbyłam się okularów i kupiłam szkła kontaktowe, malowałam oczy i nosiłam koronkową bieliznę. Wyglądałam jak kobieta, a nie po prostu jak lekarz. I czułam się kobietą, jak nigdy wcześniej. I jak już nigdy się nie poczuję.

Usłyszałam wołanie Nonny; ciągle myśląc o Cashu, włożyłam okulary, wzięłam torebkę, nastroiłam się optymistycznie i popędziłam na dół.

Amalia i jej córka wyszły, by podziwiać nasze kreacje. Wierzcie mi, Nonnę naprawdę można było podziwiać. Żółty kostium podkreślał jej kształty, perły dodawały elegancji, a nogi na wysokich obcasach wyglądały niezwykle atrakcyjnie. Jeśli wyobrażacie sobie, że wyglądała jak matka panny młodej, uwierzcie mi, wcale nie – błyszczała jak sama panna młoda! To było jak oglądanie programu telewizyjnego, w którym dziewczyna z ulicy zamienia się w gwiazdę. Zastanawiałam się oszołomiona, czy już na zawsze minęła era czarnych ubrań i praktycznych butów.

– *Che bella figura, signora* – wykrzyknęła Amalia, chwaląc wielką elegancję i szyk Nonny; choć ja powiedziałabym po prostu, że wygląda seksownie. Teraz się czerwienię: jak mogłam pomyśleć coś takiego o własnej matce?

– Nonna, ale seksownie wyglądasz – zawyła Livvie, wtórując moim myślom, a Nonna tylko roześmiała się i musnęła swoje ciemne loki, zupełnie niezmieszana. Do licha, co dzieje się z moim światem? – zastanawiałam się zdezorientowana.

Livvie w czerwonej sukience z lycry, z żółtą grzywą i dyndającym kolczykiem z kryształu górskiego w kształcie krucyfiksu przypominała małą syrenkę. Zupełnie jak Madonna, powiedziała mi, jakby to miało wszystko wyjaśnić. Wyglądała jednocześnie zmysłowo i niewinnie; zacisnęłam kciuki za tę jej niewinność.

W porównaniu z nimi dwiema ja w dziewiczej bieli wyglądałam, jakbym szła na wycieczkę ze szkółki niedzielnej.

Nagle coś sobie przypomniałam. Popędziłam z powrotem do pokoju i spryskałam się obficie perfumami Violetta di Parma. Przynajmniej będę bosko pachnieć.

Podążałyśmy za długim sznurem samochodów nieskazitelnym żwirowanym podjazdem obsadzonym topolami, z których zwisały lampiony rozsiewające czerwoną poświatę. Kiedy wysiadłyśmy, spryskała nas łagodnie woda z fontanny z brązu, a służący w liberii błyskawicznie zabrał nasz samochód. Wpatrywałyśmy się oszołomione w ogromną, oświetloną reflektorami fasadę Villi Marcessi.

Była to jedna z tych olbrzymich, wspaniałych, klasycznych willi z podwójnymi schodami od frontu i symetrycznymi rzędami okien. Pomalowana była na ciemny błękit, którego jej architekt z całą pewnością nigdy by nie zaakceptował; architrawy i zwieńczenia były z kremowego marmuru. Pawie ze wspaniałymi rozpostartymi ogonami przechadzały się dostojnie po żwirze tuż obok nas. Marmurowe schody były udekorowane niebieskimi hortensjami, z otwartych okien sączyła się muzyka. Widziałam przez nie świece migoczące łagodnie w kryształowych żyrandolach i pozłacanych kandelabrach; służący w upudrowanych perukach, bryczesach i połyskliwych turkusowych liberiach roznosili na srebrnych tacach drinki i małe kanapeczki. Nie miałam pojęcia, że Maggie Marcessi jest aż tak bogata. Teraz naprawdę czułam się jak Kopciuszek na balu.

Taszcząc koszyk z urodzinowym prezentem, wdrapałyśmy się po schodach prowadzących pod masywne drzwi frontowe, gdzie dwóch lokajów już czekało, żeby zabrać od nas okrycia i prezent. Weszłyśmy do sklepionego holu. Wpatrywałam się we wspaniały, ozdobiony freskami sufit, który choć wyblakły, był nadal tak piękny, że z wrażenia aż zakłuło mnie w sercu. Nonna poszła poszukać swojego przyjaciela Rocca, Livvie też gdzieś odpłynęła, a ja znowu zostałam sama. Wzięłam kieliszek szampana i zaczęłam rozglądać się za swoją zdobyczą. W końcu nie przyszłam tu bez powodu.

– A, tutaj jesteś. Już myślałam, że nigdy się nie pojawisz! – Wysoki głos Maggie Marcessi dotarł do mnie z drugiego końca pokoju; jej ton sprawił, że poczułam się, jakbym była jedyną osobą, którą tak naprawdę chciała widzieć na swoim przyjęciu. Uśmiechnęłam się. Ekscentryczność może być innym określeniem szaleństwa, ale w połączeniu z urokiem efekt jest nokautujący.

Maggie górowała nad swoimi gośćmi w srebrnych szpilkach, błyszcząca jak choinka, cała w szokująco różowych cekinach i spódnicy z różowych piór. Jej płomiennoczerwone włosy były upięte w stożkowatą fryzurę z lat sześćdziesiątych, zwieńczoną diamentowym diademem wysokim na co najmniej dziesięć centymetrów. Dodajcie do tego diamentowy naszyjnik i olbrzymie klipsy, a będziecie mieć pełny obraz. I wiecie co, nadal ma świetne nogi.

– Moja droga – powiedziała z brytyjskim afektowanym akcentem, całując mnie w oba policzki i zapewne zostawiając na nich ślady soczystej amarantowej szminki – cudownie wyglądasz.

– Maggie, na twój widok dech mi zapiera w piersi.

– Och, to starocie. Miałam to na sobie na jednym przedstawieniu w Vegas w... cóż, nie powiem ci dokładnie, jak dawno temu, ale na długo, zanim poznałam Billy'ego Marcessiego, oczywiście. Ile znasz kobiet, które ciągle wchodzą w swój kostium sceniczny, który miały na sobie w Vegas dziesiątki lat temu? Założę się, że niezbyt wiele.

Odsunęła się o krok, ciągle trzymając mnie za ręce, i spojrzała na mnie jeszcze raz, teraz już bardziej krytycznym wzrokiem.

– Zbyt skromnie, moja droga – orzekła, potrząsając głową. – Kobieta bez biżuterii jest jak ciasto bez lukru. – Zdjęła z uszu olbrzymie diamentowe krople z perłami i wcisnęła mi je do ręki. – Z tym będzie o wiele lepiej – oznajmiła, kiedy protestowałam, że w żadnym wypadku nie mogę nosić jej diamentowych klipsów i że będę bała się je zgubić.

– Nie przejmuj się – dodała, dając mi poufałego kuksańca. – Mam tego dużo więcej. – Potem ściągnęła mi okulary ze słowami: – Schowaj je do torebki, moja droga. Nie będą ci dzisiaj potrzebne. A teraz powiedz, jak ci się podoba mój dom?

– Tak jak ty, jest wspaniały – odparłam, ostrożnie przypinając klipsy. – Jesteś pewna, że mogę je pożyczyć?

– Och, przestań nudzić, moja droga – powiedziała, biorąc mnie pod ramię i prowadząc przez tłum do wielkiej sali, długiej na co najmniej trzydzieści metrów i szerokiej na prawie dziesięć. Ściany były udekorowane girlandami z pawioniebieskiego tiulu; pod ścianami stały rzędem wielkie donice z gardeniami gubiącymi płatki na błyszczący parkiet. Ich zapach rozchodził się po całej sali i wypływał przez oszklone łukowate drzwi ozdobione złocistymi zasłonami z jedwabną frędzlą. Przestrzenie między donicami zapełnione były otomanami z polerowanego drewna obitymi pasiastym jedwabiem, marmurowymi postumentami z brązowymi popiersiami przodków o marsowych minach, intarsjowanymi stolikami, na których stały secesyjne lampy, śliczne, małe szkatułki i cała masa innych bibelotów. Siedząca na podwyższeniu w rogu orkiestra grała staromodne kawałki w stylu Cole'a Portera i kilka par kręciło się już na parkiecie.

– Pozwól, że cię przedstawię. – Maggie skierowała mnie w stronę grupy ludzi o arystokratycznym wyglądzie. Mężczyźni w białych smokingach byli uprzedzająco grzeczni, a kobiety opalone, jasnowłose i błyszczące od biżuterii. Potem zostawiła mnie samą, ściskającą w jednej dłoni kieliszek z szampanem, a drugą wymieniającą uściski; witałam się, mówiąc, jak bardzo mi miło ich poznać – ale tak naprawdę poczułam się nagle bardzo samotna.

Wkrótce przeprosiłam towarzystwo i oddaliłam się pospiesznie, żeby poszukać Bena. Weszłam do jadalni, gdzie kucharze wykańczali bufet, układając na ogromnych, srebrnych półmiskach pieczone w całości prosięta, otoczone wiankiem liści laurowych i małych zielonych jabłuszek. Na złotych półmiskach, których obrzeża były udekorowane jasnoczerwonymi piórami, leżały błyszczące brązowe kaczki, na sałatkach były porozrzucane świeże kwiaty, wyrzeźbione z lodu pawie górowały nad stertami świeżych krewetek i homarów, w kryształowych miseczkach z łyżkami z macicy perłowej leżał schłodzony złoty kawior. Połyskliwy turkusowy tiul udrapowany na suficie opadał jak namiot, a kelnerzy w aksamitnych bryczesach i białych pudrowanych perukach już czekali na gości.

To było jak rzymskie bachanalia. Wszystko w Villi Marcessi, łącznie z jedzeniem, było na najwyższym poziomie i wiedziałam, że nie znajdzie się tu zniszczonych chodników, gzymsów pilnie wymagających odnowienia ani łuszczących się stiuków. Gdybym nie wiedziała wcześniej, że Maggie Marcessi jest bogata, teraz z pewnością bym się o tym przekonała. W porównaniu z jej domem Villa Piacere była jak domek dla lalek.

Wiedziałam, że stary hrabia Marcessi dawno nie żyje, ale mogłabym się założyć, że piwnice ciągle są zapełnione jego rzadkimi okazami win, w cygarnicach leżą jego hawańskie cygara, a olbrzymie sejfy są załadowane do pełna srebrami i bezcennymi klejnotami przekazywanymi z pokolenia na pokolenie. Kiedy stary hrabia znalazł sobie żonę, która wiedziała, jak wydawać jego pieniądze, jestem pewna, że zaczął się dla niego wspaniały okres. Nie mogło być inaczej z kobietą taką jak Maggie, która pokazała mu, jak się tym cieszyć.

Wyszłam przez oszklone drzwi na rozległy taras, z którego rozciągał się widok na nieskazitelne ogrody i jezioro, gdzie oświetlone fontanny tańczyły w rytm muzyki. Nagły gorący wiatr rozwiał mi włosy. Nonna powiedziała mi, że to sirocco, wiejące z pustyń Afryki. Pawioniebieskie obrusy łopotały w jego podmuchach, a świece migotały, kiedy mijałam spacerkiem cytrynowe drzewka w olbrzymich donicach.

Zmierzch zamieniał się już w noc i okoliczne wzgórza wydawały się miękkie jak fałdy aksamitu. Niebo było jasne, chmury rozwiał wiatr, a pełny księżyc świecił nad odległym grzbietem wzgórza. Otaczały mnie dźwięki gorącej nocy: brzęczenie cykad, rechot nadrzewnych żabek, słodkie trele kosów, szelest liści w ciepłym wietrzyku. Ściągnęłam sandały i poczułam pod gołymi stopami nagrzaną terakotę. To wszystko było tak piękne, tak inne od mojego życia, że do oczu napłynęły mi łzy.

Powiedziałam sobie, że to wszystko jest zbyt kuszące, zbyt niebezpieczne. To było życie jak ze snu. Musiałam stąd uciekać, wrócić do swojej bezpiecznej rzeczywistości, z powrotem do izby przyjęć, gdzie mogłam robić to, w czym jestem najlepsza.

Tak, jasne, pomyślałam gorzko. Po prostu być doktor Jericho, zbawczynią ludzkości.

Słysząc czyjeś kroki, szybko otarłam łzy. Odwróciłam się, pobrzękując olbrzymimi diamentowymi klipsami. Zobaczyłam Bena Raphaela. Stał w białym smokingu, odprężony, z rękami w kieszeniach. Czuł się tak swobodnie w swoim ciele i bił od niego taki spokój, że aż mu zazdrościłam.

Rozdział 31

Ben nie zamierzał pozwolić się wygryźć podstępem z Villi Piacere, ale jednocześnie chciał poznać tę irytującą kobietę, która doprowadzała go do szaleństwa nie tylko z powodu willi.

Na zacienionym tarasie mignęła jej biała sukienka, a potem dostrzegł jej profil w chybotliwym świetle świec. Miękkie fale jasnych włosów zawijały się łagodnie za małymi uszami, w które, jak zauważył, miała wpięte diamentowe kolczyki. Była boso i wyglądała niezwykle smukło w szyfonowej sukience, która falowała wokół jej opalonych nóg. Pomyślał, że w bieli, z aureolą włosów i bez okularów wygląda jak anioł Botticellego. Choć oczywiście daleko jej było do anioła. Doktor Gemma miała cięty język, jakiego nie zniósłby żaden anioł.

Odwróciła się i spojrzała na niego; jej niebieskie oczy błyszczały. Zmarszczył czoło; mógłby przysiąc, że płakała.

– Jak ci się podoba willa? – zapytał, a ona odrzuciła do tyłu głowę i popatrzyła na niego z ukosa.

– Znowu zaczynasz?

– Uznałem, że to pytanie jest równie dobre na początek, jak każde inne.

– Początek czego?

Była lodowata jak mrożona lemoniada i równie cierpka.

– Musimy porozmawiać – odparł.

– Tak – zgodziła się, zaskakując go.

Przyglądała mu się tymi błyszczącymi niebieskimi oczami. On też się jej przyglądał. Pomyślał, że wygląda bardzo powabnie w lekkiej białej sukience, choć był gotów się założyć, że należy do kobiet, które lepiej wyglądają bez ubrania. Ale była z niej twarda sztuka, co zresztą dała mu odczuć. Wypowiedziała wojnę, a teraz to od niego zależało zawarcie rozejmu.

– Villa Marcessi jest przepiękna – powiedziała nagle. – Zwłaszcza freski w holu.

Kiwnął głową.

– Malował je Veronese. Wiedziałaś, że freski powstawały w czasach, kiedy większość ludzi była niepiśmienna? Artyści malowali więc dla nich historie na ścianach, coś w rodzaju komiksów.

– Nie wiedziałam. – Patrzyli na siebie przez dłuższą chwilę, wreszcie spytała: – Gdzie jest twoja córka?

– Pewnie z twoją. Widziałem je razem przed chwilą, jak przemycały szampana.

– I nie powstrzymałeś ich? – oburzyła się.

– Oczywiście, że nie. Nie było takiej potrzeby. Wypiły po łyku, zakrztusiły się, parsknęły i poszły po colę. Muszą się nauczyć, co jest dobre, a co złe.

– Nie uważasz, że powinieneś im to powiedzieć? Że picie jest złe?

Roześmiał się.

– Myślę, że same się o tym przekonały. Proszę posłuchać, pani doktor, przychodzę, żeby zawrzeć rozejm. Może przespacerujemy się po ogrodzie i porozmawiamy o Villi Piacere?

Wpatrywała się w niego niepewnie, ale w końcu uznała, że pojawiła się dokładnie w tym samym celu.

Włożyła złote sandały, Ben ujął ją za łokieć i zeszli schodami w cichy, oświetlony lampionami ogród. Ciszę przecięło zawodzenie pawia, ostre jak płacz dziecka, potem kolejne i jeszcze kolejne, aż noc wypełniła się smutnymi jękami ptaków. Ben wyczuł jej drżenie, mimo gorącego wietrzyku.

– Poczułaś się nieswojo, prawda? – zapytał.

Znowu posłała mu to chłodne spojrzenie.

– Możliwe.

– Chcę, żebyś wiedziała, że kupiłem willę w dobrej wierze – rzekł. – Mam wszystkie dokumenty. Zapłaciłem czekiem wystawionym na pełnomocnika hrabiego Piacere. Nie było mowy o żadnym testamencie ani o tym, że hrabia wydał inne dyspozycje co do willi. Donati twierdził, że robi tylko to, co do niego należy, i że posiadłość zyska na tej sprzedaży. Powiedział, że są zaległe podatki do zapłacenia. Był zadowolony, że dzięki pieniądzom będzie można uporządkować sprawy związane z całym majątkiem. Wszystko odbyło się zgodnie z prawem, jawnie i uczciwie. Możesz mi wierzyć, znam się na tego typu sprawach.

– Tyle tylko, że Donati nie pokazał ci testamentu, w którym hrabia zostawił posiadłość mojej rodzinie.

– Masz kopię tego testamentu?

Gemma westchnęła. Wiedziała, że to pytanie padnie.

– Nie, nie mam.

– A czy w ogóle widziałaś ten testament?

Pokręciła głową.

– Nie, ale widział go Don Vincenzo. Po pogrzebie. Donati przeszukiwał sejf hrabiego i znalazł te-

stament. Ostatnia wola hrabiego, spisana własno-
ręcznie. Donati zapytał księdza, kim był Paolo Corsini, a potem pokazał mu testament, w którym hrabia zapisał posiadłość rodzinie Corsinich. Donati
oczywiście powiedział, że cała rodzina wymarła, ale
później Don Vincenzo odkrył, że wiele lat wcześniej
Corsini wyjechali do Ameryki. Postanowił, że ich
odnajdzie... że odnajdzie Nonnę. I w końcu, parę lat
później, tak się właśnie stało.

– Posłuchaj. – Ben spojrzał na nią. – Próbowałem skontaktować się z Donatim, ale nie odbiera
telefonów. Teraz czas na twój ruch. Dopóki nie będziesz w stanie niczego mi udowodnić, to ja jestem
legalnym właścicielem Villi Piacere.

Patrzyła na niego takim wzrokiem, jakby miała się na nowo rozpłakać; przepełnione bólem oczy
i anielska twarz.

– Przepraszam. – Ujął ją za rękę, czując, jak
drży. On również zadrżał, ale bynajmniej nie dlatego, że czuł się nieswojo.

W tej kobiecie było coś dziwnego, coś co wzbu-
dzało jego czułość, choć wcześniej nawet nie wiedział, że jest zdolny do takich uczuć. Przejechał delikatnie palcami po jej ręce.

– Przepraszam – szepnął. – Nie chciałem cię
zranić.

Potrząsnęła głową.

– W porządku. Masz rację, będę musiała tego
dowieść.

Przysunął się bliżej, kładąc dłonie na jej nagich
ramionach. Czuł pod skórą jej delikatne kości, widział pulsujące żyłki na szyi. Nagle zapragnął ją pocałować. Tak naprawdę chciał ją pocałować od chwili, kiedy ją zobaczył. Chciał się przekonać, jak całuje
kobieta taka jak ona. Chciał jeszcze więcej, chciał

Rozdział 32

Czy wiecie, jakie to uczucie całować się z mężczyzną po trzyletniej przerwie? To tak, jakby poraził was prąd, burząc krew w żyłach; widzi się plamy światła pod zamkniętymi powiekami, kolana nagle zaczynają się trząść jak galareta, a siła woli topnieje, zamieniając się w żar między nogami. To jak odkrywanie seksu za pierwszym razem – tyle że jeszcze lepsze, bo teraz już wiadomo, jak to jest i dlaczego człowiek czuje się w ten sposób.

Byłam jak bohaterka powieści Jane Austen, słaba i na granicy omdlenia – tyle że ja chciałam więcej. Więcej pocałunków, więcej tego uczucia... Nie chciałam, żeby to się kiedykolwiek skończyło.

Jego wargi były mocno przyciśnięte do moich; wnikał do wnętrza moich ust, zgłębiając je delikatnie językiem. O Boże, wiedziałam, że nie powinno się tego robić na pierwszej randce – to znaczy całować się z języczkiem, w każdym razie nie należało tego robić w czasach mojej młodości. Ale pragnęłam tego, po prostu pragnęłam. I tak, przyznaję, pragnęłam jego. Jego szorstka, porośnięta siwiejącą szczeciną broda drapała moją skórę. Przycisnęłam się do wysokiego, szczupłego ciała, zawstydzona tym, jak bardzo go pragnę. Od trzech lat żyłam w celibacie, a wystarczyło trzydzieści sekund, żeby o tym zapomnieć.

Oderwał usta od moich i patrzyłam zadyszana w jego oczy. Wiedziałam, że powinnam go odepchnąć, po prostu wiedziałam to. Postępując w ten sposób, narażałam na szwank moją reputację u miejscowych. Ale nie odepchnęłam go. Jego palce były ciągle zaplątane we włosy na moim karku, kiedy przyciągnął mnie z powrotem do swoich ust. A ja byłam pogrążona w takim błogostanie, jak nigdy dotąd. O Boże, myślałam, kiedy moje usta złączyły się z jego wargami i smakowałam jego język, słodki i gładki. Dokładnie taki, jaki chciałam, żeby był.

Na nocnym niebie eksplodowały fajerwerki, rozpryskując się w migoczące rakiety, błyskawice, kwiaty i gwiazdy. Przez chwilę zastanawiałam się, czy to się dzieje tylko w mojej głowie, a potem uświadomiłam sobie, że to dzieje się naprawdę, a fajerwerki są z okazji czterdziestych dziewiątych urodzin Maggie.

W końcu z wielkim trudem opanowałam się, odepchnęłam go od siebie, zrobiłam krok w tył i przygładziłam zmierzwione włosy, nie mając odwagi na niego spojrzeć. A kiedy to zrobiłam, uśmiechnął się do mnie.

– Nie zamierzałem tego zrobić.

– Dzięki za komplement.

– Chciałem powiedzieć, że pragnąłem tego tak bardzo, że nie mogłem się powstrzymać. Chyba chciałem cię pocałować już przy pierwszym naszym spotkaniu.

Pamiętałam spojrzenie, którym obdarzył mnie w hotelowej restauracji, a ja się poczułam, jakbym była jedyną kobietą na sali. Teraz patrzył na mnie dokładnie tak samo, a ja zastanawiałam się skołowana, co z tym zrobić. Ten mężczyzna był moim wrogiem, zamierzał odebrać mojej matce spadek. To było gorsze od spoufalania się z wrogiem – to było prawie jak sypianie z nim.

Fajerwerki nadal rozrywały nocne niebo, kiedy schyliłam się, żeby podnieść torebkę, która spadła mi na ziemię. Wyjęłam okulary i wcisnęłam je na nos. Stanowiły barierę między mną a nim, ale z drugiej strony, teraz mogłam mu się lepiej przyjrzeć. Niech to szlag! Ależ był przystojny, taki odprężony i cholernie seksowny. Uznałam, że muszę brać nogi za pas, zanim będzie za późno.

– Znajdę Donatiego, zobaczysz – powiedziałam, nie mogąc złapać tchu. Potem obróciłam się na moich niebotycznych złotych obcasach i odeszłam. I przynajmniej ten jeden raz się nie potknęłam. Ale odwróciłam się, żeby na niego spojrzeć. Wycierał chusteczką szminkę z ust, uśmiechając się pod nosem. Pomyślałam ze złością, że wygląda na bardzo zadowolonego z siebie.

A niech to. Znowu zrobiłam z siebie idiotkę.

Rozdział 33

Muffie

Muffie Raphael wyszła za Livvie na taras, żeby zobaczyć fajerwerki. Krążyła za Livvie przez cały wieczór z nadzieją, że ta się do niej odezwie, ale Livvie zachowywała się, jakby w ogóle jej nie zauważała. Muffie nawet upiła ukradkiem łyk szampana, idąc w ślady Livvie, a potem zakrztusiła się, obryzgując alkoholem swoją wstrętną różową sukienkę.

Livvie zatrzymała się na krawędzi tarasu za gigantyczną donicą z drzewkiem cytrynowym. Stała zupełnie nieruchomo, ale nie patrzyła na widowisko na niebie. Próbowała przebić się wzrokiem przez ciemność ogrodu, rozświetlanego jedynie przez porozwieszane na drzewach czerwone lampiony. Są czerwone jak jej sukienka, pomyślała zazdrośnie Muffie.

Przejechała dłońmi po swojej różowej sukience z tafty z kryzową górą i falbankami na ramionach. Nie znosiła jej. Tak samo jak różowej satynowej szarfy i tych cholernych czarnych lakierków, które zawsze kazała wkładać jej matka. Muffie nie mogła wybrać sobie niczego samodzielnie i już nawet przestała próbować. „Mama wie lepiej" – to był stały refren, a jeśli nie mama, to babcia. Każdy wiedział lepiej, oprócz Muffie. I jej taty, ale on i tak nie miał pojęcia, co noszą dziewczyny w jej wieku.

Stała wyczekująco tuż za Livvie, z nadzieją, że się odwróci i powie „cześć", ale tak się nie stało. Livvie nadal wpatrywała się w ogród, jakby było tam coś naprawdę interesującego.

Muffie przecisnęła się obok donicy z drzewkiem cytrynowym i stanęła obok Livvie, patrząc na fajerwerki eksplodujące fontannami zielonkawego błękitu i srebra. Livvie nie zadała sobie trudu, żeby zwrócić uwagę na jej obecność. Muffie podążyła wzrokiem za jej spojrzeniem i zobaczyła swojego ojca trzymającego w ramionach jakąś kobietę. Aż się zachłysnęła z wrażenia.

– O Boże – szepnęła, a Livvie w końcu na nią spojrzała.

– Twój tata całuje moją mamę – powiedziała lodowato.

– To twoja mama całuje mojego tatę – zripostowała Muffie.

– Moja mama nie całuje się z mężczyznami, od czasu Casha – oświadczyła Livvie.

– Cóż, wygląda na to, że jej się to podoba. – Muffie przechyliła się nad balustradą, żeby lepiej widzieć.

– Skąd wiesz? Całowałaś się już?

– Nie. Tak... ale tylko na przyjęciach, jak graliśmy w gry towarzyskie, no wiesz...

– Ha – prychnęła Livvie, choć jej doświadczenie wcale nie było większe. – W takim razie nic o tym nie wiesz.

– A ty? – Muffie patrzyła na nią wyczekująco. Marzyła, by się dowiedzieć, jak to jest, kiedy się z kimś całuje, gdzie kupuje się takie ciuchy, jakie nosi

173

Livvie; chciała dowiedzieć się czegoś o jej włosach i o całym wyrafinowanym, światowym życiu Livvie, które było tak odmienne od jej własnego. Przeważnie tkwiła w wielkim domu w Connecticut; żeby spotkać się z przyjaciółmi, trzeba było się najpierw umówić i nikt nigdy nie wpadał do ciebie ot tak, bez powodu. Czuła, że żyje naprawdę, tylko wtedy, kiedy zostawała u ojca w SoHo, a on zabierał ją do modnych małych restauracji i na przedstawienia na Broadwayu oraz pomagał jej w pracach domowych z matematyki, która była prawdziwą zmorą jej życia – po prostu nie miała do tego głowy. Tata śmiał się z niej, mówił, że nie pojmuje, jak to możliwe, by jego córka nie potrafiła poprawnie dodać, a potem pokazywał jej, jak to zrobić. Jeśli miała być szczera, to kochała bardziej tatę niż mamę. Ale najbardziej pragnęła wolności.

– Twoja mama ładnie dziś wygląda – przyznała Muffie.

Livvie pokiwała ponuro głową.

– Problem z moją mamą polega na tym, że nie ma pojęcia, że jest ładna. Tak jakby nigdy jej to nawet nie przyszło do głowy. Czasami zastanawiam się, co widzi, kiedy patrzy w lustro. Swoją drogą, rzadko to robi. Nigdy nie ma czasu.

– Masz fajną sukienkę – powiedziała Muffie.

Livvie atakowała ją wzrokiem od góry do dołu.

– Skąd wytrzasnęłaś coś takiego? Wyglądasz jak jakaś druhna.

Muffie pokiwała posępnie głową.

– Wiem. – Milczała chwilę, po czym zapytała: – Jak robisz sobie takie włosy? To znaczy chodzi mi o kolor.

– Łatwizna. – Livvie nagle uśmiechnęła się szeroko. – Chcesz, żebym ci pokazała?

– Naprawdę? Pokażesz mi? Naprawdę? – dopytywała się Muffie z błyszczącymi oczami.

Livvie kiwnęła głową.

– Możesz być tego pewna, Muffie – powiedziała, obejmując ją przyjacielsko.

Rozdział 34

Rocco i Nonna

Rocco Cesani wyglądał bardzo elegancko w czarnym garniturze, białej koszuli i czarnym krawacie, na którego włożenie nalegała Sophia Maria, choć czuł się przez to, jakby szedł na pogrzeb, a nie na przyjęcie. Ten jeden raz nie miał na głowie kapelusza. No i nie było przy nim psa; Fido czekał na niego w furgonetce. Rocco wmieszał się w tłum gości i popijając szampana – dobrego szampana, umiał rozpoznać różnicę – zwiedzał dom Maggie Marcessi.

Tak jak Villę Piacere, znał ten dom od zawsze. Jako dziecko bawił się tu z dzieciakami ogrodnika. Jako młody chłopak podawał do stołu i pomagał w kuchni przy setkach przyjęć, ale tylko jedno było tak wspaniałe jak to – wesele Maggie, kiedy spowiła się całym morzem satyny przybranej perłami i diamentami, aż nie był pewien, czy to panna młoda czy tort weselny.

Kłusował w tej posiadłości na bażanty i króliki, wiedział, że najlepsze truflowe miejsce jest w zagajniku pod małym przysadzistym dębem; wiedzieli o tym tylko on i Fido. Od lat zaopatrywał dom w najlepsze mleko od swojej specjalnej białej krowy, którą trzymał cały czas w oborze i codziennie oporządzał. Dziesięć lat temu uczestniczył w pogrzebie hrabiego Marcessi ubrany w ten sam garnitur i krawat, a potem stał w kolejce, żeby ucałować dłoń wdowy. To on dostarczył prosięta na dzisiejsze przyjęcie, tak samo jak „dziewiczą" oliwę z pierwszego tłoczenia z oliwek ze swojego najlepszego gaju. Był człowiekiem o wielu talentach, znał wiele osób zgromadzonych na tym przyjęciu i wiele osób znało jego.

Zobaczył, jak Sophia Maria przeciska się przez tłum. *Madonnina mia*, szepnął do siebie, *che bella*.

Podeszła do niego z uśmiechem na twarzy, a on wyciągnął ręce, by ująć jej dłonie. Potem schylił się i je pocałował.

– *Principessa* – powiedział, uśmiechając się, a Sophia Maria lekko przed nim dygnęła, mówiąc *Principe*, i powiódł ją na parkiet, porywając do walca.

Sophii Marii podobało się, jak trzymał rękę na jej plecach, prowadząc ją pewnie po parkiecie. Wyższa od niego o całą głowę, musiała patrzeć w dół, kiedy do niego mówiła. Zadarł głowę, żeby spojrzeć jej w oczy, i oboje się uśmiechnęli.

– Rocco, pamiętasz, o czym kiedyś rozmawialiśmy?

– Villa Piacere, *sì*…

– Myślę, że czas wprowadzić ten plan w życie, Rocco.

Zatrzymał się i spojrzał na nią. Potarł palcami nos we włoskim geście oznaczającym, że załatwione, i pokiwał uroczyście głową.

– Zaufaj mi, Sophio Mario.

Taniec się skończył i zeszli z parkietu. Usiedli obok siebie na małej sofie z drewnianymi pozłacanymi oparciami. Jeden lokaj podał im szampana, następny podszedł z maleńkimi blinami obłożonymi kawiorem. Popijali szampana, pogryzali kawior i przytuleni do siebie głowami knuli spisek.

Fajerwerki rozświetliły nocne niebo; Maggie Marcessi przepłynęła obok w powodzi piór.

– Cholerni Italiańcy – powiedziała – nie potrafią niczego zrobić na czas. Mieli odpalić o północy, kiedy orkiestra będzie grała *Happy Birthday*. *Attenzione*, panie i panowie, za późno, żeby coś z tym zrobić, więc lepiej cieszcie się widokiem, dopóki możecie, jak powiedziała aktoreczka do biskupa. – Zaczęła machać rękami, kierując ruch na taras wśród ochów i achów rozlegających się na widok złotego deszczu przetykanego diamentowymi błyskami.

Rocco spojrzał w brązowe, rozświetlone fajerwerkami oczy Sophii Marii, wziął ją za rękę i uśmiechnął się.

Rozdział 35

Maggie

Maggie zobaczyła Gemmę pędzącą po schodach z ogrodu. Hm, pomyślała, ciekawe, gdzie była i z kim. Kiedy Gemma przebiegała obok, przytrzymała ją za łokieć.

– Dobrze się bawisz, moja droga? – zapytała.

– Och… tak. Dziękuję, to wspaniałe przyjęcie.

Ale nic nie mogło umknąć doświadczonemu oku Maggie.

– Coś mi się zdaje, że ktoś cię właśnie pocałował – powiedziała. – I to nie byle jak, sądząc po twoim wyglądzie.

– Jak to po wyglądzie?

Maggie roześmiała się głośno.

– Mnie nie oszukasz, moja droga. Chodź, pójdziemy do toalety, żebyś mogła poprawić szminkę, i wszystko mi opowiesz. Jak to między przyjaciółkami. O rany, ale to ekscytujące.

Obie omal nie wyskoczyły ze skóry, kiedy od ścian odbił się echem dźwięk gongu. Maggie zgromiła wzrokiem młodego lokaja, który na co dzień pracował jako jeden z sześciu ogrodników.

– Głupek – mruknęła. – Mówiłam mu, żeby nie walił tak mocno.

– *Signore e signori*, obiad podano – oznajmił chłopak. Goście zeszli z tarasu i ruszyli do jadalni.

Gemma

Toaleta była wielka i luksusowa, jak w pięciogwiazdkowym hotelu. Klapnęłam ciężko na małą, obitą brokatem ławeczkę i spojrzałam na swoje odbicie w różowo podświetlonym lustrze. Nawet w tym różowawym świetle byłam blada, a moje usta miały ten charakterystyczny rozmazany wygląd, jaki nadają im chwile namiętności.

– Hm – mruknęła zamyślona Maggie, patrząc na mnie. – Chyba potrzebujesz czegoś więcej niż tylko szminki. Przydałby ci się raczej zimny prysznic.

– Och, Maggie – westchnęłam. Ku mojemu przerażeniu na rzęsach zadrżały mi łzy.

– Co się dzieje, dziewczyno? Maggie możesz powiedzieć. – Wcisnęła się na ławeczkę obok mnie i wzięła mnie za rękę. – Nie martw się, nikt nie wejdzie. Wszyscy jedzą – szepnęła, by dodać mi odwagi.

– To... skomplikowane – odparłam.

Poklepała mnie po dłoni.

– Przecież zawsze jest, prawda?

– Tak, ale to jest naprawdę skomplikowane. Chodzi o to, że coś się stało trzy lata temu. Mężczyzna... mój przyjaciel. Och, nie bardzo mi idzie to opowiadanie. Widzisz, ja o tym nigdy nie mówię. Ale, Maggie, ja go tak strasznie kochałam. I skończyło się. Bardzo cierpiałam i przysięgłam sobie, że już nigdy, przenigdy nie spojrzę na innego mężczyznę. Powiedziałam sobie, że już nigdy nie będę potrzebować żadnego mężczyzny, że poświęcę się pracy, że będę ratować życie innym ludziom. Że będę po prostu wychowywać córkę, opiekować się matką, co dzień chodzić do pracy… i na tym koniec. Żadnych szalonych wzlotów, ale i żadnych bolesnych upadków. Życie toczy się dalej.

Spojrzałam we współczujące oczy Maggie.

– Zbudowałam mur, by schronić się przed światem – wyszeptałam smutno. – Zamroziłam swoje serce…

– I spodziewałaś się, że żaden mężczyzna już go nie roztopi – dokończyła za mnie. Kiwnęłam głową. – Aż do dzisiaj – dorzuciła przebiegle. – Niech zgadnę, kto to taki. Ben Raphael.

– Zrobiłam z siebie idiotkę, Maggie – szepnęłam. – Do diabła, pozwoliłam, żeby mnie pocałował. I co gorsza, podobało mi się to.

– Oczywiście, że ci się podobało. W dobrym pocałunku nie ma nic złego, moja mała, a Ben świetnie całuje. Ale chcesz powiedzieć, że przez trzy lata nie całowałaś się z mężczyzną?

– Przyrzekłam sobie, że będę żyć w celibacie.

Kiwnęła energicznie głową.

– Moja droga, może już czas skończyć z tymi zakonnymi regułami. Nie wiem, co zaszło między tobą i twoim przyjacielem, i nie zamierzam teraz pytać, bo widzę, jaka jesteś roztrzęsiona. Ale życie toczy się dalej, Gemmo. I ty też musisz ruszyć naprzód.

Wyjęła z wyszywanej koralikami torebki małą złotą puderniczkę i podała mi, razem ze swoją amarantową szminką.

– No już, dziewczyno, otrzyj łzy, przypudruj nos, popraw usta. I idziemy coś zjeść. A potem tańce, do samego świtu.

Poczekała na mnie przy drzwiach.

181

Rozdział 36

Następnego dnia po przyjęciu Ben wstał późno.
Miło byłoby powiedzieć, że natychmiast po przebudzeniu pomyślał o Gemmie, ale to nie byłaby prawda. Pomyślał o niej później, i to w zupełnie innym kontekście niż poprzedniego wieczoru.

Słońce wdzierało się przez stare brokatowe zasłony, tak wytarte ze starości, że przypominały raczej firankę. Benowi było gorąco i jego pierwsza myśl dotyczyła – cóż, po prostu prysznica.

Włożył szlafrok i boso przeszedł korytarzem do pokoju córki. Jej łóżko było puste. Sukienka z różowej tafty leżała zmięta na podłodze w towarzystwie jednego z pogardzanych lakierków. Ben pomyślał, że będzie musiał coś zrobić w sprawie ubrań Muffie; nie cierpiała ciuchów, które kupowała jej matka. Domyślił się, że jest na dole, z Fiamettą, gosposią. Na pewno wcina przypieczoną ciabattę z domowym dżemem truskawkowym Fiametty – jak co dzień rano – popijając ją szklanką chłodnego słodkiego mleka od nadzwyczajnej krowy Rocca Cesaniego.

Poczłapał z powrotem korytarzem i wszedł do łazienki, tak wielkiej, że można by w niej wydać przyjęcie. Wanna na lwich łapach była prawdziwym antykiem; mosiężna, fantazyjnie powyginana wylewka prysznica sięgała mniej więcej na wysokość klatki piersiowej, a sitko – wielki mosiężny słonecznik z niebezpiecznie ostrymi płatkami i mikroskopijnymi dziurkami – tryskało strumieniem wody, który nadawałby się najwyżej na kąpiel niemowlaka.

Łazienka została przerobiona około roku 1904. W rogu stał wykładany zielonymi kaflami kominek z ozdobną półką, nad którą wisiało lustro; podłoga wyłożona była zdeptanym parkietem, a wysokie nieosłonięte okno wychodziło na drzwi wejściowe, dając gościom bezpośredni wgląd do łazienki, prosto na osobę biorącą prysznic. Ale co tam, przecież nikogo się nie spodziewał.

Wszedł do wanny, pochylił się pod mosiężnym słonecznikiem i przekręcił ozdobny czteropalczasty kurek z napisem *caldo*. Rury odpowiedziały odległym dzwonieniem. Ben czekał cierpliwie. Tutejsze urządzenia potrzebowały chwili, by się rozbujać. Schylił się, żeby jeszcze raz pokręcić kurkiem, i zawył jak opętany, kiedy słonecznik odpadł i zmroził go strumień lodowatej wody.

Ben zacisnął zęby. No dobrze, to będzie zimny prysznic. Namydlił się. Rury pobrzęczały jeszcze chwilę, po czym zarzęziły słabo. Lodowata fontanna zamieniła się w brązowawą strużkę. A potem nic. Zero.

Walnął pięścią w mosiężną rurę, ale wypluła tylko jeszcze kilka brązowych kropel. Kompletna susza.

Przeklinając, wytarł się z żelu i poszedł zbadać sprawę. Tylko po to, by się przekonać, że w całym domu nie ma ani kropli wody.

– Nic się nie da zrobić, *signore* – powiedzieli mu, kiedy wreszcie dodzwonił się do wodociągów. –

Jest gorąco, zbyt wielu turystów bierze prysznic, jest za dużo basenów. Tak to już bywa latem. Trzeba po prostu cierpliwie czekać, *signore*. Woda się w końcu pojawi.

– No tak, ale co to znaczy „w końcu"? – W odpowiedzi usłyszał śmiech.

– *Piano, piano, signore. Con calma.* Będzie, zanim się pan obejrzy.

Ben odłożył słuchawkę i wpatrywał się w nią zamyślony. Przyjeżdżał tu od lat i nigdy nic takiego się nie zdarzyło. Nagle zrozumiał, o co chodzi: to wodny szantaż, a rozwiązaniem są pieniądze. Będzie musiał przejechać się do miasta, pójść do banku i spróbować dogadać się z tymi biurokratami. Zastanawiał się jeszcze przez chwilę, niecierpliwie bębniąc palcami. Dziwne, pomyślał. To się zdarzyło, dopiero gdy przybyła Gemma Jericho.

Włożył szorty, koszulkę, adidasy i zapiął na nadgarstku stary srebrny zegarek. Miał go od tak dawna, że niemal można go było uznać za antyk. Ben kupił go razem z parą tanich srebrnych spinek do mankietów, kiedy miał dwadzieścia lat i dopiero zaczynał piąć się po szczeblach kariery. Myślał wtedy, że dzięki nim będzie stwarzał wrażenie człowieka sukcesu. Oczywiście zegarek i tanie spinki nie bardzo mu w tym pomogły, ale wtedy jeszcze o tym nie wiedział. Musiał się wiele nauczyć. I pewnie ciągle jeszcze muszę, pomyślał z westchnieniem.

Podszedł do okna, rozsunął zasłony i wyjrzał na zewnątrz. Nawet fontanna wyschła.

Właśnie wtedy pomyślał o Gemmie Jericho.

Rozdział 37

Gemma

Chodziłam w kółko po pokoju w Albergo d'Olivia z rękami założonymi na piersi i zmarszczonymi brwiami. Po tańcach dotarłyśmy do domu bardzo późno i, ku własnemu zdziwieniu, spałam jak zabita. Gdyby nie Ben, znów czułabym się jak Królowa Parkietu. Przynajmniej w tej dziedzinie nic się nie zmieniło. Dopiero w południe obudził mnie dobiegający przez otwarte okno ptasi świergot i zapach gotującego się obiadu. Natychmiast pomyślałam o Benie. I o naszym pocałunku.

O Boże, nie powinnam była tego robić, naprawdę nie powinnam była się z nim całować. Złamałam wszystkie dane sobie przyrzeczenia; dowiodłam, że doktor Gemma jest kolejną słabą, głupią kobietą. Co ty na to, Glorio Steinem? To by było na tyle, jeśli chodzi o feministyczne ideały. Zresztą ona sama wyszła niedawno za mąż, po tym jak wmawiała nam, kobietom, że nie potrzebujemy mężczyzny, by się spełnić. Ha!

– Gemma?

Otworzyłam drzwi i spojrzałam na Nonnę, wypoczętą i radosną, w świeżutkiej niebieskiej szmizjerce i białych sandałach, z włosami wijącymi się na ramionach. Zupełnie jak na starym zdjęciu, pomyślałam zdumiona faktem, że Nonna wciąż potrafi mnie zaskakiwać.

– Gdzie jest Livvie? – zapytała.

– Pewnie w swoim pokoju.

– Właśnie jej tam nie ma.

– Więc pewnie poszła się spotkać z córką Raphaela. Widziałaś, jak się wczoraj zakumplowały.

– Miłe dziecko. – Nonna zaaprobowała wybór Livvie, choć oczywiście Livvie nie miała wielkiego wyboru, bo zgodnie z moimi przewidywaniami, na przyjęciu nie było innych nastolatków.

– Zmykaj pod prysznic, Gemmo. Już późno. A potem schodź na dół – powiedziała Nonna. – Napijemy się razem kawy.

– Mamo, mam trzydzieści osiem lat. Nie możesz mi mówić, co mam robić. – Marzyłam, by wrócić do łóżka.

– Oczywiście, że mogę. Jestem twoją matką. A teraz się pospiesz. To może być interesujący dzień.

Zeszła na dół. Zastanawiając się, o co, do licha, może jej chodzić, grzecznie poszłam pod prysznic i zmyłam z siebie grzechy minionej nocy.

Livvie

Livvie wyszła na główną drogę, by spotkać się z Muffie – były umówione o ósmej. Machnęły ręką na jakiegoś farmera, który zabrał je na zakurzoną pakę starej furgonetki z dwoma kwiczącymi śmierdzącymi prosiakami i podrzucił do Montepulciano.

Kiedy wspinały się stromą dróżką na główny plac, Muffie pociągnęła nosem z przerażoną miną. Zmarszczyła się.

– Teraz śmierdzę gorzej niż te świnie.

– Oj, nie truj – odparła Livvie. – Nie bądź dziecinna.

Muffie prawie truchtała, usiłując dotrzymać kroku długonogiej Livvie.

– Wezmę prysznic, jak tylko wrócę do domu – powiedziała, ale słysząc zirytowane westchnienie Livvie, zamknęła się i przyrzekła sobie, że już nie powie ani słowa na ten temat.

Kiedy weszły na plac, Livvie skierowała się prosto do baru. Usiadły w chłodnym cieniu parasola; Livvie złożyła zamówienie: *Due cappuccino, per piacere*. Muffie spojrzała na nią z podziwem.

– Całkiem nieźle mówię po włosku – powiedziała Livvie.

– A będziesz umiała poprosić w drogerii, no, wiesz o co? – szepnęła Muffie, rozglądając się dookoła, by się upewnić, że nikt nie słyszał.

– Oczywiście, że tak. Zresztą wszystko będzie napisane na pudełku, więc nie będziemy musiały o nic prosić.

– Aha.

– Będziesz dzisiaj kupować jakieś nowe ciuchy? – Livvie zgarnęła łyżeczką piankę z cappuccino i z głośnym siorbnięciem wciągnęła ją do ust.

Muffie zrobiła to samo, po czym poklepała się po kieszeni szortów.

– Tu mam pieniądze.

– Świetnie. W takim razie pospiesz się z tą kawą. Mamy mnóstwo spraw do załatwienia.

Muffie zaburczało w brzuchu. Pomyślała tęsknie o grzankach ze świeżym truskawkowym dżemem Fiametty, ale posłusznie dopiła kawę, parząc sobie przy tym usta. W końcu dziewczyny wyruszyły na poszukiwanie drogerii i obchód miejscowych butików.

Po dwóch wyczerpujących godzinach wynurzyły się ze sklepiku o nazwie La Gatta Cioccolatta, ściskając w rękach plastikowe reklamówki. Schodziły właśnie ze wzgórza w stronę rynku, kiedy nagle Muffie złapała Livvie za rękę.

– O Boziu – sapnęła przestraszona – tatuś.

Livvie natychmiast wepchnęła ją w drzwi pierwszej z brzegu *pasticcerii* i kazała jej usiąść przy stoliku na samym końcu sali. Sama stanęła na straży. Muffie posłusznie spełniła polecenie, oddychając z ulgą, kiedy w końcu Livvie dała znak ręką, że teren jest czysty.

Kupiły sobie po paszteciku z szynką oraz serem i wyszły z powrotem na główną drogę. Zajadając pasztecki, z nadzieją podniosły kciuki do góry. Po chwili zabrało je dwoje francuskich turystów. Para, szczerze ubawiona nieoczekiwanym towarzystwem, podrzuciła je pod bramę Villi Piacere.

– No dobra – powiedziała Livvie, kiedy rzuciły pakunki na łóżko Muffie. – Wiemy, że twój tata jest w mieście, więc równie dobrze możemy to zrobić teraz.

Muffie spojrzała na nią przestraszona.

– No tak – sapnęła. – Możemy.

Rozdział 38

Ben

Podskakując na pełnym dziur podjeździe do Villi Piacere, Ben jak zwykle obiecał sobie, że musi w końcu zamówić kilka wywrotek żwiru i wyrównać drogę.

Objechał starym brudnozielonym land roverem milczącą fontannę i zaparkował. Wody wciąż nie było widać. Z nachmurzoną miną wbiegł po schodach i wszedł do holu. Fiametta pewnie już poszła; martwił się, że Muffie była tak długo sama.

– Muff! – krzyknął. – Gdzie jesteś, skarbie? – Odczekał kilka sekund i zawołał jeszcze raz: – Hej, Muffie, wróciłem.

Dom był cichy i pusty. Ben nagle się zaniepokoił. Wszedł do kuchni. Nikogo. Sprawdził taras i huśtawki. Pusto. Zajrzał do ośmiokątnego pokoju, gdzie Luchay spojrzał na niego z oburzeniem czarnym oczkiem i z powrotem schował głowę pod skrzydło. Ben wbiegł na górę i pognał korytarzem do pokoju córki.

– Muffie, jesteś tam? – Zapukał głośno, nacisnął klamkę. Drzwi były zamknięte na klucz. Co najmniej dziesięć możliwych scenariuszy przemknęło mu przez głowę. Jeden gorszy od drugiego.

– Muffie! – krzyknął znów. – Jesteś tam? Odpowiedz mi.

– Jestem, tato.

– Jezu! – Ben z ulgą oparł się o futrynę. Nagle ogarnął go gniew. – To dlaczego nie odpowiadasz? Musiałaś mnie słyszeć, czy tak?

– Tak, tato.

– No więc? Otwórz drzwi.

Czekał. Nic. Przyłożył ucho do drzwi, usłyszał szepty. Co ona kombinuje, do licha?

– Kto z tobą jest? Ostrzegam cię, Muffie, jeśli natychmiast nie otworzysz drzwi, będę je musiał wyłamać.

Znowu szepty. Usłyszał kroki, obrót klucza w zamku i znów kroki, uciekające od drzwi. Otworzył je z impetem i zagapił się na córkę.

– Jezu Chryste, Muffie! – ryknął. – Coś ty ze sobą zrobiła?

Długie, jasne włosy Muffie zniknęły. Wyglądały, jakby ktoś nałożył jej na głowę garnek i obciął je wzdłuż brzegu. Sterczały sztywno nad uszami i były bladozielone. Muffie miała na sobie obcisłe szorty z lycry i bluzeczkę w stylu nastoletniej gwiazdki pop, odsłaniającą pępek, wokół którego lśniły przylepiane brylanciki. A do tego wszystkiego złote kółko w nosie.

Stała na środku pokoju, spoglądając na niego nerwowo. A obok niej, z miną skruszonej przestępczyni, stała córka Gemmy Jericho – dziecko postpunkowych ulic Manhattanu.

– Muffie, matka cię zabije – jęknął Ben. – To znaczy zaraz po tym, jak zabije mnie.

– No to mnie też może zabić – powiedziała Livvie, wbijając wzrok w podłogę. – Ja ją do tego namówiłam.

– Nieprawda. Sama chciałam to zrobić. Zawsze wyglądam jak… no wiesz, jak kretynka. Mam tego powyżej uszu. – Muffie spojrzała na ojca buntowniczo. – Mam dość różowej tafty, lakierków i życia za kratami. Poprosiłam Livvie, żeby mi pomogła, więc to zrobiła. To wszystko moja wina – dodała. Po jej policzku potoczyła się łza. – Nie chciałam cię zdenerwować, tatusiu, ale, no, no wiesz… musiałam to zrobić.

Do diabła, pomyślał Ben, nie tylko wygląda jak ta mała Jericho; już nawet mówi jak ona.

– Rozumiem – powiedział w końcu. – Ale nie sądzisz, że to lekka przesada, Muffie? Mogłaś mnie przecież poprosić, żebym cię zabrał na zakupy.

– To ty mogłeś zaproponować, że mnie weźmiesz na zakupy – wypaliła Muffie. – Ale nie zrobiłeś tego. Myślisz tylko o tej willi.

Ben wiedział, że miała rację. Rzeczywiście ostatnio myślał tylko o tym.

– No dobra – powiedział – ale jestem na was naprawdę wściekły. I nie zamierzam wam tak łatwo odpuścić. Livvie, zbieraj rzeczy, a potem obie do samochodu. Będę na was czekał. – Zatrzymał się w progu. – Muffie?

– Tak, tatusiu?

– Pozbądź się tego kółka z nosa.

Rozdział 39

Gemma

Wybrałam się do spożywczego w poszukiwaniu jakiegoś włoskiego specyfiku, który pomógłby mi pozbyć się kaca, fizycznego i moralnego. Czułam spojrzenie co najmniej sześciu par oczu, obserwujących, jak robię zakupy. *Signorina* stwierdziła, że potrzebuję leku na *fegato*, czyli wątrobę (Włosi prawie każdą niemoc przypisują wątrobie). Uśmiechnęłam się do kilku plączących się po sklepie milczących staruszek, które zapewne tylko czekały, aż wyjdę, by mnie oplotkować. Miałam nadzieję, że będą miały o czym mówić przez cały dzień.

– *Ciao, dottoressa* – wymamrotały chórem, kiedy pomachałam im na pożegnanie. Roześmiałam się. Nawet mi się podobało, że wszyscy wiedzą, kim jestem i co robię. Dawało mi to poczucie bezpieczeństwa, niemal tak samo jak urazówka.

Ledwie wyszłam ze sklepu, zobaczyłam land rovera Bena Raphaela, podskakującego na bruku głównego placu; przydałoby mu się nowe zawieszenie. Przyspieszyłam, widząc, że zatrzymał się przed hotelem. Czyżby przyjechał do mnie?

Zobaczyłam, jak wysiada, otwiera szeroko drzwiczki i wyciąga z samochodu moją córkę. A potem... Muffie. Serce podskoczyło mi jeszcze raz, ale tym razem nie było to przyjemne. O Boże, Livvie, pomyślałam. Co ty znowu narobiłaś?

Podeszłam do nich; spojrzeliśmy sobie z Benem w oczy. On patrzył twardo i gniewnie. Ja nieufnie.

– Muszę ci mówić, co się stało? – zapytał lodowatym tonem.

Spojrzałam na Livvie, potem znów na niego.

– Chyba wiem, o co chodzi.

– To robota twojej córki. – Pociągnął Muffie do przodu, żebym mogła się jej lepiej przyjrzeć. Obrzuciłam wzrokiem zielone jak młoda trawa włosy, ubranie, buty na obcasach. Szczególnie udane były tatuaże z henny na dłoniach i paznokcie w kolorze zaschłej krwi. Mała nadawała się na statystkę do filmu o wampirach.

– Livvie? – Spojrzałam surowo na córkę. Wzrok zbitego psa powiedział mi wyraźnie, że była winna.

– Chciałam jej tylko pomóc, mamo. Nie mogłam przecież pozwolić, żeby moja przyjaciółka szła przez życie przebrana za Polyannę.

– To prawda. – Muffie spojrzała na mnie z powagą. – Nienawidziłam swojego wyglądu. Chciałam wyglądać jak Livvie, być taka jak ona. Mam powyżej uszu bycia kukłą.

– Kukłą? – zapytał zdumiony Ben.

– No tak – odparła Muffie. – Byłam córeczką mamusi, którą miło się popisywać na przyjęciach, idealną małą damą. Ale wiesz co? Nie jestem idealna. Nie chcę być idealna, a Livvie jest moją przyjaciółką i to nie jej wina. Poprosiłam ją, żeby to zrobiła.

– Prawdę mówiąc – nie mogłam się powstrzymać od głupiego uśmiechu – ten seledyn jest nawet twarzowy. Pasuje do opalenizny, i w ogóle.

– Mogłem się tego spodziewać – rzucił wściekle Ben. – Nie wiem, jak zamierzasz ukarać swoją córkę za to, co zrobiła, ale ostrzegam cię, trzymaj ją z daleka od Muffie. Niech się nie zbliża do mojego domu.

Jego domu! Spojrzeliśmy na siebie z furią.

– Załatwię to z Livvie po swojemu – powiedziałam. – I pozwól sobie przypomnieć, że twój dom jest tak naprawdę moim domem.

Omal nie spalił mnie wzrokiem. Kazał Muffie wejść do samochodu, a potem usiadł obok niej. Z piskiem opon objechał plac. Kiedy samochód popędził ulicą, zobaczyłyśmy w oknie rękę Muffie, pokrytą tatuażami z henny i z brązowymi paznokciami. Machała do nas.

Rozdział 40

Nie miałaś racji – powiedziała Nonna.

Siedziałyśmy w małej jadalni w gospodzie i jadłyśmy obiad przy stoliku nakrytym jasnozielonym obrusem, z różowym goździkiem wetkniętym do butelki po san pellegrino. Livvie zesłałam do kuchni, gdzie miała pomóc przy zmywaniu, krojeniu warzyw na sałatki i gotowaniu. Miała tam zostać, dopóki nie pozwolę jej wrócić.

Wbiłam zęby w soczysty liść karczocha, umaczany w sosie winegret z miejscowej oliwy i odrobiny czerwonego octu winnego. Byłam pewna, że moja córka umyła i pomogła przyrządzić tego karczocha, ale ta myśl nie sprawiała mi jakoś przyjemności. Słyszałam piski i śmiechy dobiegające z kuchni. Wyglądało na to, że Livvie świetnie się bawi, zamiast cierpieć za swoje sprawki.

– W czym nie miałam racji? – zapytałam.

– To rzeczywiście była wina Livvie, a przynajmniej ona była za to odpowiedzialna. Jest starsza od Muffie i powinna być mądrzejsza. Powinnaś przeprosić Bena.

– Doprawdy?

– Dość tej uszczypliwości, Gemmo. Oczywiście, że powinnaś. Livvie zrobiła źle, ale ty też zrobiłaś źle, traktując go w ten sposób. Powinnaś wziąć na siebie odpowiedzialność i przeprosić go od razu.

Zamyślona skubnęłam kolejny delikatny listek.

– Ale to jednak nie jego willa.

– Posłuchaj – widelec Nonny z krążkiem gotowanej cukinii zawisł w połowie drogi – może i jesteśmy w stanie wojny z Benem, ale wciąż jesteśmy cywilizowanymi ludźmi. Racja to racja, a on miał rację, że rozgniewał się na Livvie, i na ciebie, za to, że nic do ciebie nie dociera.

– Nie dociera? – Poczułam się, jakbym znów była w trzeciej klasie. „Do Gemmy nic nie dociera, powinna bardziej uważać na lekcjach…"

Tej nocy nie mogłam zasnąć. Myślałam o tym, co powiedziała Nonna. O świcie moje łóżko wciąż było nietknięte, a ja po raz setny przemierzałam pokój z rękami założonymi na piersi, gapiąc się na cichy plac i fontannę z obtłuczonymi cherubinami i delfinami; na kościół, który właśnie rozjarzył się miodowo w pierwszych promieniach słońca; na puste boisko do *bocce* osłonięte sosnami, kiwającymi się lekko w porannej bryzie; na stację benzynową, gdzie młody Sandro Maresci, właściciel, parkował właśnie swoją furgonetkę, by zacząć pracę o tej wczesnej godzinie; na uśpiony bar Galileo, nad którego drzwiami wciąż paliła się latarnia; na Don Vincenza człapiącego po schodkach swojego domu koło kościoła – on też otwierał interes o świcie.

Na Manhattanie mniej więcej o tej porze siedziałabym w metrze, gapiąc się w okno na własne odbicie. Przeżywałabym dramaty i zamieszanie minionej nocy z głową pełną krzyków, jęków, zapachów – całej desperackiej szamotaniny izby przyjęć. I martwiłabym się o Livvie, o to, co z niej wyrośnie, skoro jej matka cały czas jest zajęta. Tak jak martwiłam

197

się teraz. Tylko że teraz byłam z nią, a ona miała więcej problemów niż kiedykolwiek.

Nonna miała rację. Ben Raphael miał rację. A ja powinnam przełknąć swoją dumę i pójść go przeprosić.

Poczekałam do mniej więcej cywilizowanej godziny, czyli do dziesiątej, i pojechałam do Villi Piacere. Zaparkowałam za fontanną, zauważając ze zdziwieniem, że z Wenus i Neptuna nie tryska woda. Wspięłam się po kamiennych schodach i nacisnęłam guzik dzwonka, choć drzwi stały otworem.

– Cześć – zawołałam niepewnie.

Przestąpiłam nerwowo z nogi na nogę. Starannie wybrałam strój do wielkiej sceny przeprosin. Gładka biała bluzka z bawełny, krótka spódnica khaki, odsłaniająca moje świeżo opalone nogi, i sandały z rzemyków.

– Cześć! – zawołałam jeszcze raz, znów naciskając dzwonek. Nikt nie odpowiedział, weszłam więc do holu i z wahaniem rozejrzałam się dokoła. Ktoś musi tu być. Przecież drzwi są otwarte. Zajrzałam do ośmiokątnego pokoju, gdzie na szczycie złotej klatki siedział Luchay, ostrząc dziób o wysadzany klejnotami ornament. Na sztaludze zamocowany był niedokończony obraz; obok na stoliku leżały pędzel, paleta i tubki farb olejnych. Obraz przedstawiał wnętrze tego samego pokoju. Pomyślałam, że jest naprawdę świetny, kiedy nagle usłyszałam głos Bena Raphaela:

– Znowu przyszłaś obejrzeć swoją własność?

Uniosłam oczy do nieba. To ja tu przychodzę potulna jak trusia, gotowa ukorzyć się i przeprosić, a on mnie od razu atakuje. Powtarzając sobie w duchu, że mam być słodka jak miód, odwróciłam się przodem do niego.

– Cześć – powiedziałam, przywołując na twarz najbardziej olśniewający uśmiech, ten, od którego pacjentom robiło się lepiej (a przynajmniej tak mówili). Ale nie, proszę państwa, na Bena nie podziałał. Zmierzył mnie tym swoim zimnym spojrzeniem i zapytał jeszcze raz, co tu robię.

Przełknęłam ślinę, zebrałam się na odwagę i odparłam:

– Przyszłam cię przeprosić. Nie miałam racji. To była wina Livvie. Jest starsza i powinna była pomyśleć. Chcę ci powiedzieć, że została ukarana. Pełni służbę w kuchni w gospodzie aż do odwołania.

No, zrobiłam to. Pełna nadziei zerknęłam na niego spod rzęs. Muszę przyznać, że świetnie wyglądał w białej koszuli, pomazanych farbą dżinsach i adidasach. A kąciki jego ust, tych namiętnych ust, zaczynały drgać. Do diabła.

– To cię musiało kosztować sporo wysiłku – powiedział.

– Tak. Ale zrobiłam to.

Spojrzał na mnie.

– Co powiesz na kawę?

– Najpierw muszę wiedzieć, czy przyjmujesz przeprosiny.

– Przyjmuję przeprosiny, chociaż ciągle nie wiem, co mam zrobić z włosami mojej córki ani co powie jej matka, kiedy je zobaczy.

– To się szybko zmyje – pocieszyłam go. Musiałam przyznać, że dla damy z towarzystwa i jej przyjaciół byłby to szok, choć moim zdaniem wcale nie wyglądały tak źle.

Poszłam za nim do kuchni, gdzie na kuchence czekał już dzbanek z kawą. Ben nalał dwie filiżanki, zapytał, czy chcę śmietankę i cukier, po czym zaniósł kawę na dwór. Usiedliśmy na małym słonecznym

dziedzińcu przy kuchennych drzwiach, w cieniu rzu-
canym przez niebieską markizę. W milczeniu popija-
liśmy kawę. Czułam zapach róż.

– To chyba nie tylko wina Livvie – powiedział
Ben.

– Nie bądź surowy dla Muffie – odezwałam się
w tym samym momencie.

Uśmiechnęliśmy się do siebie.

– Ty pierwsza – rzekł.

Przez chwilę zastanawiałam się, co powiedzieć.

– Wiesz co, Ben – zaczęłam wreszcie – nasze
córki mają ze sobą dużo wspólnego. Obie mają rodziców, którzy mają dla nich za mało czasu, choć
każde tłumaczy to inaczej. Moją wymówką jest odpowiedzialna praca, a twoją pewnie to, że setki ludzi mają dzięki tobie środki utrzymania. Nasze życie
jest zbyt wypełnione, a naszych córek zbyt puste. Ty
i ja też jesteśmy do siebie podobni. Za bardzo kon-
centrujemy się na swojej pracy.

– Ciekawe, co by było, gdybyśmy oboje ją rzu-
cili.

– Ja nie mogę.

– Dlaczego?

– Muszę pracować. Muszę zarabiać na życie.
Nie jestem bogata i niezależna jak ty.

– Nie zawsze byłem bogaty. – Pił kawę, spoglądając na mnie z ciekawością, jakby chciał wybadać,
co mnie nakręca do życia. Sama chciałabym to wiedzieć. Wypadałoby, po tylu latach…

– Co się stało z twoim mężem?

– Ha! Pytasz o Wielki Temat Tabu. Odszedł,
zanim Livvie się urodziła. Nigdy nawet nie widział
swojej córki.

– Idiota. Stracił najlepszą rzecz w życiu.

– No cóż, my nie uważamy, że to wielka strata. – Znów byłam błyskotliwa, dzięki zastrzykowi kofeiny.

– I co było potem? – Ben wyciągnął przed sobą długie nogi, spoglądając na mnie z ukosa. – Byłaś w kimś zakochana?

Serce podeszło mi do gardła; poczułam, że się czerwienię. Boże, czy to przedwczesna menopauza, czy moje hormony szaleją z innego powodu? Nienawidziłam siebie za ten rumieniec. Widziałam jego uśmieszek, kiedy go zauważył.

– Byłam zbyt zajęta, żeby się zakochać. Musiałam skończyć medycynę i pracować. No wiesz, „szara rzeczywistość", jak to mówią.

– A po studiach? Zakochałaś się?

Nasze oczy się spotkały.

– Nie twój interes.

– Jezu – jęknął. – Wiesz, co z tobą jest nie tak? Jesteś hermetycznie zamknięta w takiej małej foliowej torebce i pakujesz się w te pędy do zamrażarki za każdym razem, kiedy rzeczywistość... mężczyzna... ja... Za każdym razem, kiedy się do ciebie zbliżam. Co się z tobą dzieje?

Gapiłam się na niego oszołomiona, z szeroko otwartymi oczami. Nikt jeszcze nie rozmawiał ze mną w ten sposób. Nigdy.

Złapał mnie za rękę i pociągnął przez kuchnię i hol za drzwi, do swojego land rovera.

Otworzył przede mną drzwiczki.

– Wsiadaj – powiedział.

– Dokąd jedziemy?

– Porywam cię – odparł, wypychając mnie do samochodu.

Nie byłam pewna, czy mam coś przeciwko temu. Byłam zbyt oszołomiona.

– Jedziemy, droga Gemmo, zobaczyć, jak wygląda Prawdziwe Życie. Pisane dużymi literami. Mówisz, że chcesz tę willę? Chcesz mieszkać tu, w Toskanii? A co o niej wiesz? Co wiesz o prawdziwej Toskanii? Przyjeżdżam tu od lat. To moje schronienie, moja przystań. I za każdym razem zadaję sobie pytanie, czy zwyczajnie nie uciekam od prawdziwego życia. Ale kiedy już tu jestem, wiem, że tak nie jest – tłumaczył, kiedy jechaliśmy przed siebie. – Wyjrzyj przez okno, pani doktor. Powiedz mi, co widzisz. Pustą, szeroką szosę i ścieżkę wspinającą się na wzgórze. Topole rzucają cień. Słońce i wiatr to żywioły, dzięki którym mamy winogrona, wino, słoneczniki i… do diabła, kobieto, po prostu popatrz, chłoń to przez skórę. Poczuj to. Poczuj cokolwiek, na litość boską.

Gapiłam się przez otwarte okno, nie wiedząc, co powiedzieć. Wiejski krajobraz przesuwał się przede mną jak w magicznym kalejdoskopie, światło i cień, kolory, zapachy, które nie były szpitalem. Zerknęłam ukradkiem na Bena.

– Dokąd jedziemy? – zapytałam znów, kiedy skręcił na wzgórze i przez krzywą bramę wjechał do małego gospodarstwa. Ujrzałam miszmasz przybudówek i szop, oborę i mały kamienny domek.

W sadzawce wielkości dziecięcego baseniku chlapały się dwie czy trzy radosne kaczki. Kiedy wysiedliśmy z samochodu, przyszły nas obwąchać dwa psy; suka miała najwyżej dwa lata i była w zaawansowanej ciąży. Z obory wyjrzała na nas ładna biała krowa z czarnymi oczyma ocienionymi długimi rzęsami.

– Przyjechaliśmy właśnie do niej – powiedział Ben, biorąc butelkę z tylnego siedzenia.

Brodząc po kolana w wysokiej trawie, przeszliśmy na tyły obory.

– To krowa Rocca Cesaniego – dorzucił. – Nie wiem, czy jest świadoma odpowiedzialności, jaką to za sobą niesie, ale mleko, które daje, nie ma sobie równych. – Zdjął wieko z chłodzonej stalowej kadzi, odkręcił kurek, napełnił butelkę, zatkał ją i ruszyliśmy z powrotem do samochodu.

– Dostawa mleka po toskańsku – powiedział, podając mi butelkę.

Mleko było gęste i kremowe; tłuste jak śmietana, z posmakiem wanilii i siana. Prawdziwa mleczna ambrozja, jakiej nigdy nie mamy okazji próbować w erze dwuprocentowego pasteryzowanego „mleka" z supermarketu. Zostawiło na mojej wardze śmietankowy wąsik.

Zobaczyliśmy Rocca, który jechał przez pole na biało-różowym ciągniku, w szortach łopoczących wokół mocnych kolan, w wystrzępionej koszulce, starym przeciwdeszczowym kapeluszu i zielonych gumiakach. Pomachał do nas na przywitanie. Odmachnęliśmy mu, krzyknęliśmy „dziękuję" i ruszyliśmy w drogę.

– Dokąd teraz? – zapytałam. Nagle zaczęłam się dobrze bawić.

Ben błysnął zębami w uśmiechu.

– Robi się ciekawie, co?

– Może.

– Jedziemy na targ – powiedział.

Był niedzielny ranek i na placu przy kościele w pobliskiej wiosce roiło się od ludzi. Kościelne dzwony wybiły godzinę, wzywając na mszę ku pokrzepieniu ducha, niepomne, że tuż pod witrażami toczy się zwyczajne ziemskie życie.

Spacerowaliśmy między straganami, oglądając wystawione towary. W samym środku stała *signora*, której specjalnością były *lamponi* – truskawki błyszczące jak rubiny, zerwane tego ranka. Sama *signora* nie przypominała typowej wiejskiej przekupki. Była kobietą w kwiecie wieku, jasnowłosą i czarującą, szykownie wystrojoną w jedwabną apaszkę od Versacego. Opowiedziała nam o swoich truskawkach, o specjalnej musztardzie truskawkowej i o truskawkowym occie.

Trzy koszyczki truskawek i słoiczek musztardy później staliśmy przy straganie z rybami, patrząc w przejrzyste oczy łososi i pstrągów, pasiastych okoni i węgorzy. Grzebaliśmy w warzywach, podziwiając odmianę brokułów, która, jak mi powiedziano, nazywa się rzymska i wyróżnia pięknymi, zielonymi jak jabłka kwiatkami zebranymi w małe skręcone stożki. Nigdy wcześniej takich nie widziałam. Kupiliśmy też cykorię, sałatę lodową, kilka kozich serów i pecorino.

Kobieta przy stoisku z pieczywem mówiła po angielsku. Miała oliwkową skórę i błyszczące czarne oczy. Opowiedziała mi, że razem z mężem szukali farmy dla siebie siedem lat. Znaleźli ją wreszcie i teraz hodują własne zboże, mielą je we własnym młynie i wypiekają własny chleb w kuchennych piecach.

– Mój mąż piecze chleb z miłością – powiedziała kobieta, kładąc dłoń na sercu.

Uwierzyłam jej. Kupiłam ciężki bochenek; odrywaliśmy z niego przepyszne kawałki i jedliśmy, przepychając się przez tłum do naszego następnego przystanku – baru.

Kafejka była już pełna tubylców – tych prawdziwych, włoskich, i tych importowanych z Anglii, Holandii, Niemiec i Ameryki, którzy porzucili uroki wielkich miast dla prostszych przyjemności: wiejskich domów, targu i niedzielnego espresso z koniakiem. Ale najpierw w *pasticcerii* naprzeciw baru kupiliśmy *sfogliate* – ciastka z kremem. W końcu wmieszaliśmy się w tłum, popijając kawę – ja dużą, podaną z dzbankiem gorącego mleka, żebym mogła sobie dolać tyle, ile chcę, a Ben czarną. Staraliśmy się nie wdychać dymu papierosowego, co oczywiście było niewykonalne. Ben krzyknął *ciao* do właściciela i kilku innych znajomych. Zegar na kościelnej wieży wybił kolejną godzinę. A my, powoli torując sobie drogę przez tłum, wróciliśmy do samochodu.

– Wiejskie rozkosze – powiedziałam, rzucając Benowi powłóczyste spojrzenie spod rzęs, jak za dawnych czasów, kiedy miałam naście lat i flirtowałam z chłopakami. – Dałabym się za nie zabić.

– A widziałaś Florencję? Tak naprawdę widziałaś? – zapytał.

Pokręciłam głową.

– No to jedziemy – oznajmił, wrzucając bieg.

I wiecie co? Pojechałabym wszędzie, gdzie zechciałby mnie zabrać. Od dawna nie bawiłam się tak świetnie. To było jak wycieczka na zaczarowanym dywanie.

Rozdział 41

Nad wzgórzami wisiały lawendowe chmury z koronkowymi pierzastymi obrzeżami; tu i ówdzie unosiły się rozdęte wieże kłębiastych cumulusów. Promienie słońca przeciskały się między obłokami, zalewając niebo powodzią złota i barwiąc bursztynowo leniwą rzekę Arno. Szłam wzdłuż Lungarno delle Grazie ręka w rękę z moim zaprzysięgłym wrogiem, rozmyślając błogo, że nigdy nie widziałam niczego piękniejszego niż ta rzeka, stare kamienne budowle i mężczyzna, z którym byłam.

Nie potrafiłam tego wyjaśnić. Czy chodziło tylko o to, że jestem we Włoszech? Czy może o to, że jestem małą, słabą kobietką? A może zwyczajnie sprawiało mi to przyjemność? Nic poważnego. Żadnego łamania złożonej sobie przysięgi – nic w tym stylu. Po prostu raz, dla odmiany, dobrze się bawiłam. No bo, do licha, dlaczego miałabym się nie bawić?

Jak na kogoś, kto po raz pierwszy zwiedza Florencję, miałam idealnego przewodnika. Ben znał wszystkie szczegóły, daty, historię każdego wspaniałego gmachu i każdego posągu.

Przystanęliśmy na Piazza Santa Croce, podziwiając genialne proporcje ogromnego placu obrzeżonego trzynastowiecznymi budowlami.

– Chcę ci pokazać coś wyjątkowego – powiedział Ben i poprowadził mnie do kościoła.

Kiedy weszliśmy do świątyni, nasze kroki rozbrzmiały echem w podniosłej ciszy. I oto, moi drodzy, ujrzałam grób Michała Anioła. Doświadczyłam tego samego uczucia, jakie ogarnęło mnie w Rzymie na widok świątyni Marka Agrypy. Obcowanie z przeszłością, tak odległą, a jednocześnie tak mocno wrośniętą we współczesne życie, wstrząsnęło nie tylko moim umysłem – było niemal jak cios w splot słoneczny. I w tej chwili czułam się dokładnie tak samo.

Przypomniałam sobie Nonnę u Hasslera i Michała Anioła z Long Island i roześmiałam się.

– Co cię tak rozbawiło? – zapytał szeptem Ben.

Kiedy mu powiedziałam, też się roześmiał.

– Cieszę się, że przynajmniej o mnie myślisz. – Nasze oczy spotkały się nad grobowcem i mogę przysiąc, że na jedną, zapierającą dech chwilę, czas się zatrzymał.

Baptysterium ze ścianami z białej carrary i zielonego marmuru prato wyglądało jak ośmiokątny tort weselny. O mało nie skręciłam sobie szyi, gapiąc się na olśniewające mozaiki we wnętrzu kopuły, układane przez weneckich mistrzów w XIII i na początku XIV wieku.

Potem w nabożnym zachwycie przystanęliśmy przed wielkimi wschodnimi drzwiami Duomo, czyli katedry (Ben powiedział mi, że są dziełem Lorenza Ghibertiego, 1378–1455; dodał też, że Michał Anioł nazwał je Drzwiami Raju). Na dziesięciu brązowych kwaterach przedstawiono dziesięć historii, które Ben określił jako „dziesięć biblijnych hitów", ale chyba jeszcze ciekawsze były dwadzieścia cztery głowy artystów z epoki, między innymi autoportret samego Ghibertiego.

W końcu Ben znów chwycił mnie za rękę i ruszyliśmy gęsiego – bo nie było dość miejsca, by iść obok siebie – po spiralnych kamiennych schodach, tak ciasnych i wąskich, że mało nie dostałam klaustrofobii. Kiedy po kilometrach wspinaczki dotarliśmy na szczyt, serce tłukło mi się w piersi, choć bynajmniej nie ze zmęczenia. Wyjrzałam przez wąski parapet na leżącą daleko w dole Florencję, otaczający ją toskański krajobraz i rzekę wijącą się przez środek, i nagle świat zamienił się w kolorowy wir. Skuliłam się i przylgnęłam do ściany wielkiej kopuły, dzieła Brunelleschiego.

– Nie znoszę wysokości.

Ben opierał się o parapet, podziwiając widok. Odwrócił się do mnie i wyszczerzył zęby w uśmiechu.

– Masz stracha?

– Owszem – szepnęłam.

Widząc moją przerażoną twarz, zlitował się i sprowadził mnie za rękę po tych niekończących się schodach z powrotem na bezpieczną ulicę.

By uspokoić moje skołatane nerwy, mój przewodnik – a wierzcie, że zachowywał się jak wcielenie czaru i uroku – zabrał mnie do Caffè Rivoire na Piazza della Signoria, starej herbaciarni w stylu art nouveau. Jako że nagle zrobiło się chłodno, piliśmy gorącą czekoladę i karmiliśmy się nawzajem najróżniejszymi ciachami, rozmazując sobie lukier po twarzach, jakbyśmy znali się od lat.

Spodziewałam się, że Ben będzie uszczypliwy, napastliwy, zły. Co się dzieje? – pytałam się w myślach. Ale tak naprawdę nie chciałam tego wiedzieć. Byłam szczęśliwa. Nie myślałam o przeszłości ani o przyszłości. To się chyba nazywa „żyć chwilą". I trzeba przyznać, że ma swój urok. Czasami.

Choć znaczną część placu zajmuje wielki parking, wciąż można posiedzieć w ogródku i popatrzeć na czternastowieczny Palazzo Vecchio – jak powiedział mi Ben, samo serce Florencji, i na marmurową fontannę Neptuna. Zrelaksowana i zadowolona zastanawiałam się, dlaczego szmer fontanny w parne popołudnie brzmi tak uwodzicielsko.

Nie rozmawialiśmy wiele. Byliśmy zbyt zajęci patrzeniem na Florencję i – ukradkiem – na siebie nawzajem. Miałam właśnie powiedzieć, że gorąca czekolada smakuje jak roztopione złoto, kiedy Ben zapytał poważnie:

– Brałaś dziś prysznic?

To był długi dzień, pomyślałam, ale przecież nie może być aż tak źle.

– Oczywiście – odparłam sztywno. – A ty nie?

– Owszem. Ale miałem z tym spore trudności.

Nie miałam pojęcia, o co może mu chodzić.

– Od dwóch dni w Villa Piacere nie ma wody – powiedział. – Musiałem nosić wodę ze starej cysterny, żebyśmy się mogli wykąpać i napić kawy.

Zastanawiałam się, co to osobiste wyznanie ma wspólnego ze mną czy też z faktem, że siedzimy w Caffè Rivoire, popijając czekoladę i, jak sądziłam, miło spędzając czas.

– Przykro mi – mruknęłam uprzejmie.

– Facet w wodociągach powiedział mi, że jest za wiele basenów i za wielu turystów bierze prysznic, i że to się zdarza bez przerwy.

– A zdarza się?

– Do tej pory się nie zdarzało.

Spojrzał na mnie przenikliwie. W innych okolicznościach pewnie zatonęłabym w jego oczach, jak to zwykle robią bohaterki romansów, ale jemu najwyraźniej nie w głowie były romanse.

– Nie zdarzyło się to nigdy, dopóki ty i twoja matka nie przyjechałyście do Bella Piacere i nie oświadczyłyście, że jesteście właścicielkami willi.

Tym razem to ja wbiłam w niego wzrok.

– Czy ty… czy sugerujesz, że ja mam z tym coś wspólnego? Że to ja odcięłam ci dostawy wody?

Moje szczere oburzenie przekonało go chyba, że jest w błędzie, bo westchnął i przeprosił. Powiedział, że nie wie, co się stało, ale kiedy wręczył odpowiednią kwotę na pokrycie, jak to określono, „zaległych kosztów eksploatacyjnych", obiecano mu, że woda będzie jutro.

– No i dobrze – warknęłam. – Będziesz mógł się spokojnie wykąpać.

– Przepraszam – powiedział jeszcze raz, chwytając moją dłoń. – Oczywiście, że nie miałaś z tym nic wspólnego. Jesteś zbyt szlachetna. Jesteś lekarzem. Nie posunęłabyś się do sabotażu, nawet jeśli rzeczywiście chcesz mnie wykurzyć z willi.

– Chcę znaleźć Donatiego, pokazać ci testament i wykurzyć cię z willi uczciwymi metodami – odparłam. – Tak to wygląda.

Rozdział 42

Poszliśmy na Oltrarno – to znaczy dosłownie na „drugą stronę Arno", do dzielnicy *botteghe*, zalatujących pleśnią małych warsztatów, gdzie artyści rzeźbili w drewnie bogato ornamentowane ramy luster i gzymsy kominków i gdzie ze złoconego gipsu powstawały ozdobne ramy dla starych, a czasem i nowych obrazów. Gdzie z najlepszej skóry szyto ręcznie eleganckie torebki i najwyższej jakości rękawiczki; gdzie marmurowe stoły inkrustowano masą perłową, malachitem i lapis-lazuli. Gdzie złotnicy wytwarzali pierścionki, by sprzedać je potem na Ponte Vecchio i Via de'Tornabuoni; gdzie garncarze od stuleci malowali ceramikę w te same wzory.

Samotne drzewo zaszeleściło w nagłym podmuchu wiatru, kiedy beztrosko błądziliśmy po wąskich, krętych uliczkach, oglądając witryny i wymieniając, co byśmy kupili, gdybyśmy byli bogaci. Oczywiście Ben był bogaty, ale to nie miało znaczenia; na tym polegała zabawa.

Od ulicznego handlarza kupiliśmy torbę dojrzałych czarnych wiśni. Kiedy wgryzłam się w jedną z nich, trysnął gęsty sok. Ben otarł mi go z podbródka i oblizał palce. Poczułam, że topnieję w środku. To była chyba najbardziej seksowna rzecz, jaka mi się w życiu przydarzyła. Spojrzeliśmy na siebie i nagle Ben pochylił się, i pocałował moje oblane sokiem wargi. Zadrżałam, patrząc na niego i myśląc, jak bardzo chciałabym się znów zakochać. Zakochać się bez pamięci! Czy to nie linijka z piosenki Marca Anthony'ego? Doskonale opisywała to, co czułam w tej chwili – zakochiwałam się w ekspresowym tempie. To znaczy zakochałabym się, gdybym mogła sobie na to pozwolić. Ale oczywiście nie mogłam.

Daleki grzmot spłoszył magiczną chwilę. Wielkie krople deszczu zaczęły tłuc o bruk i o nasze głowy. Schyleni pobiegliśmy do bramy.

– Jak mogliśmy nie zauważyć, że zbiera się na deszcz? – zapytał Ben.

Chciałam powiedzieć, że byliśmy zbyt zajęci sobą, ale oczywiście nie powiedziałam. I nagle trzymał mnie w ramionach i znów się całowaliśmy, ale tym razem tak naprawdę.

Jego usta rozdzielały moje wargi, piły mnie, aż brakowało mi tchu i kręciło mi się w głowie. Mój żołądek wywijał salta, a wiśniowy sok jakimś cudem pociekł aż między moje nogi. Pragnęłam tego mężczyzny. Naprawdę go pragnęłam. Przylgnęłam do niego, wtopiłam się w jego ramiona. Czułam jego smak. Uśmiechnęłam się na wspomnienie rzymian obściskujących się w bramach. Teraz byłam jedną z nich; szybko powiedziałam sobie, że tak naprawdę to Włochy mnie uwodzą, a nie ten mężczyzna. Cudowny mężczyzna, którego ciało przywarło tak mocno do mojego.

Kiedy ochłonęliśmy, odgarnął mi włosy. Jego twarz była tak blisko, że wdychałam jego oddech.

– Włosy ci się poskręcały – stwierdził zdumiony.

Podniosłam rękę, żeby sprawdzić.

– Wyglądają jak jasna aureola z loków. Mój anioł Botticellego – szepnął i znów mnie pocałował.

Kiedy po chwili przerwaliśmy, by złapać oddech i odzyskać równowagę, Ben spojrzał na ciemne niebo:

– Ta burza szybko nie przejdzie. Lepiej się stąd wynośmy.

– Ale dokąd? – Ścisnęłam jego dłoń. Zęby szczękały mi z emocji i od nagłego chłodu. Duszny upał zniknął z pierwszym grzmotem; deszcz padał nieprzerwanie, rozświetlany od czasu do czasu błękitnymi błyskawicami. Nie cierpię burzy; potęga natury mnie przeraża.

– Masz stracha? – Ben uniósł z uśmiechem brew.

– Tak – przyznałam, już drugi raz tego dnia.

– Nie martw się. Zaopiekuję się tobą – zapewnił. – Ale będziemy musieli biec.

Zanim dotarliśmy do końca ulicy, byliśmy przemoczeni do nitki. Korzystający z okazji sprzedawca wystawił stojak z parasolami, kupiliśmy więc jeden. Kuląc się pod nim, zaczęliśmy się rozglądać po pustej ulicy za taksówką.

– Chyba musimy iść pieszo – zdecydował Ben. Kiedy zapytałam, dokąd, odparł: – Znam takie jedno miejsce. – Więc ruszyliśmy, brnąc przez kałuże.

Trzymał parasol, a ja trzymałam go pod rękę, ale był wyższy ode mnie i silny wiatr co chwilę zalewał mnie deszczem.

– Muszę zapytać o drogę – powiedział nagle Ben, rozglądając się dookoła.

Mokra i drżąca odparłam:

– Ale przecież znasz Florencję. To twój teren. Dlaczego akurat teraz musisz pytać o drogę?

Spojrzał na mnie ze współczuciem.

– Bo się zgubiliśmy.

Zgarbiłam się z rezygnacją pod parasolem. Wolałam nie myśleć, jak w tej chwili wyglądam.

Łamanym włoskim zapytaliśmy o wskazówki jakiegoś mężczyznę, który wsiadał właśnie na vespę; spoglądając na nas z politowaniem jak na parę turystów idiotów, odpowiedział z czystym amerykańskim akcentem, że idziemy w złym kierunku. Musimy zawrócić, przejść z powrotem na drugą stronę rzeki, minąć kilka przecznic i będziemy na miejscu.

Więc ruszyliśmy z powrotem, trzymając parasol przed sobą jak tarczę, brodząc w strumieniach wody. Przeszliśmy na drugą stronę rzeki (szarej i wezbranej), pokonaliśmy opustoszałą ulicę – i byliśmy na miejscu. Restauracja Cammillo na Borgo San Jacopo. Raj!

Tyle że nasz wygląd nie bardzo pasował do tego raju. Bluzkę miałam przylepioną do pleców – i nie tylko, buty przemoczone, a moje włosy wyglądały jak sierść świeżo wykąpanego psa.

Żółtawe ściany Cammillo odbijały światło lamp, na sali pachniało kwiatami, winem i ziołowymi sosami. *Trattoria* była tak stara jak sama Florencja. Kiedy weszliśmy przez szklane drzwi z koronkową firanką, zadźwięczał dzwonek. Znali tutaj Bena; starszy kelner uścisnął mu dłoń, wziął od nas parasol i wyraził współczucie, że tak strasznie zmokliśmy. Poprowadził nas do stolika w drugiej sali.

Roześmieliśmy się, patrząc na siebie, po czym stwierdziliśmy, że mamy to w nosie. Wytarliśmy twarze chusteczkami higienicznymi pod pełnym dezaprobaty spojrzeniem dwóch wysztafirowanych amerykańskich matron, które najwyraźniej uznały, że obniżamy poziom lokalu.

– Ani krzty współczucia dla pary, która stawiła czoło burzy, by tu dotrzeć – szepnął do mnie Ben.

– Nie tylko o to chodzi – odszepnęłam, wyżymając wodę z przemoczonych włosów. – Ich fryzury są nieskazitelne.

Nagle przypomniałam sobie o Livvie i Nonnie. Ogarnęły mnie wyrzuty sumienia.

– Powinnam zadzwonić do domu. – Oczywiście miałam na myśli hotel.

– Ja też.

– Ty pierwszy – powiedziałam. Zaczynała to być nasza stała odzywka. Poszedł więc i po kilku minutach wrócił uśmiechnięty.

– W Bella Piacere nie pada, wiesz? Fiametta zabierze Muffie na noc do Maggie Marcessi.

– Moja kolej. – Wstałam i chlupiąc mokrymi sandałami, przeszłam przez salę do telefonu. Bez problemu połączyłam się z Nonną.

– Jaki znowu deszcz? – zapytała podejrzliwie. – Tutaj nie pada.

– Mamo – westchnęłam – we Florencji jest okropna burza. Prawdziwe oberwanie chmury. Nie wiem, kiedy wrócę. Jestem tu z Benem Raphaelem, próbujemy jakoś się dogadać.

– W sprawie willi?

– Oczywiście, że w sprawie willi, mamo. – Skrzyżowałam palce, bo to było kłamstwo. – Powiedz Livvie, że na dzisiaj jest zwolniona z kuchni – dodałam. – Niech ci dotrzyma towarzystwa.

– No dobrze. Ale Rocco Cesani przychodzi na kolację.

– Więc będzie was troje. – Wizyta Rocca nagle wydała mi się podejrzana. – Nie wiesz przypadkiem, dlaczego w Villi Piacere nie ma wody?

– Wody? Oczywiście, że nie wiem – odparła szybko. Byłam ciekawa, czy ona też skrzyżowała palce.

Ben podsunął mi krzesło.

– Wszystko w porządku?

– Tak. – Wciąż myślałam o Roccu Cesanim i wodzie.

– Zamówiłem czerwone wino – powiedział Ben, napełniając mi kieliszek młodym chianti. Zaatakowaliśmy żarłocznie przepyszny chleb, jakbyśmy nie jedli cały dzień. I rzeczywiście, jak się tak dobrze zastanowić, zjedliśmy tylko kilka ciastek, kilka bardzo soczystych wiśni i o mało nie zjedliśmy siebie nawzajem.

Na początek zamówiliśmy gorące domowe spaghetti bolognese; jedliśmy je, trzymając się za ręce nad maleńkim, oświetlonym lampą stolikiem. Nasze schnące ubrania lekko parowały. Czułam ciepło dłoni Bena i obserwując go, zastanawiałam się, o czym myśli.

Rozdział 43

Ben pomyślał, że włosy Gemmy wysychają w małe złote sprężynki, jak u rasowego pudla. Ale przecież nie mógł jej tego powiedzieć; na pewno źle by to odebrała i obraziła się. Przekonał się już, że trzeba z nią bardzo uważać; że pod nieufną maską lekarza kryje się serce wrażliwej kobiety.

Zlizała sos z warg. Z warg, które, jak zauważył z rozczuleniem, tak słodko, wzruszająco unosiły się w kącikach, przez co wyglądała, jakby się uśmiechała, nawet kiedy była wściekła. Poczuł ukłucie namiętności i zapragnął znów ją pocałować, wziąć w ramiona. W tej chwili miał gdzieś Villę Piacere i wodę; nie obchodziło go nawet, czy to ona stała za tym sabotażem.

– I co dalej? – zapytała Gemma.

Roześmiał się, ubawiony jej entuzjazmem.

– Może jakąś sałatkę? – Pokręciła głową. – No dobrze, to dla ciebie kotlet cielęcy, a dla mnie pieczony gołąb.

– Ja też chcę gołębia. – Jej zmrużone niebieskie oczy śmiały się do niego. Odpowiedział uśmiechem.

– Kelner – powiedział – dwa pieczone gołębie proszę. – Wlał jej do kieliszka resztę wina i zamówił drugą butelkę.

Gemma uniosła brew.

– Już dawno żaden mężczyzna nie próbował mnie upić.

– Wcale nie próbuję cię upić. – Była to prawda, nie chciał, żeby była pijana. Chciał, by wiedziała, co robi, by się uśmiechała, tuliła do niego, kochała go.

Amerykańskie matrony zaczęły się zbierać do wyjścia.

– Proszę nam wezwać taksówkę – powiedziały do kierownika, który wzruszył ramionami, rozłożył ręce i odparł:

– Przykro mi, *signore*, ale pada. Nie ma taksówek.

Ben i Gemma uśmiechnęli się do siebie złośliwie.

– Już je widzę, jak idą przez tę burzę – szepnęła. – Kiedy dotrą do hotelu, będą wyglądać dokładnie tak samo jak my.

– Należy im się, co? – mruknął, a Gemma roześmiała się, jakby był najdowcipniejszym facetem w całych Włoszech. Boże, pomyślał Ben, czy można nie kochać tej kobiety?

Na deser zjedli smażone placuszki z mąki kasztanowej, nadziewane twarogiem i polane rumem – tradycyjny miejscowy przepis, jak powiedział im kelner. A potem, nad kawą, przyglądali się sobie w milczeniu.

– Ciekawe, czy deszcz przestał padać – zagaił Ben, modląc się w duchu, by nie przestał.

– Ciekawe, która godzina? – powiedziała Gemma, zerkając na swój praktyczny lekarski zegarek z dużymi cyframi, którego minutowa wskazówka pędziła jak oszalała, odmierzając ich wspólny czas.

Głośny grzmot zatrząsł szybami, jakby sam Bóg odpowiedział Benowi.

Ben zapłacił rachunek. Stanęli w drzwiach, patrząc na nieprzeniknioną kurtynę deszczu. Kiedy przywarli do siebie, błyskawica rozświetliła niebo i zahuczał kolejny grzmot. Ben powiedział, że niebezpiecznie byłoby jechać w taką burzę, zresztą i tak zostawili samochód na drugim końcu miasta.

– Jedyne rozsądne wyjście to znaleźć hotel – stwierdził.

Gemma ścisnęła jego dłoń, przestraszona piorunami i jego propozycją.

– Hotel? – wyszeptała, patrząc badawczo w jego twarz.

– Nie masz nic przeciwko temu? – zapytał i pocałował ją delikatnie w mokry od deszczu policzek.

Rozdział 44

Gemma

Nawet nie próbowaliśmy biec; nie było sensu. Drepcząc po kałużach, wróciliśmy nad rzekę i – tak samo jak kiedyś z Cashem – prawie wpadliśmy na maleńki hotelik. Nad wejściem migał zielony znak: wolne pokoje.

Na szklanych drzwiach z mosiężną klamką widniała mosiężna tabliczka z nazwą: „hotel dottore". Roześmialiśmy się i Ben powiedział, że to chyba przeznaczenie. Ręka w rękę pchnęliśmy drzwi i weszliśmy do środka.

Nie myślcie, że nie zastanawiałam się, co robię. Oczywiście, że zadawałam sobie to pytanie, ale w moich żyłach krążyło wino, a podniecenie rozpierało lędźwie, jeśli właśnie tak nazywają się te seksowne części naszego ciała. Zakochiwałam się jak wariatka, z prędkością światła, na zabój. Ja, lodowa dziewica... ta, która właśnie miała złamać dane sobie przyrzeczenie. Ale przecież nie mogłam. Nie mogłam. Przypomniałam sobie nagle, że mam na sobie stare bawełniane majtki, prane chyba z tysiąc razy. A Ben był światowym człowiekiem; na pewno przywykł kochać się z eleganckimi blondynkami w koronkowej bieliźnie. Lecz było już za późno. Znów patrzył na mnie, jakbym była jedyną kobietą w pokoju. I tym razem byłam.

Nasze okno wychodziło na wezbraną od deszczu rzekę, ale Ben zamknął wysokie okiennice. Byliśmy we dwoje, sami w maleńkim pokoju z ogromnym łóżkiem z rzeźbionym gotyckim zagłówkiem. Rubinowe lampy rzucały na nas różowy blask, kiedy tak staliśmy, patrząc sobie w oczy.

– Jesteś cała mokra. – Łagodnie odgarnął mi włosy do tyłu.

– Ty też. – Uniosłam twarz, czekając na pocałunek. W tej chwili miałam w nosie moją bieliznę i włosy. Pragnęłam tego mężczyzny.

Zsunęłam z ramion koszulę, jak striptizerka w sobotni wieczór, rozpięłam spódnicę i pozwoliłam jej opaść na podłogę. On też zdążył już zdjąć koszulę, teraz ściągał dżinsy. Oboje byliśmy bosi, półnadzy i mokrzy.

Odwrócił się i poszedł do łazienki, a ja stałam w pokoju, podziwiając jego smukłe, muskularne plecy, przechodzące w krzywiznę pośladków. Słodki tyłeczek, pomyślałam czule.

Wrócił z ręcznikiem i zaczął energicznie wycierać mi włosy. Schyliłam głowę jak głaskany pies i zachichotałam. Wreszcie wzięłam od niego ręcznik i wytarłam jego włosy, potem klatkę piersiową, a potem... niżej...

Ben wziął mnie na ręce, zaniósł do łóżka i odgarnąwszy kołdrę, rzucił na sam środek. Roześmiałam się, kiedy skoczył na mnie i zaczął całować moją twarz, włosy; zsunął ramiączka stanika i odnalazł językiem sutek. Ze zdumieniem usłyszałam własne jęki – dźwięk nie z tego świata, dobiegający z jakiegoś głębokiego, prymitywnego miejsca w moim

221

wnętrzu. Wyciągnęłam do niego ręce i zaczęłam wodzić dłońmi po gładkim, twardym ciele, po szorstkich włosach, odnajdując krągłą miękkość, a w końcu cudowną twardość.

On też jęknął i wyszeptał:

– Kocham się z aniołem, moim aniołem Botticellego.

Omal nie rozejrzałam się po pokoju, by sprawdzić, czy nie ma tu kogoś innego. Czy on naprawdę mógł mieć na myśli mnie?

Ale znów się całowaliśmy, połączeni ustami, brzuchami, biodrami; wyprężyłam się, kiedy zaczął ze mnie chłeptać, jakbym była fontanną wody życia, a on rozpaczliwie spragnionym człowiekiem; wyginałam się i wierciłam, błagając go bezwstydnie, by nie przestawał.

Kiedy wreszcie wsunął się między moje nogi, zatrzymał się na chwilę.

– Masz stracha? – szepnął, zaglądając mi głęboko w oczy.

Już trzeci raz mnie dziś o to zapytał. Do trzech razy sztuka.

– Nie – odpowiedziałam.

Pamiętacie, jak elektryzujący był nasz pierwszy pocałunek? Tym razem trafił mnie piorun kulisty. Uniosłam się do niego, poczułam, jak się we mnie wbija, jak opływają go moje soki, usłyszałam własne krzyki rozkoszy. Nasze ciała wpadły na siebie z impetem; nagle znalazłam się na szczycie i jak lawina stoczyłam na drugą stronę, prosto do raju.

Długo później oderwaliśmy się wreszcie od siebie i leżeliśmy bok przy boku, zroszeni potem miłości, śliscy od jej słodkich soków, ze złączonymi dłońmi, tak jak przed chwilą złączone były nasze ciała.

Nie chciałam go jeszcze puścić. Moje ciało znów się budziło. Pragnęłam więcej.

Odwróciłam twarz, by na niego spojrzeć; w tej samej chwili on też się odwrócił i spojrzał na mnie.

– Anioł – powiedział. – Anioł Botticellego.

Pomyślałam, że nie muszę się martwić – nawet nie zauważył moich starych bawełnianych majtek. A potem kochaliśmy się jeszcze.

Obudziłam się w ciemności. Nagle zrobiło mi się chłodno, dotknęłam więc jego uśpionego ciała i przylgnęłam do pleców. Deszcz dzwonił o szyby i wciąż było słychać dalekie grzmoty. Nie miałam pojęcia, która może być godzina. Wiedziałam tylko, że nie chcę, by ta noc się skończyła.

Nie lubię nocy. Zawsze bałam się ciemności i spałam przy zapalonym świetle. Noc jest taka gęsta, że aż cię dotyka, szepcze uwodzicielsko do ucha. Czuję noc. To czas cichych jęków, tłumionego przerażenia, bezgłośnych krzyków. Ale czasami to magiczny czas miłości z mężczyzną, którego pragniesz, w którym zakochujesz się na zabój. Kiedy trzymasz w ramionach człowieka, z którym właśnie się kochałaś. W tej chwili noc wydawała mi się najlepszym czasem w życiu.

Kiedy obudziłam się po raz drugi, przez okiennice sączyło się światło. Przez sekundę zastanawiałam się, gdzie jestem. Ale gdy odwróciłam głowę, ujrzałam twarz śpiącego Bena. Taka piękna twarz, pomyślałam, w wyobraźni wiodąc palcem po jego stanowczych ustach, po wysuniętej, ocienionej ciemnym zarostem szczęce, po szerokiej kości policzkowej. Miałam ochotę całować każdy skrawek jego skóry.

Moją prawą rękę, zdrętwiałą pod jego ciałem, przeszywały bolesne igiełki, ale nie dbałam o to. Mógłby mnie zmiażdżyć całą, gdyby tylko chciał. Za oknem świat budził się do życia: przytłumiony ptasi szczebiot, słaby pomruk ruchu ulicznego, klekot skutera na bruku. Chłodny poranny wiatr. Pomyślałam o Bellevue i o Patty, o tym, jak w milczeniu jadę metrem z pracy, zbyt zmęczona, by wziąć prysznic, by coś zjeść. Nie pozwalałam sobie tylko myśleć o Cashu.

Westchnęłam. Mur, którym się otaczałam, zawalił się wczoraj, grzebiąc pod sobą myśli o pracy i obowiązkach. Odwróciłam się do Bena i przytuliłam mocniej, grzejąc się jego ciepłem. Zawsze lubiłam kochać się o świcie.

Rozdział 45

Na śniadanie jak niegrzeczne dzieci zajadaliśmy *semifreddo* u Ricciego, na Piazza Santo Spirito, podziwiając przez okno śliczny mały kościół, otoczeni freskami, mahoniem, polerowanym mosiądzem i eleganckimi Włochami pijącymi kawę w drodze do pracy. *Semifreddo* to rodzaj bardzo słodkich lodów z wiórkami czekoladowymi i mrożoną bitą śmietaną – takie śniadanie to prawdziwy grzech, ale w tej sytuacji wydało mi się bardzo stosowne.

Nie wyglądaliśmy na idealną parę: ja nie miałam makijażu, nawet cienia szminki, bo usta miałam spuchnięte od pocałunków Bena. I choć spódnica i bluzka były już prawie suche, wyglądały, jakbym przespała w nich całą noc. Oczywiście tak nie było, ale sądząc ze sceptycznych spojrzeń osób wokół nas, wszyscy byli innego zdania.

Ben wyglądał o wiele lepiej; zastanawiałam się, jak to jest, że po namiętnej nocy mężczyźni zawsze wydają się odświeżeni i pogodzeni ze światem, podczas gdy my, kobiety, musimy się przejmować obtartym od szorowania zarostem podbródkiem, sińcami na wewnętrznej stronie ud – jednym słowem, zawsze wyglądamy tak, jakbyśmy się kochały całą noc, co, nawet jeśli jest prawdą, niekoniecznie musi być wiadome reszcie świata.

– Cześć, aniele. – Ben wetknął mi do uśmiechniętych ust łyżeczkę *semifreddo* i nagle znów wszystko było w porządku, przestałam się przejmować wyglądem i tym, co myślą inni ludzie.

– Botticelli – mruknęłam, oblizując wargi. – Skąd wziąłeś ten pomysł?

– Z jednego obrazu… a właściwie z wielu obrazów. Wiesz, tych z aniołkami o słodkich twarzach, psotnych minach i całą masą złotych loczków.

– Czy one zwykle nie są pulchne?

Ben roześmiał się i dał mi kolejną łyżeczkę lodów.

– No to lepiej wcinaj.

– Pora wracać – powiedziałam z żalem.

– Z powrotem na ziemię, co?

– Mam obowiązki.

– Ja też.

Spojrzał na mnie poważnie.

– Nie przeszkadza ci to, Gemmo? No wiesz, że poszliśmy do łóżka?

– Och, ależ skąd. – Wzruszyłam niepewnie ramionami. Przecież nie do mnie należał następny ruch, prawda? Tak bardzo wyszłam z wprawy, że nie miałam pojęcia, na czym stoję. – No wiesz – rzuciłam niezręcznie. – Takie rzeczy się zdarzają.

– Doprawdy?

Odwróciłam wzrok, przypominając sobie moje niestosowne zachowanie. Niestosowne. Boże, znów gadam jak Jane Austen. Wyuzdane, bezwstydne zachowanie brzmi chyba bardziej odpowiednio.

– No, chyba tak – odparłam od niechcenia. Ben oderwał wzrok od mojej twarzy; teraz patrzył na blat marmurowego stolika.

– Masz rację – powiedział, wstając z krzesła. – Chyba pora się zbierać.

Wróciliśmy więc do land rovera i pojechaliśmy, w prawie całkowitym milczeniu, do Bella Piacere.

O Boże, Cash, pomyślałam, ogarnięta nagłym poczuciem winy. Co ja zrobiłam?

Rozdział 46

Ben

Ben wyłączył z gniazdka maszynkę do golenia. Wetknął wtyczkę jeszcze raz, nacisnął włącznik. Nic. Teraz miał wodę, nie miał za to prądu.

Złapał ręcznik, owinął się nim w pasie i wściekły zszedł na dół do telefonu. W domu był tylko jeden aparat, w bibliotece. Ben klapnął na fotel i sprawdził w książce numer pogotowia elektrycznego. Marszcząc brwi, przyłożył słuchawkę do ucha. Nic.

Telefon też nie działał.

Poszedł do kuchni porozmawiać z Fiamettą. Drzwi na dziedziniec były zamknięte, kuchnia cicha i ciemna. Na kuchence nie bulgotał dzbanek z kawą, nie było czuć zapiekanej ciabatty.

Ben wyszedł na dwór i usiadł przy stoliku, przy którym pił kawę z Gemmą – czy to naprawdę było wczoraj?

Nagle wypełniła mu wszystkie myśli: poczuł jej zapach, miękkość jej skóry pod palcami, ujrzał uniesiony kącik ust. Uśmiechniętych ust, pomyślał czule, sam się uśmiechając. Przypomniał sobie mokrą aureolę włosów, kiedy strząsała z nich wodę w restauracji Cammillo. Przypomniał sobie też, jak powiedziała, że się nie boi, kiedy zaczynali się kochać, jej krzyki, jej smukłe nogi owinięte wokół jego pasa. Wspomnienie jej radości, jej pożądania sprawiło, że stwardniał. Uśmiechnął się smutno.

Niełatwo było zrozumieć Gemmę. W jednej chwili gorąca, w następnej mroziła go chłodem. Miał po prostu pecha; skomplikował sobie życie znajomością z tą kobietą, a przecież przyjechał tutaj szukać spokoju i wytchnienia – chciał malować, zacząć prace w willi i powoli zamienić ją w hotel, a przede wszystkim uciec od takich właśnie komplikacji. Ale po prostu nie był w stanie wygnać jej ze swych myśli.

Tak czy inaczej, miał mnóstwo pracy. Ta myśl uświadomiła mu nagle, że z dziedzińca przy stajniach nie słyszy odgłosów pracujących maszyn.

Pognał z powrotem na górę, ubrał się pospiesznie i zbiegł do starych stajni. Spychacz, koparka, betoniarka – wszystko zniknęło. Zostały tylko worki cementu i kupa piachu. Ben stał przez chwilę z założonymi rękami, gniewnie marszcząc brwi. W końcu wyszedł zza domu, wsiadł do land-rovera i pojechał do Maggie po Muffie.

Zastał je obie na nieskazitelnym trawniku za domem. Maggie uczyła Muffie grać w krokieta. Ben jęknął na widok bladozielonych włosów córki, lśniących w słońcu; zupełnie o tym zapomniał. Miała na sobie miniówkę, która ledwie zasłaniała pośladki, skąpą czerwoną bluzeczkę na ramiączkach wyszywanych cekinami i niezgrabne buty na platformach, które podwyższały ją o dobre pięć centymetrów. Jednym słowem, jego córka wyglądała jak tania dziwka. I to wszystko przez tę małą Jericho. Naprawdę nie wiedział, co myśleć o tej rodzinie.

– Cześć, tato, gramy w krokieta. – Muffie podbiegła po całusa. Ben porwał ją z ziemi i zakręcił wokół siebie. Tandetna czy nie, była jego córką i kochał ją tak samo.

– Cześć, skarbie – rzucił. – Cześć, Maggie.

– Cześć. – Maggie uderzyła kulę młotkiem i patrzyła, jak idealnym łukiem trafia w drucianą bramkę. Uśmiechnęła się, zadowolona z siebie, po czym odwróciła się do Bena i zmierzyła go wzrokiem od stóp do głów. – Dobrze się wczoraj bawiłeś?

Patrzyła na niego, jakby wiedziała o wszystkim. Miała nosa do intryg. Zawsze wyczuwała, kiedy coś się działo; zwykle wiedziała też, co to było i kto jest w to zamieszany. A na dodatek była urodzoną plotkarą.

– Przez dwa dni nie miałem wody – powiedział Ben, ignorując jej pytanie. – Dzisiaj nie mam prądu i telefonu, a Fiametta nie zjawiła się w pracy. Ani ekipa budowlana. Jestem dosłownie odcięty od świata, oczywiście miejscowego świata, i totalnie wkurzony, wybacz, skarbie – dodał na użytek Muffie – na miejscowych. To jest sabotaż, Maggie, i pomyślałem sobie, że możesz coś o tym wiedzieć.

Maggie otworzyła szeroko niebieskie oczy. Musnęła włosy, poprawiła perły i stanęła w lekkim rozkroku, przygotowując się do kolejnego zagrania. Lekko bujając młotkiem, rzuciła:

– Niby dlaczego miałabym coś wiedzieć? – Uderzyła w kulę, ale młotek ześliznął się z boku i kula potoczyła się w złym kierunku. – Do diabła.

– To była kara boska za kłamstwo – oświadczył Ben. – Ty wiesz, co jest grane, prawda? I wiesz, że to ma coś wspólnego z tymi całymi Jericho.

– Oj, tato – wtrąciła się Muffie – zawsze chcesz na nie zwalić winę za wszystko.

Maggie trzasnęła Bena młotkiem w goleń, uśmiechając się złośliwie, kiedy wrzasnął z bólu.

– To za nazwanie mnie kłamczuchą. Nic nie wiem o twoich koparkach, spychaczach i prądzie. Ale ty i Muffie możecie oczywiście zostać tutaj, dopóki wszystkiego nie wyjaśnisz. – Spojrzała na niego z ukosa. – Z czego zapewne skorzystacie. Ile by to nie trwało.

– Co masz na myśli, mówiąc: „Ile by to nie trwało"?

– Ben, mój drogi, to są Włochy. Włoska wieś. Nie przekonałeś się jeszcze, że tu wszystko działa we własnym tempie? Jedyne, co mogę ci doradzić, to żebyś porozmawiał z burmistrzem. O tej godzinie można go zwykle zastać w barze Galileo, gdzie pije swoją pierwszą grappę. Może jego zapytaj, co jest grane.

Guido Verdi, burmistrz Bella Piacere, też miał sporo roboty w swojej małej winnicy. Hodował w niej winogrona Trebbiano, które sprzedawał dużym wytwórniom wina. Był właścicielem pięciu hektarów pola na zboczu kredowego wzgórza. Jego krzewy rosły w równiutkich rządkach; na końcu każdego zasadzony był krzak róży. Ale róże nie służyły wyłącznie do ozdoby, choć Guido lubił ich kwiaty. Chodziło głównie o to, że szkodniki atakowały najpierw je, Guido mógł więc zadziałać, zanim dobrały się do bezcennych winogron. W swoim małym świecie Guido osiągnął sukces. Miał niewielkie gospodarstwo, bardzo podobne do farmy Rocca, miał żonę, syna oraz dwoje wnucząt i był burmistrzem swojej wsi. Był szczęśliwym człowiekiem. I codziennie o jedenastej wyruszał do Bella Piacere do baru Galileo.

Dziś też siedział na plastikowym zielonym krześle i oglądał mecz piłki nożnej w starym telewizorze z czarno-białym zaśnieżonym obrazem. Z radością wypił kieliszek grappy i teraz zapijał ją zimnym peroni, swoim ulubionym piwem. Towarzyszył mu stary przyjaciel Rocco Cesani. Obaj przyszli prosto z pola i mieli na sobie zwykłe robocze ubrania – wyświechtane szorty, koszulki i gumiaki.

Kiedy Ben wszedł przez drzwi podparte pustą beczką po piwie, Guido i Rocco śmiali się z czegoś serdecznie, pochylając do siebie głowy. Carlo, właściciel baru, płukał szklanki za laminowanym kontuarem; Ben zauważył, że tu nie brakuje ani prądu, ani wody. Wszyscy trzej zerknęli w jego stronę, kiwnęli uprzejmie głowami, po czym wrócili do powtórki meczu Florencja kontra Mediolan.

Ben przyciągnął sobie krzesło i usadowił się między dwójką przy stoliku a telewizorem.

– *Signor* Verdi, Rocco – zaczął – przyszedłem tu w ważnej sprawie. W willi przez dwa dni nie było wody. Teraz odcięto mi elektryczność i telefon, a maszyny budowlane zniknęły, razem z robotnikami. Chcę wiedzieć, co się dzieje.

Dwaj mężczyźni spojrzeli na siebie ukradkiem. Z idealną synchronizacją wzruszyli ramionami, rozłożyli ręce i powiedzieli jednocześnie:

– Może po prostu ma pan pecha, *signor* Ben. Może zaszła jakaś pomyłka z rachunkami...

– To samo mi powiedzieli w wodociągach. Zapłaciłem tak zwane zaległe koszty. A teraz co mam zrobić? Jechać do firmy telekomunikacyjnej? Do elektrowni? Szukać robotników? Zapłacić następne „zaległe koszty"?

Burmistrz wzruszył ramionami.

– Jeśli właśnie to trzeba zrobić, *signor* Ben, to chyba nie ma pan innego wyjścia.

Ben spojrzał im obu w oczy. Odwrócili wzrok. Wiedział, że wiedzą więcej, niż chcą powiedzieć, a oni wiedzieli, że on wie.

– Wszystko da się wyjaśnić, *signore* – zapewnił Rocco. – Potrzeba tylko trochę czasu.

– Ile czasu, Rocco? – Ben uderzył pięścią w oparcie krzesła i natychmiast tego pożałował; zabolało jak diabli, prawie tak samo jak cios młotkiem Maggie.

Rocco znów tylko wzruszył ramionami – ten mały, wyrazisty gest i przebiegły uśmiech mówiły więcej niż słowa.

– *Signore* – powiedział – to są Włochy.

Ben wstał z krzesła i odstawił je ostrożnie na miejsce. Poprosił barmana o jeszcze jedną grappę dla burmistrza i Rocca. Wychodząc, zatrzymał się w drzwiach.

– Nie, Rocco – rzucił, wściekły jak wszyscy diabli. – To nie tylko Włochy. To sabotaż.

Ben Raphael wyszedł pospiesznie, by poszukać Gemmy Jericho i jej kłopotliwej rodzinki.

Rozdział 47

Siedziałam wyciągnięta na starym wiklinowym leżaku w ogrodzie za hotelem, gapiąc się na małe zielone winogrona wiszące nad moją głową. W promieniach słońca sączących się przez listowie tańczył kurz, fruwały pyłki kwiatów i różne inne, z całą pewnością wywołujące alergię drobinki. Śledziłam je wzrokiem, leniuchując na całego. W głowie miałam pustkę, ciało wyssane z energii, uczucia odrętwiałe. Ręka, która zsunęła się z leżaka, zwisała bezwładnie. Uniesienie jej byłoby zbyt wielkim wysiłkiem.

Nie myślałam o Benie – myślałam o Cashu. O tym, jak zabrał mnie do Teksasu, bym poznała jego rodzinę. Oczywiście Livvie też z nami była. Cash powiedział, że chce się pochwalić swoją nową, gotową rodziną, a mała Livvie była zachwycona, że przeleci się samolotem.

Cash i ja byliśmy ze sobą już prawie od roku, choć tak naprawdę razem mieszkaliśmy tylko w weekendy. Niedziele u Nonny nabrały zupełnie nowego znaczenia. Nareszcie czułam, że przede mną jest jeszcze coś poza tym niedzielnym obiadkiem.

234

Cash grał w teatrze, ja ciężko pracowałam i mieliśmy dla siebie tylko tyle czasu, ile udało się wygospodarować między naszymi wariackimi godzinami pracy. Kochaliśmy, żyliśmy, opiekowaliśmy się Livvie – razem. Nigdy nie przyszło mi nawet do głowy, że moglibyśmy się rozstać. To było to. Do końca życia. Na wieki wieków. Byłam zakochana w nim i w moim nowym życiu.

Mężczyzna, który wyglądał jak starsza wersja Casha, wyszedł po nas na lotnisko Dallas/Fort Worth. Ojciec Casha, oczywiście. Włosy miał srebrne, a nie jasnoblond, jak Cash, ale oczy takie same, niebieskie, tyle że z kurzymi łapkami w kącikach, pewnie od wpatrywania się w te wszystkie niezmierzone hektary. Uścisnął mnie, po czym wziął w ramiona Livvie.

– Panienka pewnie już za duża, żeby ją nosić na barana? – zapytał.

Wciąż pamiętam swobodny śmiech Livvie, kiedy powiedziała, że oczywiście jest za duża, ale ciągle to lubi. Ruszyli ręka w rękę do wielkiego terenowego chevroleta, zakurzonego i zawalonego częściami maszyn, zwojami lin i innymi „męskimi" gratami. On i Cash, i ten samochód byli tak macho, że niemal wyczuwałam w powietrzu testosteron. I byłam zachwycona. Nawet nie wiecie, jak bardzo. Nigdy w życiu nie czułam się pewniej i bezpieczniej.

– Więc jesteś lekarką – zagaił Matt Drummond, uśmiechając się do mnie we wstecznym lusterku.

– Zgadza się – odparłam, nagle zawstydzona.

– Wiele razy powtarzałem Cashowi, że powinien sobie znaleźć mądrą dziewczynę – powiedział. – Mózg jest zawsze ważniejszy od urody.

Spojrzałam przerażona na swoje odbicie w lusterku. Naprawdę wyglądałam aż tak źle?

– Ale Cashowi się poszczęściło – dodał Matt. – Ma jedno i drugie.

Roześmialiśmy się wszyscy. Livvie zaczęła wypytywać, kiedy zobaczy konie i ile mają hektarów, i czy mają psa; miała nadzieję, że dużego.

Jechaliśmy strasznie długo; w końcu Matt skręcił w bramę z drewnianymi słupami i żelaznym łukiem zwieńczonym splecionymi literami D i R. Dalej asfaltowa droga przecinała hektary łagodnie pofalowanych pastwisk okolonych pagórkami. Jakieś dwa kilometry dalej ujrzałam dom. Typowy niski i rozłożysty wiejski bungalow, drewniany, kryty dachówką, pomalowany na biało z zielonymi wykończeniami i z mnóstwem czyściutkich, błyszczących w słońcu okien. I z Mariettą Drummond czekającą na ganku, by nas powitać.

– Witam, witam – zawołała, otwierając szeroko ramiona, gotowe uściskać nas wszystkich.

Po powitaniach i zachwytach nad Livvie pokazano nam dom i nasze sypialnie. Ja i Cash dostaliśmy jego dawny pokój, pełen proporczyków i nagród pływackich z czasów liceum. Był tu nawet oprawiony w ramki dyplom ukończenia Teksaskiej Akademii Sztuk Pięknych. Nie mogłam zrozumieć, jak to się stało, że opuścił ten bezpieczny dom, bezpieczne życie, bezpieczną karierę ranczera, która była dla niego stworzona – i postanowił zostać aktorem. Ja na jego miejscu nie ruszyłabym się stąd.

Cudownie było być tam z nim, jako jego dziewczyna i przyszła żona. Nie byliśmy oficjalnie zaręczeni, nie nosiłam jeszcze pierścionka, ale, jak mówił Cash, to było „zapisane w gwiazdach” i wiedziałam, że to prawda. Rozmawialiśmy o domu na wsi i obiecaliśmy Livvie największego psa na świecie – nowofundlanda, którego namiastką był na razie Sindbad. Zamierzałam odmienić swoje życie, przenieść się do

Connecticut, znaleźć pracę w miejscowym szpitalu, z krótszymi dyżurami, żebyśmy mogli spędzać więcej czasu razem.

Cash, mój piękny Cash ze złotymi włosami i oczami po ojcu, z ciałem, które tak doskonale pasowało do mojego, jego miłość do mnie... i moja do niego. Powiedziałam mu, że nigdy nie pragnęłam nikogo innego. I mówiłam prawdę.

Zupełnie inaczej kochało się nam w jego sypialni ze szkolnych czasów, w jego domu rodzinnym, ze świadomością, że rodzice śpią na drugim końcu korytarza. Robiliśmy to ciszej, niemal ukradkiem, z poczuciem winy, chichocząc głupio, kiedy tuliliśmy się do siebie, tak czule, tak niesamowicie czule. Tacy zakochani.

Następnego dnia wybraliśmy się na objazd rancza, udając kowbojów. Cash był w tej roli doskonały, a Livvie okazała się wprost stworzona do takich imprez. Ja pod koniec dnia miałam obolały tyłek i udar słoneczny; teraz już rozumiałam, po co się nosi te wielkie kapelusze i skąd się biorą kurze łapki w kącikach oczu. Ku zachwytowi Livvie jeden z pięciu psów zakochał się w niej i łaził za nią, gdziekolwiek się ruszyła. Wieczorem urządzono gigantyczne barbecue; zaproszona była cała rodzina, wszyscy przyjaciele i sąsiedzi.

Tego wieczoru Cash ogłosił, że zaproponowano mu pracę w filmie – jego pierwszym filmie. Nie była to główna rola, ale i nie żaden ogon, i bynajmniej nie miał grać kowboja. Miał być hollywoodzkim detektywem w kryminale w stylu Raymonda Chandlera. I naturalnie oznaczało to, że będzie się musiał przenieść do Hollywood.

– Oczywiście tylko tymczasowo, kochanie – powiedział, obejmując mnie w pasie i przytulając mocno. – W głębi duszy jestem aktorem scenicznym. Niedługo wrócę.

Na myśl, że go stracę, że wyjedzie do Hollywood, choćby tylko na krótko, poczułam ściskanie w gardle. Ale mieliśmy tak wiele, a nasza miłość była tak silna, że nie mogło się wydarzyć nic złego.

A jednak.

Z rozmyślań o Cashu i przeszłości wyrwał mnie głos Bena Raphaela. Serce biło mi jak nastolatce w mękach pierwszej miłości, kiedy wybiegłam na jego spotkanie.

Siedział naprzeciw Nonny na twardej zielonej kanapie. Ręce miał założone na piersi. Gdy weszłam, uniósł wzrok, ale nie uśmiechnął się. O Boże, pomyślałam, co znowu?

Zobaczyłam Amalię przyczajoną w korytarzu; obok z otwartymi ustami stała Laura, jej córka. Nawet nie próbowała udawać, że nie podsłuchuje.

– Pani Jericho – usłyszałam słowa Bena – mam powody podejrzewać, że to pani jest przyczyną moich kłopotów z willą.

– O czym ty mówisz? – Stanęłam obok Nonny, obronnym ruchem kładąc jej rękę na ramieniu. – Chodzi o twoją wodę? Znowu? Już ci mówiłam, że nie mamy z tym nic wspólnego.

– Jasne. I pewnie ani wy, ani wasi wspólnicy, Rocco Cesani i burmistrz, nie macie pojęcia, dlaczego odcięto mi elektryczność i telefon, a moi robotnicy zniknęli, zabierając ze sobą ciężki sprzęt?

Przez chwilę byłam zbyt osłupiała, by się odezwać. Nonna też milczała; pomyślałam, że musi być oburzona tymi oskarżeniami.

– Przyszedłem wam powiedzieć, że jeśli nie zaprzestaniecie tego sabotażu, będę zmuszony podjąć kroki prawne – powiedział Ben.

Tego było już za wiele. Zachowywał się tak, jakby zeszłej nocy w ogóle nie było. Byliśmy obcymi ludźmi, wrogami prowadzącymi otwartą wojnę.

– Jeśli pan, panie Raphael, nie przestanie szkalować mojej matki i mnie – oświadczyłam wyniośle – ja też będę zmuszona podjąć kroki prawne.

Podniósł się z kanapy. W tej dawnej oborze o niskim belkowanym suficie wydawał się bardzo wysoki.

– W ten sposób mnie pan nie onieśmieli – rzuciłam z nadzieją.

Posłał mi długie spojrzenie tych swoich zielonkawozłotych oczu, z których nie potrafiłam nic wyczytać.

– Przepraszam, jeśli to zabrzmiało… nieuprzejmie – powiedział sztywno. – Ale mówiłem poważnie.

Nasze oczy znów się spotkały. Czułam spojrzenie Nonny miotające się między nami. Przez długą chwilę panowała cisza. W końcu Ben odwrócił się i wyszedł.

O Boże, pomyślałam. Właśnie zniknął z mojego życia.

Rozdział 48

Co się dzieje między wami? – zapytała Nonna.

Wzruszyłam ramionami.

– Jak widziałaś, nic. Absolutnie nic.

– Ha, dobrze wiem, co widziałam. – Siedziała na twardym zielonym krześle, chłodna i opanowana. Spojrzała na mnie spokojnie. – Mogłaś mi powiedzieć, że coś się dzieje. Podeszłybyśmy do sprawy zupełnie inaczej.

– Jakiej sprawy? Masz na myśli willę? Jezu, mamo, tylko mi nie mów, że jednak masz z tym coś wspólnego!

– Ja niczego nie zrobiłam. Ale mam przeczucie, że Ben Raphael dostał to, na co zasłużył. Jeśli miejscowi obrócili się przeciw niemu, to nie ma szans zrealizować swoich planów założenia hotelu. W mojej willi – dodała.

Gorączkowo przeczesałam palcami włosy. To było jakieś szaleństwo. Całym sercem zapragnęłam znaleźć się z powrotem na mojej bezpiecznej urazówce, mieć do czynienia z życiem i śmiercią – bo to potrafiłam najlepiej. Tutaj było zbyt wiele komplikacji, emocji, zbyt wiele... napięcia.

Z kieszeni szortów wygrzebałam kluczyki do samochodu.

– Jadę do Maggie Marcessi – powiedziałam, idąc do drzwi.

– A po co? – Zaniepokojona Nonna pobiegła za mną.

– Żeby mi postawiła tarota – odparłam.

– Moja droga, to dopiero niespodzianka. – Maggie leżała na obitej pomarańczowym perkalem kanapie, z nogami opartymi o szklany stolik do kawy, w „małym" salonie. Dziś ubrała się w fiolety: miała na sobie wzorzystą sukienkę kończącą się sporo powyżej kolan (była taka dumna ze swoich nóg), z głębokim dekoltem ozdobionym ametystową broszką w kształcie motyla. Od szyi aż do brzegu sukienki wiło się boa z piór, a pulchna talia była przewiązana szarfą. Na nogach miała liliowe klapki z wężowej skórki, które, jak wszystko, co nosiła, wyglądały na bardzo drogie.

Poklepała kanapę, wskazując mi miejsce obok siebie.

– Bardzo ładnie wyglądasz – pochwaliłam, zapadając się w puchowe poduszki.

– Lubię dobrze dobrane kolory, kochanie. To zawsze działa. Znam się na kolorach, tak samo jak na tarocie. I na czytaniu z fusów herbacianych. W tym też jestem niezła.

Dotknęła swojej wysokiej rudej fryzury upiętej diamentowymi szpilkami i rzuciła mi przebiegłe spojrzenie.

– Spodziewałam się ciebie – oznajmiła.

– Naprawdę?

– Ben już tu był.

– O! – Zmieszana zagapiłam się na własne stopy w starych adidasach.

– Ładnie pachniesz, moja droga – odwzajemniła komplement po chwili.

– To Violetta di Parma – odparłam. – Fiołki.

– Wiem.

– Maggie – usłyszałam we własnym głosie desperację – chcę, żebyś mi postawiła tarota.

– Oczywiście, dziewczyno. Chcesz znać swoją przyszłość. I może też część przeszłości. – Podeszła do małej zabytkowej sekretery. Wyjęła karty i poprosiła mnie, żebym usiadła przy stoliku pod oknem.

– No dobrze – powiedziała i roześmiała się figlarnie. – Zobaczmy, co zobaczymy.

– Ja już chyba wiem co – odparłam, ale Maggie pokręciła głową.

– Los jest kapryśny, moja droga, pamiętaj o tym. Nikt z nas nie wie, co go czeka za następnym zakrętem. – Podała mi karty do przetasowania. – No, zaczynamy.

Rozłożyła karty i wpatrzyła się w nie zamyślona.

– Hm – mruknęła. Wyłożyła na stół więcej kart, mrucząc pod nosem komentarze, z których nic nie rozumiałam.

– Co to wszystko znaczy? – zapytałam. Zaczęła mi opowiadać o stopniach wtajemniczenia, pukając upierścienionym palcem w Jokera czy też Głupca; byłam pewna, że to właśnie moja karta.

– Oszukujesz się, moja droga – zauważyła, spoglądając na mnie znad dwuogniskowych okularów. – To twoja główna wada. Nie umiesz stawić czoła rzeczywistości.

– Przecież codziennie stawiam czoło rzeczywistości. – Miałam na myśli szpital.

– Ale nie swojej własnej, kochana – odparła cicho. – Nigdy swojej własnej. Popatrz tutaj. – Wskazała inną kartę. – Widzę ból i jakąś barierę. Wielką rzekę, którą musisz przekroczyć.

Spojrzała na mnie ciekawie, ale ja wzruszyłam tylko ramionami.

– To zgadłaś już wcześniej – zauważyłam sceptycznie.

– Widzę przed tobą kłopoty – ciągnęła – trudności…

Zaczęłam żałować, że poprosiłam ją o wróżbę.

– Aha! – wykrzyknęła zachwycona. – Ciemnowłosy mężczyzna. – Spojrzała na mnie rozpromieniona. – Ben Raphael. Oczywiście!

– Maggie, czy ty naprawdę czytasz z kart, czy po prostu mnie nabierasz?

– Oczywiście, że czytam z kart. Jestem trochę czarownicą, naprawdę. A przynajmniej drugi mąż tak mnie nazywał. O, popatrz teraz, Gemmo. Masz randkę z przeznaczeniem.

– Wolałabym raczej happy end – powiedziałam z nadzieją, ale Maggie odparła, że to zależy ode mnie.

– Spróbujemy jeszcze raz, w przyszłym tygodniu, moja droga. Karty na pewno się wtedy zmienią – zaproponowała z psotnym uśmieszkiem.

Napiłyśmy się herbaty, ale nie zgodziłam się, by wróżyła mi z fusów. Pogryzając suche angielskie ciastko, zapytała mnie, na czym stanęliśmy z Benem.

– W martwym punkcie – odparłam. – Gorzej. Teraz to już wojna. – Opowiedziałam jej, o co oskarżył mnie i Nonnę.

– Myślisz, że może mieć rację? – spytała zaintrygowana.

– Oczywiście, że nie! Nigdy w życiu nie zrobiłabym czegoś takiego!

Maggie upiła łyk herbaty.

– Przemyśl to, moja droga. Jest takie stare powiedzenie, że nie ma dymu bez ognia. Teraz już wiem, że między wami coś się dzieje. Widziałam twarz Bena i widzę twoją. Pogódź się z nim, moja droga, dobrze ci radzę.

Jadąc do domu, myślałam o tym, co mi powiedziała.

Rozdział 49

Minęły dwa dni bez wieści od Bena. Siedziałam w swoim pokoju, rozczulając się nad sobą z powodu letniego przeziębienia, które złapałam pewnie podczas tamtej ulewy. Usiłowałam pogodzić własne sumienie z czynami, ale jakoś mi się nie udawało. Pójście do łóżka z Benem z pewnością nie było słusznym posunięciem. Złamałam przyrzeczenie. Znów zaryzykowałam. Ale to uczucie zakochiwania się na zabój było takie wspaniałe, zmysłowe, a jednocześnie tak przerażające. Czy to mogła być miłość? Taka jak do Casha? Oczywiście, że nie. To był tylko krótki romans. I skończył się.

Przypomniałam sobie naszą ostatnią konfrontację. Ben naprawdę wierzył, że jego kłopoty z willą mają coś wspólnego ze mną. To wszystko wina tego łajdaka Donatiego, a Donati zniknął bez śladu, rujnując mi życie.

Wściekła jak diabli popędziłam do telefonu i jeszcze raz wykręciłam numer Donatiego. Oczywiście nikt nie odebrał. Teraz byłam już pewna, że ten oszust zagarnął pieniądze Bena i ulotnił się z nimi i z jedyną kopią testamentu hrabiego Piacere. A moją jedyną szansą rozwiązania całej sytuacji było pójść do Bena, powiedzieć mu to wszystko i zaproponować, żebyśmy razem wynajęli detektywa, który znajdzie Donatiego. „To jedyny sposób, żeby poznać prawdę", powiem mu. Na pewno uzna to za rozsądne wyjście.

Odwiesiłam słuchawkę aparatu na ścianie i zobaczyłam Amalię snującą się po korytarzu. Udawała, że odkurza.

– *Buona sera*, *dottoressa* – powiedziała. – Mam nadzieję, że pani zdrowieje. – Mówiła po włosku, ale na tyle się już osłuchałam, że zrozumiałam, o co chodzi. Powiedziałam, że dzięki, ale niestety nie, i wskazałam swój czerwony nos i załzawione oczy.

– Widziałam dziś rano pana Bena – rzuciła. Nadstawiłam uszu. – Wyjeżdżał na dwa dni do Rzymu – dodała. – W interesach. Ale już wrócił.

– Och, *grazie* – powiedziałam, bo nic innego nie przyszło mi do głowy. Lecz mój mózg pracował już na przyspieszonych obrotach. W pierwszej chwili chciałam do niego zadzwonić, ale przypomniałam sobie, że przecież nie ma telefonu. Była czwarta po południu. Nonna i Livvie pojechały na wycieczkę do bajecznych ogrodów w La Foce pod Pienzą. To była moja szansa. Teraz albo nigdy.

Nonna zabrała samochód, więc do willi musiałam iść pieszo. Wyjrzałam przez okno, by sprawdzić, jaka jest pogoda. Słońce przykrywała chmura i nie było już tak gorąco. Po raz pierwszy od dwóch dni zdjęłam szlafrok, włożyłam szorty i koszulkę, posmarowałam się kremem z filtrem, uczesałam niesforne włosy, przypudrowałam nos i uznałam, że nie ma sensu się szminkować. Na głowę wcisnęłam słomkowy kapelusz.

Obficie spryskałam się Violetta di Parma i wyszłam. Na randkę z przeznaczeniem, pomyślałam, wspominając słowa Maggie.

Willa była o wiele dalej, niż myślałam, a na dodatek stała na wzgórzu. Był też o wiele większy upał, niż mi się wydawało. Zanim dotarłam na miejsce, szorty poocierały mi uda, a koszulka przylepiła się do pleców. Land rover stał przy fontannie. Ben był w domu.

– Cześć – zawołałam, wchodząc do chłodnego holu. – Cześć, Ben, to ja. – Nawołując cały czas, wyszłam przez oszklone drzwi na taras.

Ben pił zimnego drinka. Obok niego siedziała wysoka skandynawska piękność, chłodna niczym Królowa Śniegu. Jej jasne włosy zaczesane do tyłu odsłaniały idealną twarz. Na nosie miała ciemne okulary, ubrana była w nieskazitelnie biały len. Nawet paznokcie stóp w drogich sandałach wyglądały idealnie, pomalowane błyszczącym brzoskwiniowym lakierem. Była olśniewająca, seksowna – jasnowłosa wersja Nicole Kidman. A Ben był tak nieosiągalny, że równie dobrze mógł być Tomem Cruise'em.

Tamta deszczowa noc, chłodne białe łóżko w starym hoteliku z rubinowymi lampkami i widokiem na Arno – to wszystko wydawało się odległe o całe lata świetlne.

Ben wstał z leżaka; blondyna gapiła się tylko, jakby w życiu nie widziała czegoś takiego jak ja.

– Gemmo, to jest Luiza Lohengrin.

Poczułam się pospolita już od samego dźwięku jej nazwiska!

– Przepraszam, nie ch-ch-chciałam p-p-przeszkadzać – powiedziałam, uśmiechając się, jak gdyby nigdy nic. – Wpadnę kiedy indziej, Ben. – Do diabła, jąkałam się. Nie powinnam była tu przychodzić. Odwróciłam się na pięcie i weszłam prosto w szklane drzwi, które zamknęły się za mną.

Odbiłam się jak gumowa piłka. O Boże, chyba zaraz umrę. Wcisnęłam ciemne okulary z powrotem na obolały nos i wyszłam godnym krokiem, niczym królowa.

Usłyszałam, że Ben mnie woła, ale mnie już nie było – pędziłam rozjeżdżonym żwirowanym podjazdem, potykając się o kępy chwastów i przeklinając siebie za to, że jestem taką żałosną idiotką. Oczywiście miał mnie w nosie... zawsze tak było... wystarczy spojrzeć, z kim teraz jest... i wystarczyły mu całe dwa dni, żeby ją wynaleźć.

Do diabła z nim! Szłam dalej, sama, z krwawiącym sercem. Nie powinnam była tego robić, nie powinnam była się z nim kochać, nie powinnam była wpuścić go do swojego życia. Tamte rubinowe lampy rzucały zbyt romantyczne światło na chłodne białe łóżko, na nasze rozpalone ciała. O Boże, nie byłam w stanie o tym myśleć. Czułam się taka upokorzona.

Obejrzałam się na Villę Piacere, taką spokojną w cieniu drzew, otoczoną toskańskimi wzgórzami. Kiedy zobaczyłam ją po raz pierwszy, pomyślałam, że to raj.

Teraz raj legł w gruzach.

Dotarłszy do swojego bezpiecznego białego pokoju, rzuciłam się na łóżko. Moja wściekłość rozpłynęła się we łzach. Znów myślałam o Cashu. Nie płakałam od dawna – widocznie od zbyt dawna, bo teraz łzy nie chciały przestać płynąć. Strugami wypływały z oczu i ściekały do uszu, moczyły poduszkę, ale to nie przynosiło ani odrobiny ulgi mojej znękanej duszy. Nic mi nie przychodziło z tych łez.

Po jakiejś godzinie usiadłam, wydmuchałam nos, z trudem dźwignęłam się na nogi i podeszłam do gigantycznej starej szafy zasłaniającej całą ścianę. Znalazłam swój worek marynarski i wyciągnęłam sweter, który przechowywałam jak skarb. Z miękkiego kaszmiru. Jasnoszary. Sweter Casha.

Przytuliłam go do twarzy, szukając jego zapachu jak zwierzę, ale to było tak dawno, że nie został po nim nawet ślad. Została tylko szara wełna. I wspomnienia. Wtuliłam twarz w sweter i znów zapłakałam, już spokojniej.

Zanim Nonna i Livvie wróciły, zdążyłam zmyć pod prysznicem pot, złość i stresy całego dnia i pozbierać się jakoś. Ale jedno spojrzenie na ich przerażone twarze powiedziało mi, że musiały coś zauważyć. Pewnie podpuchnięte oczy i stłuczony nos, czerwony jak u renifera Rudolfa.

– Mamo! – Livvie w mgnieniu oka była przy mnie. – Co się stało? Nic ci nie jest?

Widziałam, że sama jest bliska łez na widok mojego stanu. Uścisnęłam ją i uspokoiłam, że nic mi nie będzie.

– Co się stało, Gemmo? – zapytała Nonna, bardzo spokojnie jak na nią. Chociaż raz nie zgrywała włoskiej matrony. Zrozumiałam, że naprawdę się martwi.

– Muszę stąd wyjechać na trochę – powiedziałam, starając się opanować drżenie głosu wywołane ich współczuciem. – To znaczy… Po prostu muszę… muszę i tyle.

Ten jeden raz Nonna nie wypytywała mnie o nic; kiwnęła tylko głową i powiedziała:

– Wyjedziemy jutro. Zawsze chciałam zobaczyć wybrzeże Amalfi, a Livvie też dobrze zrobi kilkudniowy pobyt nad morzem.

Rozdział 50

Wybrzeże Amalfi na południe od Neapolu to długi odcinek serpentyn zawieszonych nad stromą przepaścią schodzącą do morza. Ale ja nie byłam w stanie podziwiać jego piękna. To było prawdziwe piekło – musiałam zjeżdżać z drogi trąbiącym ciężarówkom, które pędziły szosą, jakby należała wyłącznie do nich, i wycieczkowym autokarom pełznącym w dół samym środkiem. Jedyną atrakcją, jaką mogłam się cieszyć, byli półnadzy opaleni młodzieńcy na starych skuterach, jadący na plażę. Nawet w moim stanie nie mogłam ich nie zauważyć, możecie więc sobie wyobrazić, jacy byli boscy.

Szaleni Włosi w małych fiatach śmigali koło nas na zakrętach, samochody zajeżdżały nam nagle drogę, by zaparkować, piesi nonszalancko włazili mi pod koła, sprzedawcy lodów zastawiali wózkami jezdnię, a między samochodami szwendały się leniwie psy. Zauważyłam, że wiele z nich kulało.

Livvie i Nonna spały na tylnym siedzeniu. Podróż trwała wiele godzin, a teraz tkwiłyśmy w korku w małym nadmorskim miasteczku; samochody pełzły w upale jednopasmówką. Wydawało się, że zostaniemy tu już na zawsze. Opuściłam szybę i wystawiłam łokieć na zewnątrz, modląc się o wiatr i zerkając we wsteczne lusterko na moją matkę i córkę.

Zaniepokojona przyglądałam się Nonnie. Twarz miała poszarzałą, cerę woskową. Nie zauważyłam tego wcześniej. Wmawiałam sobie, że to przez tę długą jazdę; prawdopodobnie to tylko wina zmęczenia i upału.

Opierałam się znużona o kierownicę, czekając, aż korek przebrnie przez miasto. Zastanawiałam się, co jest nie tak z moim życiem, kiedy nagle zauważyłam staruszka kuśtykającego po dziurawym chodniku. Na rękach niósł wspaniałego białego persa.

Pomarszczona twarz starca rozciągała się w bezzębnym uśmiechu, kiedy unosił kota, by mogli go podziwiać przejeżdżający. Futro kota było śnieżnobiałe, gęste i miękkie; włosy mężczyzny rozczochrane, rzadkie, nierówno posiwiałe. Wielkie niebieskie oczy kota obserwowały nas leniwie; czarne i małe jak guziki oczy staruszka lśniły dumą pośród zmarszczek. Mężczyzna był sękaty, zgarbiony – na pewno był biedakiem, może nawet żebrakiem, a jednak zawiązał na szyi swojego kota czerwoną kokardę i wyszczotkował długie jedwabiste futro.

W końcu ostrożnie posadził kota na falochronie.

– *Guardate* – krzyknął do nas. – *Guardate tutti, la mia principessa. Vedete quanto bella è.* – Popatrzcie wszyscy na moją księżniczkę. Popatrzcie, jaka jest piękna.

Z jadących w żółwim tempie samochodów wyjrzały głowy, ludzie patrzyli z szeroko otwartymi oczami. Stary wieśniak machał ręką, wskazując dumnie swoją kotkę; ludzie śmiali się i krzyczeli do niego:

– *Quanto bello, è allinare una principessa.* – Pięknie, to naprawdę księżniczka.

Staruszek ukłonił się pokornie.

– *Gràzie, gràzie, signori.*

A kotka spokojnie patrzyła na nas, widzów. Powoli wyciągnęła przednią łapę, jakby chciała spojrzeć na swój manikiur, i ziewaniem przyjmowała wiwaty.

Nagle uderzył mnie patos tego obrazka, duma starego człowieka, jego miłość, jego potrzeba pochwalenia się jedyną piękną rzeczą w jego życiu. Nie wyciągał kapelusza. Nie żebrał. Nie prosił o nic w zamian, zależało mu tylko, byśmy podziwiali urodę jego kotki.

Kiedy korek powoli pełzł naprzód, a staruszek i jego *principessa* zostali w tyle, po moich rozpalonych policzkach potoczyły się łzy. Płakałam nad starym wieśniakiem i jego pięknym kotem, wypłakiwałam cały nagromadzony we mnie smutek: codzienną walkę, emocjonalną szamotaninę na intensywnej terapii, kiedy życie wymykało mi się z rąk, a ja musiałam godzić się z faktem, że jestem tylko człowiekiem, tylko lekarzem, a nie Bogiem. Płakałam nad samotnością, którą usiłowałam odepchnąć od siebie, zaprzeczać jej, a którą teraz, przez Bena, poczułam tak mocno. Płakałam nad Cashem i nad Benem, i nad własnymi utraconymi uczuciami.

To było jak objawienie. Bo ten staruszek i jego piękny biały kot sprawili, że wreszcie dostrzegłam, jak naprawdę wygląda moje życie. I po raz pierwszy zadałam sobie pytanie: czy naprawdę nie czeka mnie nic więcej?

Jeśli ta cała podróż do Włoch miała w ogóle jakiś sens, to być może odnalazłam go właśnie tutaj.

Rozdział 51

Zatrzymałyśmy się w San Pietro, małym, wygodnym hotelu w wiejskim stylu, przylepionym do stromego klifu w Positano. Wnętrza były luksusowe, choć proste: chłodna biel ścian, mnóstwo świeżych kwiatów, a za oknem spadająca setki metrów w morze przepaść, od której kręciło się w głowie. Z mojej sypialni, przestronnej, z podłogą wyłożoną kafelkami dla złagodzenia upału, wychodziło się na ukwiecony balkon, z którego można było podziwiać słoneczną panoramę błękitnego morza. Zewnętrzna ściana łazienki była wbudowana w nachylone ku morzu urwisko, tak że leżąc w wannie, można było obserwować przez okno śmigające daleko w dole łódki.

Był wieczór; magiczna pora, tuż zanim zmrok zamieni się w noc, kiedy morze przybiera kolor głębokiego, podświetlonego błękitu, a niebo niesamowitej chromowej szarości. Siedziałyśmy na pięknym, oplecionym pnączami bugenwilli i oświetlonym lampami tarasie, ale zauważyłam, że Livvie nie podziwia widoków. Wpatrywała się posępnie w szklankę lemoniady. Wydawała się dziwnie zagubiona.

Zrozumiałam, że jej nie wystarcza cała ta sceneria, całe to piękno. Nudziła się; potrzebowała towarzystwa innych młodych ludzi, brakowało jej akcji. Westchnęłam, nie wiedząc, co robić.

Czarujący szef sali uśmiechnął się do nas promiennie; wyjaśnił nam, że nie musimy wybierać potraw z menu.

– Proszę, *signore* – rzekł, rozkładając szeroko ręce, by poprzeć swoje słowa – powiedzcie mi, czego chcecie, a dostaniecie to. Jesteśmy tu po to, by spełniać wasze marzenia.

Marzenia ściętej głowy, pomyślałam ponuro, ale nagle usłyszałam Livvie:

– No dobra, ja poproszę pudding z pszenicy. – Zgromiłam ją wzrokiem. Wiedziałam, że po prostu chce ich sprawdzić.

– Ależ oczywiście, jeśli to jest pani marzeniem. – Kelner wydawał się zasmucony, że zażyczyła sobie tylko pudding z pszenicy. Livvie zrobiła głupią minę. Widać było, że już pożałowała swojego wyboru.

– Może jednak zjem pizzę – powiedziała zgaszonym głosem.

Kelner uśmiechnął się i oznajmił:

– Pani życzenie jest dla mnie rozkazem, *signorina*.

Po kilku minutach zjawił się z cienką, chrupiącą margheritą prosto z rozżarzonego, opalanego drewnem pieca na końcu tarasu. Widziałam, że Livvie jest pod wrażeniem. Uśmiechnęła się i podziękowała, choć ten jeden raz pamiętając o dobrych manierach.

Nie pamiętam, co jadłyśmy, wiem tylko, że było przepyszne. I że kiedy jadłyśmy, nad zatoką puszczano fajerwerki, które przypomniały nam o przyjęciu w Villi Piacere, a mnie przypomniały Bena. Jakbym potrzebowała przypominania.

Później, kompletnie wykończona, wczołgałam się do wielkiego łóżka. Piękna lniana pościel pachniała wiatrem i słońcem; głośne granie cykad za otwartym oknem działało uspokajająco. Noc była gorąca, byłam więc naga pod prześcieradłem. Odrzuciłam je na bok i leżałam tak w rozgwieżdżonej ciemności, w towarzystwie gry świerszczy, szumu morza i własnych myśli. Nie byłam przyzwyczajona sypiać nago; nie robiłam tego od dawna. A właściwie od zeszłego tygodnia… kiedy byłam z Benem.

A to było tak dawno temu.

Rozdział 52

Livvie

Ranek był słoneczny, zapowiadał się upalny dzień. Splątana bugenwilla nad głową Livvie jarzyła się liliowymi, różowymi i łososiowymi kwiatami; poniżej chłodny błękit morza skrzył się kusząco. Livvie jadła śniadanie na tarasie pokoju Nonny – świeże owoce, maleńkie rogaliki, chrupiący chleb i świeżo wyciśnięty sok pomarańczowy. Prawdziwa uczta. Nonna nalewała do filiżanek kawę, gorącą i mocną, z dużego srebrnego dzbanka. Livvie zauważyła, że mama nie tknęła niczego oprócz kawy. Nonna powiedziała, że mama znów się zadręcza i że znów chodzi o miłość, tyle że tym razem na tapecie oprócz Casha jest jeszcze Ben.

Livvie pomyślała o Muffie. Szkoda, że ta mała nie mogła z nimi przyjechać; przynajmniej byłoby z kim pogadać, bo w tej chwili można było po prostu sfiksować z nudów. Livvie i Muffie nie były właściwie przyjaciółkami – raczej wspólniczkami – ale Livvie podobało się, że Muffie miała odwagę zrobić to, co zrobiła, i jeszcze postawić się ojcu, choć można by się założyć, że nie zrobiłaby tego, gdyby w pobliżu była jej matka.

Dziewczyna zapatrzyła się ponuro na przejrzyście błękitne morze. Nie ciągnęło jej nawet do wody – to żadna zabawa, kiedy nie ma się do towarzystwa kogoś w swoim wieku, kogo można by wpychać pod łagodne fale, z kim można by popływać na materacu, jak robili to ludzie daleko w dole, poniżej tarasu. Może powinna po prostu wypożyczyć sobie taki materac i pożeglować po morzu własnej samotności. Ale czy naprawdę czuła się samotna? Znudzona? Dlaczego nie mogła sobie znaleźć miejsca? Sama nie wiedziała, co się z nią dzieje.

Nie zabrały ze sobą kostiumów kąpielowych, musiały więc teraz pojechać do Positano, żeby jakieś kupić. Livvie pomyślała, że to przynajmniej jakaś odmiana: zakupy to zawsze fajna sprawa. Może znajdą w tej wiosce jakieś naprawdę odlotowe ciuchy. Ha! Marne szanse.

Było już gorąco, kiedy wsiadły do hotelowego mikrobusu, by dojechać kilka kilometrów do Positano. Wioska była położona na zboczu wzgórza. Czarowała wąskimi brukowanymi uliczkami ze sklepionymi przejściami, z których wylewały się całe kaskady brzoskwiniowych i różowych kwiatów. Wczasowicze popijali kawę pod żółtymi parasolami na tarasach kawiarń, a sklepy dla turystów wywieszały swoje towary: letnie kapelusze, kostiumy kąpielowe, bawełniane sarongi i koszulki z napisem „POSITANO". Wszędzie pełno było butików z odzieżą i obuwiem, małych sklepików oferujących lokalną niebiesko-żółtą ceramikę, rzeźbione miski i stojaki na serwetki z drzewa oliwnego, i galerii z wielkimi pejzażami zatoki Salerno, jeszcze bardziej błękitnej niż w rzeczywistości.

Livvie kupiła mikroskopijne czerwone bikini, które absolutnie nie podobało się Nonnie; mama kupiła granatowy jednoczęściowy kostium, który

Livvie uznała za nudny, a Nonna sprawiła sobie biały kostium bez ramiączek, z marszczeniem na brzuchu, w którym według mamy wyglądała jak gwiazda z lat pięćdziesiątych Rita Hayworth.

– O Boziu, czerwony, biały i granatowy! Będziemy wyglądać jak flaga! – stwierdziła Livvie.

Nonna i mama postanowiły wzmocnić się kolejną filiżanką kawy w jednej z kawiarń na wolnym powietrzu, Livvie powędrowała więc sama na przystań. I właśnie tam go zobaczyła. Stał oparty o kadłub czerwonej motorówki, leniwie polerując mosiężne elementy wyposażenia.

On sam wygląda jak jego motorówka, pomyślała Livvie bez tchu: smukły, elegancki i zwinny. O Boziu, te wszystkie słowa, których do tej pory nie przyszłoby jej do głowy skojarzyć z mężczyzną, teraz pasowały idealnie. Wszyscy chłopcy, których znała w Stanach, byli trochę niezdarni, jakby jeszcze nie czuli się swobodnie we własnej skórze. Wszyscy wiedzieli, że dziewczyny są o wiele dojrzalsze niż chłopaki w tym samym wieku. Ale ten był starszy. Wyglądał jak złoty bożek: złote, rozjaśnione od słońca włosy sięgające ramion, opalona na złoto skóra, pod którą, kiedy się poruszał, prężyły się mięśnie, złote włoski na rękach, nogach, piersi, nawet na sprężystym, opalonym brzuchu.

Odwrócił się, zauważył, że Livvie go obserwuje, i przyjrzał się jej oczami koloru morza za jego plecami.

– *Ciao* – powiedział i Livvie pomyślała, że to najwspanialsze słowo na świecie.

– *Ciao* – odparła, dziwnie zawstydzona. Nagle poczuła się niezręcznie ze swoim długim, chudym ciałem i małymi piersiami. Miała nadzieję, że nie będzie musiała tak jak mama wypychać sobie stanika rajstopami. Po raz pierwszy w życiu przejęła się swoim wyglądem.

Chłopak wciąż się na nią gapił.

– *Che bella* – zawołał, posyłając jej całusa na dłoni i błyskając w uśmiechu niesamowicie białymi zębami.

Livvie przygryzła wargę i zawstydzona wbiła wzrok w ziemię. W porównaniu z chłopakami, których znała, to był mężczyzna.

– Chcesz wynająć? – zapytał, wskazując ręką lśniącą motorówkę. – Zabiorę cię na Capri, to tylko pół godziny.

Livvie wolno podeszła bliżej. Osłaniając oczy ręką, spojrzała na chłopaka.

– Płyniesz na Capri?

– Popłynę wszędzie, z tobą – odparł, znów posyłając jej olśniewający uśmiech. – Na Capri, na zakupy, wszyscy tam pływają.

Całe pół godziny w jego towarzystwie, pół godziny na miejscu, a potem jeszcze pół godziny z powrotem. Ile by to nie kosztowało, było warto.

– Ile? – zapytała. Ale kiedy podał jej cenę, aż się zachłysnęła od tych wszystkich zer. – Zaraz wracam – powiedziała.

– Tylko zapytam mamusi – zawołał za nią dla żartu, kiedy pobiegła stromą wąską uliczką z powrotem do kawiarni.

– Musimy popłynąć na Capri – oznajmiła mamie i Nonnie, z trudem chwytając oddech. Je też nieźle przytkało, kiedy wymieniła cenę. Spojrzała błagalnie na mamę i zobaczyła w jej oczach nagłe rozczulenie, które mówiło wyraźnie, że wygrała.

– Och, dziękuję, dziękuję, mamo – wykrzyknęła i uściskała ją.

– Powiedz mu, żeby przypłynął po nas o drugiej do San Pietro – powiedziała mama z uśmiechem.

– O drugiej w San Pietro – przekazała Livvie chłopakowi, jeszcze bardziej zadyszana od biegu w dół uliczki.

– Okej. – Wciąż polerował mosiądz.

Obserwowała go przez chwilę. Uznała, że jest absolutnie doskonały.

– Jak masz na imię? – zapytała w końcu.

– Tomaso. – Posłał jej domyślny uśmieszek. – *E tu*?

– Livvie.

Kiwnął głową.

– Okej, Livvie. O drugiej.

– Okej – odparła, wciąż się ociągając. – No to *ciao*.

– *Ciao*. – Zaczął pogwizdywać, nie odrywając się od pracy.

Po powrocie do hotelu Livvie przebrała się w nowe bikini i sarong, a potem z mamą i Nonną wsiadła do zewnętrznej windy, która zwiozła je osiemdziesiąt osiem metrów w dół, wzdłuż skalnej ściany, do maleńkiej przystani z platformą do opalania wychodzącą w morze. Z tyłu znajdowała się płytka jaskinia z barem i budką plażowego, który tyranizował gości i niczym imperator dzielący swe ziemie decydował, kto dostanie najlepsze miejsce nad brzegiem, a kto będzie musiał siedzieć dwa albo trzy rzędy dalej. Oczywiście kiedy Nonna poinformowała go po włosku, kim są, dostały trzy leżaki tuż nad wodą. Obsługa rozesłała na leżakach śnieżnobiałe ręczniki, przyjęła zamówienia na zimne napoje z baru i obiad, po który trzeba było posyłać do kuchni na górze.

Zmęczona, jakby harowała cały dzień, Livvie upozowała się na miękko wyściełanym leżaku. Położyła się na brzuchu. Patrząc na rozmigotaną zatokę i bawiąc się od niechcenia frędzlami ręcznika, myślała o Tomasie. Tomaso. Do drugiej była jeszcze cała wieczność.

Rozdział 53

Dlaczego zgodziłam się popłynąć tego popołudnia na Capri? Przecież tak naprawdę chciałam tylko leżeć tutaj, gapić się na morze i nie myśleć o niczym. Moja głowa pękała w szwach od nadmiaru myśli; nie radziłam sobie z nimi. Odrętwiała – to słowo najlepiej oddawało mój stan. I chciałam, żeby tak zostało.

Zmartwiona zerknęłam na Livvie; tak bardzo chciałam, by dobrze się bawiła. Na pewno cieszyła ją ta wycieczka, ale była samotna i chyba trochę zagubiona. Zagubiona jak wszystkie nastolatki, które tęsknią za czymś, ale nie bardzo zdają sobie sprawę za czym; wiedzą wiele, ale wciąż nie dość; pragną nowych doświadczeń i jednocześnie boją się ich; pokazują światu cwaniacką maskę, choć tak naprawdę są po prostu wrażliwymi dziećmi. Życie jest ciężkie, kiedy ma się naście lat.

Ale czy potem robi się łatwiejsze? – zapytałam samą siebie. Wystarczy spojrzeć, jak zaplątałam swoje sprawy. Nie byłam najlepszym przykładem.

Patrzyłam za Livvie i Nonną, które poszły do plażowego baru na obiad. Ja nie byłam głodna. Jechałam głównie na wysokooktanowej kofeinie.

Widziałam, jak Livvie bierze Nonnę pod rękę. Uśmiechnęły się do siebie, a ja poczułam się odrobinę lepiej. Byłam ciekawa, jak będzie wyglądać wyprawa motorówką na Capri. Miałam nadzieję, że wycieczka trochę ożywi Livvie, odpędzi nudę.

Niepotrzebnie się martwiłam. Za pięć druga Livvie czekała już na skraju wąskiej przystani, osłaniając oczy dłońmi i wpatrując się w morze jak żona kapitana z Nowej Anglii czekająca, aż jej mąż wróci z długiej podróży.

Przebrałyśmy się z kostiumów kąpielowych w szorty, koszulki i kapelusze. Rozglądałam się wokoło, obserwując Włoszki, eleganckie i „pozbierane" – każdy lśniący włos na swoim miejscu, usta idealnie uszminkowane, opalenizna równiutka – i zastanawiałam się, gdzie ja popełniam błąd. Przypomniałam sobie lodowatą skandynawską blond piękność na tarasie Bena, z idealnie wypolerowanymi paznokciami, w lekkiej, białej sukience, i znów poczułam ukłucie zazdrości. To było poniżej mojej godności, ale, do diabła, to właśnie czułam.

Odwróciłam się do Nonny.

– Muszę iść na zakupy – oznajmiłam stanowczo.

Rzuciła mi osłupiałe spojrzenie.

– No, najwyższy czas – odparła.

Na widok podpływającej motorówki Livvie pochyliła się niecierpliwie do przodu. Silnik zamilkł i łódź przybiła zgrabnie do nabrzeża. Zobaczyłam, jak mojej córce rzednie mina; zdumiona gapiła się na mężczyznę za sterem.

Wyglądał jak bohater noweli Hemingwaya *Stary człowiek i morze*: wysoki, dziki, z kręconymi siwymi włosami i spaloną na słońcu skórą, z oczami wiecznie zmrużonymi od wpatrywania się w burzliwe oceany, z twarzą pooraną zmarszczkami od słońca i wiatru.

– Ale ja myślałam… – powiedziała Livvie.

Ciekawe, o czym myślała? – zapytałam się w duchu. I nagle zobaczyłam o czym. Czy raczej o kim.

Jasnowłosy, piękny i seksowny. Zabójcza kombinacja. Zmartwiona spojrzałam na córkę.

– *Ciao*, Tomaso. – Uśmiechnęła się. Chłopak kiwnął jej głową na powitanie; zeszłyśmy ostrożnie po śliskich schodkach. Tomaso pomógł nam wsiąść do łodzi, Stary Człowiek włączył zapłon i z gardłowym rykiem silnika odpłynęliśmy od nabrzeża. Sternik dał całą naprzód; pomknęliśmy po lśniącym błękitnym morzu, mijając wyniosłe klify pokryte dywanem zielonej roślinności, ustronne piaszczyste zatoczki i maleńkie nadmorskie wioski, do których nie prowadziła żadna lądowa droga, gigantyczne skały, głębokie czarne jaskinie i żaglowiec, który z rozwiniętymi żaglami przeciął dostojnie nasz kurs.

Tomaso – prawdziwy powód, dla którego znalazłyśmy się w tej łodzi – biegał zręcznie wzdłuż burty. Rozpylona woda oprószyła jego złote ciało diamentowym pyłem. Balansował jak cyrkowiec na dziobie pędzącej motorówki i w końcu zdjął szorty.

Właściwie nie był nagi. Miał na sobie skąpe kąpielówki, z gatunku tych, które nie zostawiają wielkiego pola do popisu dla wyobraźni. Pozował przed nami przez kilka sekund, po czym położył się na dziobie z rozrzuconymi nogami, rękami pod głową, rozkoszując się słońcem, wiatrem, wodnym pyłem i szybkością.

Livvie i ja spojrzałyśmy sobie w oczy, dzieląc się naszą małą tajemnicą. Ja wiedziałam, o co jej chodzi, a ona wiedziała, że ja wiem. Uśmiechnęłyśmy się do siebie.

Na Capri dopłynęłyśmy w mgnieniu oka, rozczochrane, upojone wiatrem i szybką jazdą. Choć w przypadku Livvie upojenie brało się raczej z obecności Tomasa. Stary Człowiek zredukował bieg, silnik zamruczał cicho, a Tomaso podniósł się z pokładu. Znów pozował przez sekundę, po czym zanurkował w błękitnym morzu. Wyłonił się po chwili i wdrapał do motorówki, otrząsając krople wody ze złotego ciała, śliski i błyszczący jak delfin.

Zerknęłam na córkę i ujrzałam w jej oczach to bezradne spojrzenie, które doskonale znałam z własnych szczenięcych lat. Zrozumiałam, że jest zakochana, po raz pierwszy w życiu.

Rozdział 54

Jeśli chcesz coś kupić, na Capri znajdziesz to bez problemu. Jest tu wszystko, czego zapragniesz, od salonów najsłynniejszych firm po mniej znane, ale równie ekskluzywne butiki z włoską markową konfekcją; od sprzedawców lokalnych specjalności po eleganckie lodziarnie. Oglądałyśmy miękkie kaszmiry w delikatnych migdałowych odcieniach i pastelowe lniane spódnice; dopasowane skąpe sukienki z jedwabiu, kostiumy kąpielowe z południa Francji, apaszki i szale z paszminy i koronek, wyszywane paciorkami, ręcznie szyte sandały, a nawet bardziej lub mniej błyszczące sztuczne klejnoty. Miałam problem z wyborem. Pewnie z braku doświadczenia.

Już samo kupowanie było wyczerpujące. Weszłyśmy do pewnego eleganckiego butiku, gdzie bogata stara Włoszka, chuda, ze sztywnymi od lakieru blond włosami i drapieżnym spojrzeniem w oczach przymierzała całą zawartość sklepu. Ekspedientka tańczyła wokół, usługując jej niczym królowej.

Zdjęłam z wieszaka bluzkę, która mi się spodobała, w niebieskie kwiatki na białym tle. Śliczna.

W mgnieniu oka starucha wyrwała mi ją z ręki. Powiedziała coś do ekspedientki, która wzruszyła bezradnie ramionami i szepnęła mi, że ta pani chce ją kupić.

– Niech ją sobie ma, stara torba. Ładne ciuchy to jedyne, co jej pozostało – rzuciła złośliwie Nonna. Wyszłyśmy przy akompaniamencie oburzonych krzyków.

W następnym sklepie przymierzyłam bluzkę z lycry. Szyfonowa chusta, którą właścicielka butiku owinęła mi twarz, by chronić bluzkę przed moim nieistniejącym makijażem, zasłoniła mi oczy, plastikowa metka wbiła się w plecy, rękawy były dziwnie wykręcone – istna tortura. Rozgorączkowana, po raz kolejny zadałam sobie pytanie: Co ja tutaj robię?

Zniechęcona wyszłam ze sklepu. I wtedy, po drugiej stronie ulicy, zobaczyłam sukienkę, którą przymierzałam w Rzymie, tę czerwoną i seksowną, z jedwabnego szyfonu, która jakimś cudem wyglądała na mnie dobrze. Tę, w której absolutnie nie miałabym gdzie chodzić. Tę, która kosztowała fortunę. Weszłam do sklepu i kupiłam ją. A do kompletu parę butów na stanowczo zbyt wysokich obcasach, czerwonych, z potwornie niewygodnymi szpicami, ale w których moje nogi wyglądały zaskakująco dobrze. To były moje zaczarowane pantofelki, gotowe przenieść mnie do Krainy Oz. Stanęłam przed lustrem, kilka centymetrów wyższa i jakby bardziej kształtna w tej niesamowitej kiecce – i nagle znów poczułam się jak kobieta.

– Może cała ta zabawa w zakupy nie jest jednak taka zła – powiedziałam.

– Liczy się efekt – odparła Nonna. Wiedziała, co mówi. Przecież sama stała się ostatnio mistrzynią zakupów.

Zachęcona sukcesem pobiegłam z powrotem do Malo, sklepu z kaszmirem, i wręczyłam sprzedawczyni moją marną kartę kredytową, by zapłacić za zielony sweter – najmiększą rzecz, jakiej w życiu dotykałam. Potem pognałam na koniec ulicy i kupiłam spódnicę, białą i prostą, tyle że dopasowaną jak pończocha. Pozwoliłam sobie też na nową, drogą bieliznę. Postanowiłam, że już nigdy nie dam się zaskoczyć w starych bawełnianych majtkach, i natychmiast pomyślałam, że przecież nikt mnie już nie będzie zaskakiwał. Byłam lodową dziewicą. Właśnie tak. Kupiłam więc kilka koronkowych staników i fig, koszulek i majteczek z nogawkami, a na koniec dwie bawełniane plażówki, aż wreszcie stwierdziłam, że jestem zrujnowana.

Szczególnie że Livvie koniecznie musiała kupić zieloną sukienkę w kolorze włosów Muffie. Sukienka była naprawdę ładna: dziewczęca, dopasowana, na cieniutkich ramiączkach. Układała się miękko na jej młodym ciele, w jakiś sposób dodając jej lat, choć myślałam, że będzie wręcz odwrotnie.

Do kompletu kupiłyśmy parę ręcznie szytych sandałów, a potem jeszcze elegancki kostium z lawendowego lnu dla Nonny. Na koniec zjadłyśmy na szybko po rożku lodów pistacjowych. (Od Flavii z lodziarni w Bella Piacere dowiedziałam się, że jeśli kupuje się we Włoszech lody pistacjowe, trzeba dobrze wybierać. Te z prawdziwych pistacji są brudnozielone. Zbyt żywy i jaskrawy kolor oznacza, że dodano sztucznych barwników i środków zapachowych). Te lody były idealne. I wreszcie wróciłyśmy na przystań, gdzie czekała nasza motorówka. I Tomaso. Prawdziwy powód naszej wycieczki na Capri.

Rozdział 55

Tym razem sterował Tomaso. Jego ojciec krzątał się na dziobie, zwijając liny, studiując mapy i zajmując się innymi żeglarskimi rzeczami, Tomaso zaprosił więc Livvie, by usiadła obok niego.

Patrzyłam na tył jasnej głowy mojej córki, próbując zgadnąć, o czym myśli. W pewnej chwili Nonna trąciła mnie łokciem, uniosła brwi i kiwnęła głową w stronę pary przed nami.

– *Amore* – szepnęła. Westchnęłam. Wiedziałam, że ma rację. – Teraz dopiero może się wpakować w kłopoty – dodała.

– Nie, dopóki ja będę miała coś do powiedzenia – odszepnęłam, wypalając wzrokiem dziurę we wspaniale umięśnionych plecach Tomasa. Ale w młodości jest tyle piękna, tyle gracji w smukłym ciele, w połyskujących żebrach i kręgach, w każdym naprężonym mięśniu rysującym się pod skórą, w tułowiu zwężającym się jak u greckiego czy raczej włoskiego posągu, w ślicznym napiętym tyłeczku, w silnych nogach. Nie dziwiłam się Livvie; nigdy nie widziała czegoś takiego. Ale co widział Tomaso w mojej małej córeczce?

Kumpelkę, pomyślałam z nadzieją. Kogoś, z kim można pożartować, poflirtować, z kim można spędzać długie, gorące dni lata. Ale nie noce. Nie, z całą pewnością nie noce.

– Mamo – spytała Livvie, kiedy wróciliśmy do San Pietro – mogę wyjść dziś wieczorem z Tomasem? On zna taki jeden mały klub, mówi, że jest świetny.

Spojrzała na mnie pełna nadziei. Już miałam powiedzieć „nie", ale nagle ujrzałam, jaka jest rozpromieniona, jak bardzo tego chce.

– Nie możesz iść z nim sama. Musicie iść w większej grupie. I ma cię odstawić do domu na jedenastą – powiedziałam surowo.

– Oj, mamo. – Livvie ledwie oddychała z radości. – O północy.

– O wpół do dwunastej. I ani minuty później.

– Dzięki, mamo. – Zarzuciła mi ramiona na szyję i uścisnęła potężnie. – Włożę tę nową sukienkę.

Livvie ubrała się w zieloną jak morska piana sukienkę; na powieki nałożyła odrobinę brązowego cienia, a na wargi bladą szminkę. Spojrzałam na nią i pomyślałam zdumiona: Moja córka, młoda syrena, idzie na randkę ze swoim morskim bożkiem. Na pierwszą prawdziwą randkę. Stłumiłam odruch paniki i powiedziałam jej, żeby zachowywała się przyzwoicie i nie zapominała, kim jest, i że jeśli narozrabia, Nonna ją zabije, a ja będę płakać.

– O Boziu, mamo, ja tylko idę do klubu – odparła. Uśmiechając się szeroko, dodała: – Będę tańczyć, aż mi nogi odpadną. I będę z najprzystojniejszym chłopakiem w mieście.

Kiedy Tomaso przyjechał po nią najmniejszym samochodem, jaki w życiu widziałam, mniej więcej wielkości wózka golfowego, czerwonym, z plamami rdzy na karoserii, przyznałam jej rację. Ubrany wyglądał nawet lepiej niż półnagi. Miał na sobie białą koszulę z krótkimi rękawami i dopasowane białe spodnie. Ten chłopak mógłby chodzić po każdym wybiegu w Mediolanie czy Paryżu.

– Skoro już musi iść na randkę – mruknęła Nonna – to dobrze, że przynajmniej z takim przystojniakiem.

Znajomi Tomasa, młody chłopak i bardzo ładna dziewczyna, wygramolili się z trudem z tylnego siedzenia, by się z nami przywitać. Tomaso pomógł Livvie wsiąść do samochodu. Upewnił się, że jest jej wygodnie, i zamknął drzwi, jakby w środku był jakiś cenny klejnot. Bo był. Moja córka.

Skrzyżowałam palce na szczęście. To było gorsze niż moja własna pierwsza randka.

Kolację zjadłyśmy we dwie, na tarasie. Zapatrzona w światła Positano migoczące nad zatoką rozmyślałam, co może robić Livvie.

– Nie ma sensu się martwić – zauważyła kwaśno Nonna. – Wychowałaś ją, jak trzeba, prawda?

– No tak, ale ty mnie też wychowałaś, a popatrz, co ze mnie wyrosło.

Nonna zacisnęła usta i przyjrzała mi się uważnie. W końcu zawołała kelnera i zamówiła dwa martini z wódką.

– Z wódką Szara Gęś – dodała.

Pokręciłam głową, zastanawiając się, skąd zna się na alkoholach.

– Sporo czytam – stwierdziła. – Tak czy inaczej, dobrze nam zrobi mały drink. Dużo ostatnio przeszłaś, Gemmo.

– Tak – wykrztusiłam przez ściśnięte gardło. Upiłam łyk martini.

– Chcesz o tym porozmawiać? – Nagle Nonna znów była moją mamą, w jej oczach widziałam ten sam niepokój, z jakim ja patrzyłam na Livvie. Matka to zawsze matka, nieważne, ile ma się lat. A ja wciąż byłam tą samą zażenowaną córką, która z trudem wyznaje matce swoje grzechy.

– Myślę, że zakochałam się w Benie – powiedziałam. – Nie chciałam tego, ale boję się, że to się stało.

– Boisz się? To bardzo dramatyczne słowo, Gemmo.

Spojrzałam na nią z rozpaczą.

– Ale właśnie tak jest. Boję się.

– Z powodu Casha?

O Boże, już samo jego imię sprawiało, że ściskało mi się serce. Upiłam kolejny łyk martini i odparłam:

– Głównie.

– Głównie? A jakie są inne powody?

– No, na przykład ledwie go znam. I za każdym razem, kiedy go widzę, jakimś cudem udaje mi się zrobić z siebie idiotkę, i... – Przerwałam. Nie mogłam powiedzieć matce o nocy z Benem i jak się wtedy czułam. – Poza tym on ma dziewczynę. Widziałam ich razem, w willi. I nienawidzi mnie, bo myśli, że to ja kazałam odciąć mu prąd, telefon i wodę.

– Naprawdę tak myśli? – Nonna była szczerze zdumiona.

– No wiesz, to jest wojna. – Dopiłam martini jednym haustem. Nagle coś mi przyszło do głowy. Spojrzałam podejrzliwie na Nonnę. – Ale ty nic o tym nie wiesz, prawda?

– Niewiele – rzuciła beztrosko, przywołując kelnera. Zamówiła butelkę miejscowego różowego wina, dobrze schłodzonego.

– Więc jednak coś wiesz.

– Może Rocco coś wie. W końcu to sprawa miejscowych, nie nasza.

271

– Och, oczywiście. I ty nie masz z nią nic wspólnego.

– No, może troszeczkę.

Położyłam łokcie na stole i oparłam głowę na dłoniach.

– Mamo! Coś ty znowu wykombinowała?

– Ja tylko próbowałam odzyskać swoją willę – odparła. – I mieszkańcy wsi postanowili mi pomóc, to wszystko. Przecież pochodzę z Bella Piacere.

– No tak, a Ben jest *americano*, intruzem z zagranicy, któremu wiodło się całkiem dobrze, dopóki ty się nie pojawiłaś.

Nonna spojrzała w moją zagniewaną twarz.

– Zapomniałaś, że to ja jestem dziedziczką? Że Ben mieszka w willi, która według prawa należy do mnie?

– Nie, mamo, nie zapomniałam. Ale sabotaż?

– No dobrze – poddała się nagle. – Zrobię to dla ciebie. Poproszę Rocca, żeby wszystko odwołał.

– Rocco! Mogłam się domyślić, że ma z tym coś wspólnego.

– Ale pamiętaj, robię to tylko dla ciebie. Dlatego że przeżyłaś ciężkie chwile i może wreszcie jesteś gotowa na lepsze. Wolę zrezygnować z willi i widzieć cię znowu szczęśliwą, Gemmo. – Uścisnęła moją rękę i spojrzała na mnie z troską. – Taka jest prawda.

Uniosłam dłoń Nonny i pocałowałam ją. Odpowiedziała tym swoim promiennym uśmiechem, jaki na pewno posłała ojcu, kiedy ujrzała go po raz pierwszy, i którym teraz czarowała Rocca Cesaniego. I który, jak się ostatnio przekonałam, odziedziczyłam po niej.

– Nie martw się, Gemmo, zajmę się wszystkim – powiedziała. – A teraz zamówmy kolację.

Może na początek gotowane leśne grzyby z oliwą i plasterkiem *pecorino*. Potem kluski, lekkie jak piórka, z odrobiną sosu pomidorowego. A potem może jakaś rybka albo cielęcina?

Zostawiłam jej wolną rękę, a sama popijałam wino, które było bardziej czerwone niż różowe, lekkie i musujące. Kiedy przyniesiono jedzenie, ledwie je skubnęłam. Oczywiście wszystko było wspaniałe, ale moje kubki smakowe ogłosiły strajk, a apetyt zniknął zupełnie. Wiedziałam, że muszę jakoś przezwyciężyć to odrętwienie, jednak nie dziś. Po prostu nie miałam siły.

Po kolacji Nonna poszła do swojego pokoju, a ja usiadłam z książką na wygodnej białej kanapie w salonie. Czekałam na Livvie. Była dziesiąta, a ja już zaczynałam liczyć minuty.

Rozdział 56

Nonna

Nonna zadzwoniła do Rocca. Długo nikt nie odbierał; miała już zrezygnować, kiedy Rocco nareszcie podniósł słuchawkę.

– *Pronto* – powiedział ochryple.

– Spałeś? – zapytała Nonna oskarżycielsko.

– Prawdę mówiąc, Sophio Mario, chciałem się położyć. Jest wpół do jedenastej, a ja muszę wcześnie wstać.

– Za ciężko pracujesz, Rocco. Najwyższy czas, żeby twoi robotnicy pracowali za ciebie. Ty powinieneś zajmować się interesami.

Sophia Maria wciąż była przekonana, że on, Rocco Cesani, odniósł sukces, że jest wielkim producentem oliwy. Nie miała pojęcia, jak żyje biedniejsza połowa świata i że on naprawdę musi pracować w swoim *frantoio*.

– Mam dla ciebie nowiny – powiedział. – Pozwolenie na budowę hotelu tego *americano* jakimś cudem zniknęło! A jutro droga do willi zostanie rozkopana z polecenia zarządu wsi. Powiedzą mu, że to prace konserwacyjne.

Nonnę kusiło przez chwilę, ale w końcu rzekła:

– Rocco, posłuchaj mnie. *È importante. Urgente*. Odwołaj roboty drogowe i znajdź to zgubione pozwolenie. Musimy zrezygnować z naszego planu.

– Co ty mówisz? A co z willą?

– Zapomnij o willi. Muszę to zrobić dla mojej córki. Zakochała się w *americano*, ale on uważa, że to ona działa na jego szkodę. Sam rozumiesz, Rocco. Gemma mówi, że on jej przez to nienawidzi.

– *È amore*. – Rocco westchnął z rezygnacją. Fido wskoczył mu na kolana i polizał po twarzy, a potem wdrapał się na kuchenny stół i zaczął chłeptać resztkę czosnkowej zupy. Uwielbiał czosnek. Rocco uśmiechnął się do niego. Dobrze wiedział, co to miłość. Fido miał wszystko, czego zapragnął.

– *Sì, è amore* – usłyszał w słuchawce głos Sophii Marii i uśmiechnął się jeszcze szerzej.

– Nie musisz mówić nic więcej.

Ale Nonna miała coś więcej do powiedzenia.

– Jutro z samego rana pójdziesz do willi – poleciła mu. – Musisz porozmawiać z *americano*. Powiedz mu, że to nie Gemma była odpowiedzialna za jego kłopoty, że to ja i ty, i inni ludzie ze wsi. Przeproś go, Rocco. Powiedz, że to było nieporozumienie i że już po wszystkim.

Rocco zmarszczył brwi. Przepraszanie nie leżało w jego naturze. W końcu jednak potarł nos charakterystycznym gestem.

– Załatwię to – obiecał.

– I nie zapomnij mu powiedzieć, gdzie jest Gemma – dodała Nonna.

– Nie zapomnę.

– Dobrze. Niedługo wracam do domu.

– Będę na ciebie czekał, Sophio Mario – odparł Rocco z uśmiechem.

Rozdział 57

Livvie siedziała obok Tomasa przy maleńkim stoliku w zatłoczonym i zadymionym klubie, popijając colę. Usiłowała zachowywać się swobodnie, choć tak naprawdę była bliska omdlenia – jego kolano przyciśnięte do jej nogi niemal ją parzyło. Para, która była z nimi, ulotniła się, kiedy tylko przyjechali na miejsce. Nerwowo dopiła colę. Słomka siorbnęła nieelegancko na dnie szklanki; Livvie zmarszczyła brwi, zawstydzona. To było takie szczeniackie, a Tomaso był... dorosły.

– Ile ty masz właściwie lat? – zapytała nagle.

– *Cosa?* – Uśmiechnął się do niej, nie rozumiejąc.

– *Quanti anni hai?* – Wskazała palcem jego pierś. – *Tu...* ty – dodała.

– *Ah, parli italiano adesso.* – Posłał jej olśniewający uśmiech. – Teraz mówisz po włosku. *Ho sedici anni.*

– *Sedici?* – Już samo to słowo brzmiało uwodzicielsko.

– Szesnaście – powiedział. Zaskoczył ją. Myślała, że ma przynajmniej dziewiętnaście. – *E tu?*

Za żadne skarby nie mogła mu powiedzieć, że ma dopiero czternaście lat. Pewnie natychmiast odwiózłby ją do domu.

– Piętnaście – skłamała.

Spojrzał na nią przeciągle.

– *Più o meno*? – Uśmiechnął się domyślnie. – Mniej więcej?

– Więcej – odparła stanowczo. O Boziu, jak trudno jest kłamać po włosku. A flirtować jeszcze trudniej. Było lepiej, tylko kiedy tańczyli. A właśnie teraz to robili.

Była lepszą tancerką niż on. Brylowała na mikroskopijnym parkiecie, poruszając biodrami z kocią gracją – tak się tańczyło na Manhattanie. Poza tym znała wszystkie najmodniejsze kroki i uczyła ich Tomasa. Kiedy z głośników ryczał hip-hop, Livvie była królową, tak jak kiedyś jej matka; ale gdy zagrano jeden z tych powolnych, ckliwych włoskich kawałków, Tomaso przejął pałeczkę.

Przytulił Livvie, jedną rękę położył nisko na jej plecach, a drugą przycisnął jej dłoń do swojej piersi, pod brodą. To było takie, och, rany... takie seksowne. Jego piękne, opalone ciało było tak blisko, że czuła, jak drży. O Boziu! Odskoczyła do tyłu, nie wiedząc, czy jest bardziej oburzona, czy podniecona. Tomaso stanowczo przyciągnął ją z powrotem.

– *Carina* – wyszeptał jej do ucha, a potem szeptał mnóstwo innych czarujących słów, których nie rozumiała. Zanim się zorientowała, stuknęli się nosami, jego wargi zaczęły muskać jej usta, a w jej głowie rozbłysły flesze stroboskopu, tak samo jasne jak te na parkiecie. O Boziu, nie mogła się doczekać, kiedy opowie o tym koleżankom – rozmawiały o tym tak często, a teraz ona naprawdę to robiła. Całowała się. Po prostu musiała komuś o tym powiedzieć. Nawet Muffie by się nadała.

Muzyka umilkła; Livvie otworzyła oczy. Nawet nie zauważyła, kiedy je zamknęła! Tomaso nadal obejmował ją w talii, jego twarz wciąż była blisko.

– Chodź, *carina* – mruknął, biorąc ją za rękę. Wyprowadził ją z klubu w gorącą parną noc.

Jego ręka w jej miękkiej dłoni wydawała się twarda i szorstka; Livvie pomyślała, że powinna trochę poćwiczyć na siłowni, zrobić coś, co ją wzmocni, co sprawi, że będzie się wydawała starsza. Zatrzymali się na wprost nadmorskiej kawiarni. Tomaso pomachał ręką i krzyknął *ciao* do młodych ludzi siedzących w ogródku.

– *Ciao, Tomaso* – odkrzyknęli. – Co to za dziewczyna? Z tymi żółtymi włosami wygląda jak piosenkarka.

– *È Madonna* – odwrzasnął Tomaso i tamci się roześmiali.

Livvie zerknęła na nich spod rzęs; nie rozumiała, co mówili, i poczuła się niezręcznie. Miała nadzieję, że nie odziedziczyła po mamie tego fatalnego rumieńca.

Tomaso przedstawił ją znajomym. Niektórzy wyglądali na jej rówieśników; uśmiechali się, byli przyjaźni i zaciekawieni, i ucieszyli się, kiedy powiedziała im, że jej babcia jest Włoszką. Ale przez większość czasu siedziała nad kolejną colą, trzymając Tomasa za rękę i rozkoszując się poczuciem, że jest „jego dziewczyną". Była zachwycona lekkim elektryzującym mrowieniem, które przenikało od jego palców, tą nowo odkrytą świadomością własnego ciała, jak gdyby każdy nerw zyskał nagle nowe życie.

Gorący wiatr buszował w jej włosach i pewnie by je rozczochrał, gdyby były dłuższe niż dwa cen-

tymetry; lizała kostkę lodu, która miło chłodziła jej
rozpalony język.

Zegar na wieży kościelnej wybił godzinę. Liczy-
ła beztrosko uderzenia; nie miała ochoty opuszczać
tego miejsca, nowych znajomych, Tomasa. O Boziu,
zegar wybił dwunastą!

Zerwała się na równe nogi. Przez głowę przemknął jej obraz rozgniewanej mamy i – co chyba
jeszcze gorsze – Nonny.

– Muszę iść. Obiecałam wrócić o wpół do dwunastej.

Tomaso wziął ją za rękę.

– Oczywiście, *carina*. Odwiozę cię do domu. –
Mrugnął do pozostałych i powiedział po włosku coś,
czego Livvie nie zrozumiała, mogła się jednak założyć, że było to coś o Amerykankach i wczesnym
chodzeniu do łóżka albo równie głupia uwaga w tym
stylu.

Prawie biegła stromymi brukowanymi uliczkami do miejsca, gdzie Tomaso zaparkował samochód.
Otworzył jej drzwi, ale kiedy schyliła się, by wsiąść,
zatrzymał ją i wziął w ramiona.

– *Carina* – zamruczał. – Livvie.

Jego piękna twarz pochyliła się nad nią, ich oczy
się spotkały. Livvie patrzyła zafascynowana na jego
usta, które były coraz bliżej. Miał zamiar ją pocałować, tym razem tak naprawdę. A ona nie umiała się
całować. Ale przecież rozmawiała o tym setki razy
z koleżankami; to chyba nie było nic trudnego. I nagle
jej oczy znowu się zamknęły, usta poczuły jego usta
i znów umierała z miłości… czy cokolwiek to było.

– *Carina* – mruknął Tomaso, kiedy nareszcie
oderwał się od jej warg. Patrzyła na niego zamglo-
nymi oczami i nagle, sama nie wiedząc dlaczego, powiedziała głupio:

– Dziękuję.

Tomaso uśmiechnął się i odpowiedział:

– Dziękuję, *carina*. – I pomógł jej wsiąść do samochodu.

Po pięciu minutach zaparkowali pod hotelem. Livvie była sztywna ze strachu, bo obiecała mamie, że wróci o wpół do dwunastej. Wiedziała, że mama nie puści jej już samej, a ona nie wyobrażała sobie, co zrobi, jeśli nie będzie mogła znowu zobaczyć się z Tomasem. O Boziu!

Otworzyła drzwiczki, zanim zdążyli to zrobić odźwierny czy Tomaso, i rzuciła przez ramię krótkie „dobranoc".

– Livvie, zaczekaj. – Tomaso dogonił ją przy windzie, wjeżdżającej w górę urwiska do frontowego holu. – Jutro? O tej samej porze?

Spojrzał na nią błagalnie błękitnymi jak morze oczami.

– Okej – powiedziała słabo. Nacisnęła guzik windy. Tomaso zniknął jej z oczu. I pewnie z życia, pomyślała żałośnie.

Gemma

Krążyłam niespokojnie po holu, próbując wcielić się na powrót w rolę nastolatki i powtarzając sobie, że wszystko jest w porządku i że Livvie nie została (a) uwiedziona, (b) spita, (c) porwana i (d), o Boże, błagam, nie leżała gdzieś w rozbitym samochodzie.

Wspomnienie tej wąskiej serpentyny nad urwiskiem przyprawiało mnie o mdłości. Gdzie ona jest? Modliłam się, by już była tutaj, bezpieczna, ze mną. Wiedziałam, że to tylko syndrom pierwszej randki, który dopada wszystkich rodziców, ale to w najmniejszym stopniu nie łagodziło mojego niepokoju.

Pochodziłam jeszcze chwilę, kiwając głową recepcjoniście oraz barmanowi i usiłując podziwiać kaskady kwitnącej bugenwilli. Nakazywałam sobie surowo rozkoszować się chwilą, zachwycać pięknem oświetlonych świecami tarasów, ukwieconych ogrodów, świateł przepływającego na horyzoncie statku, migotaniem lamp Positano… w którym była moja córka… i spóźniała się. Do diabła, spóźniała się, i to bardzo, a ja zaczynałam się martwić.

Podeszłam do windy, której drzwi otworzyły się nagle i oto stanęła w nich Livvie, boso, z sandałami w dłoni, przygryzając dolną wargę tak samo jak ja, kiedy się niepokoiłam.

– Przepraszam, mamusiu – powiedziała, zwieszając głowę. – Naprawdę bardzo przepraszam. To nie było… to znaczy, nie stało się nic złego. Po prostu nie zauważyłam, która jest godzina. Siedzieliśmy w kawiarni z jego znajomymi i czas jakoś tak przeleciał.

Zerknęła na mnie spod rzęs i nagle zobaczyłam w niej siebie, tak wyraźnie, że zrobiło mi się jej żal. Otworzyłam ramiona i powiedziałam po prostu:

– Chodź tu, córeczko.

Livvie podbiegła do mnie i uściskałyśmy się mocno. W końcu odsunęła się ode mnie odrobinę i wyznała:

– Mamo, on mnie pocałował… i tak się bałam!

Obie roześmiałyśmy się i uściskałyśmy jeszcze raz. Dzięki Bogu wszystko jest w porządku, pomyślałam. Nie została uwiedziona, porwana ani nie miała wypadku. I na dodatek powiedziała mi o swoim pierwszym prawdziwym pocałunku.

Obejmując się w pasie, wyszłyśmy na taras i oparłyśmy o balustradę. Wysłuchałam opowieści o jej wieczorze. Było dokładnie tak, jak powinno być między matką a córką. Przynajmniej na razie.

Rozdział 58

Rocco jechał powoli dziurawym żwirowanym podjazdem. Fido podskakiwał i ślizgał się na pace, rozpaczliwie usiłując utrzymać się na łapach, raz po raz
szczekając ostro, jakby chciał powiedzieć swojemu
panu, żeby się zatrzymał. Rocco zaparkował przy
starych stajniach, wysiadł z samochodu i rozejrzał
się po pustym dziedzińcu. Pies zeskoczył na ziemię,
podbiegł do pana i usiadł grzecznie przy jego nodze.

Wszystko było *perfetto*, pomyślał Rocco. Wyko-
nał kawał dobrej roboty. I wszystko na nic. Na dodatek teraz musiał przełknąć dumę i przeprosić tego
americano. No, może nie tak do końca przeprosić.

Ben wyszedł zza domu i zobaczył Rocca stojącego na dziedzińcu z psem. Był ciekaw, o co mogło
chodzić tym razem.

– *Ciao*, Rocco – zawołał.

– *Ciao, signore*. – Rocco zerwał z głowy kapelusz z demobilu, który nosił niezależnie od pogody,
i przycisnął do piersi, stając na baczność jak żołnierz
przed generałem.

Dziwne, pomyślał Ben, zwykle łaził dokoła i co
najwyżej dotknął palcem ronda.

– Co mogę dla ciebie zrobić, Rocco? – zapytał z surową miną; wiedział, że Rocco jest w jakiś sposób zamieszany w jego kłopoty.

– Mam dobre wieści, *signore*. – Rocco posłał mu promienny i bez wątpienia fałszywy uśmiech. – Powiedzieli mi, że te zezwolenia budowlane wcale się jednak nie zgubiły.

– Tak? – Ben oparł się o mur z rękami założonymi na piersi.

– Właśnie tak, *signore*. I nie tylko to. Zarząd zdecydował, że nie ma potrzeby przeprowadzać robót konserwacyjnych na drodze do willi. Nie zostanie rozkopana.

– A dlaczegóż to, Rocco? Nie wiesz przypadkiem?

Rocco wzruszył teatralnie ramionami, rozkładając ręce.

– Jak to mówicie w Ameryce, za cholerę nie wiem, *signore*. Może po prostu czasami Bóg bywa dla nas łaskawy.

– I całe szczęście, Rocco – odparł Ben, uznając słowa Włocha za przeprosiny, bo wiedział, że to właśnie miały znaczyć. – Miejmy nadzieję, że Wszechmogący zaopiekuje się również moim telefonem, elektrycznością i wodą.

Rocco znów się rozpromienił.

– Gwarantuję to panu, *signor* Ben. *Domani*. Wszystko będzie naprawione. – Zawahał się, zerkając na Bena kątem oka. – Jeszcze jedno, *signore*. Chodzi o... cóż, to osobista sprawa. Chodzi o panią doktor.

Ben się wyprostował. Podszedł kilka kroków w stronę Rocca, ale pies powstrzymał go warczeniem. Spojrzał na obydwu; zabawna z nich była para.

– Co z panią doktor? – zapytał. – Wiesz, gdzie jest?

– Wiem. I wiem też, że nie przez nią miał pan kłopoty, *signore*. Niewinnie ją pan oskarżył.

– Nigdy jej o nic nie oskarżałem.

– Ja słyszałem co innego, *signore*.

– Więc jeśli *dottoressa* nie jest winna tego sabotażu, Rocco, to kto właściwie jest?

Rocco podrapał się po głowie. Znów wzruszył ramionami i uśmiechnął się.

– Kto to wie, *signore*? Kto to wie?

– Pewnie tylko dobry Bóg – odparł Ben i Rocco odetchnął z ulgą.

Wymigał się jakoś; nie musiał nawet tracić twarzy i przepraszać. Tylko patrzeć, jak *americano* odzyska wszystkie wygody w swojej willi, pogodzi się z panią doktor, a Sophia Maria wróci do domu. Znów wszystko będzie dobrze.

– *Dottoressa* jest w Positano, *signor* Ben – powiedział i zauważył, że Ben zerknął na zegarek. – Mieszka w hotelu San Pietro z córką i Sophią Marią. To nie jest daleko, *signore*, może pan tam dojechać w... no, w jakieś sześć godzin.

Jasne, chyba odrzutowcem, pomyślał Ben, ściskając rękę Rocca. Poklepali się nawzajem po plecach.

– Dzięki – powiedział Ben.

– Nie ma za co – odparł Rocco.

– Mój stary dobry przyjaciel Rocco – dorzucił Ben.

– W przyszłym roku, *signore*, zobaczy pan największą truflę w Toskanii. Fido znajdzie ją specjalnie dla pana, a ja ją tu przyniosę. Osobiście.

– Miło mi to słyszeć, Rocco. – Ben już szedł do willi, by powiedzieć Muffie, żeby się spakowała. Czekała ich długa podróż.

Rozdział 59

Ben

Przez całą długą drogę na południe Ben powtarzał sobie, że chyba zwariował. Ledwie znał tę kobietę. W dodatku ona sama była zwariowana – bez przerwy potykała się o własne nogi i wpadała na jakieś drzwi. Bóg wie, jakim cudem radziła sobie na tej swojej osławionej intensywnej terapii. No i jeszcze zastała go z Luizą. Zupełnie nie w porę – to dla niej typowe. Skoro tak cię denerwuje, to dlaczego, zapytał sam siebie po raz setny, wleczesz się starym land roverem aż do Positano, żeby ją przeprosić?

Jęknął głośno, aż Muffie, wyciągnięta na tylnym siedzeniu, zgrzana i znudzona długą jazdą, usiadła.

– Co się dzieje, tatusiu? – spytała, widząc jego zbolałą minę.

– Męczy mnie ruch na drodze – odparł, ale jego córka nie była taka głupia.

– Chodzi o doktor Jericho, zgadza się?

– Co się zgadza? – Spojrzał na nią we wstecznym lusterku. Zaczynał się przyzwyczajać do tych zielonych włosów. Wydawały mu się już prawie normalne.

– Oj, tato, no wiesz. – Muffie zachichotała i położyła się z powrotem. – Mężczyźni. – Westchnęła

286

i Ben wyszczerzył zęby w uśmiechu. Przyjazd do Toskanii nie poszedł na marne. Jego mała córeczka dorastała.

Co jednak wcale nie wyjaśniało, dlaczego gonił przez pół Włoch za tą kobietą, tak upartą, tak… kłótliwą, że aż czasem było mu głupio. Prawdę mówiąc, jeszcze nigdy nie spotkał kogoś takiego. Nigdy nie znał kobiety, która wykonywałaby tak trudną pracę i która mniej by się przejmowała własnym wyglądem.

A jednak musiał przyznać, że kiedy siedzieli w Cammillo we Florencji, wydała mu się piękna jak żadna inna. Potrąciła w nim jakąś uśpioną strunę, zmusiła, by inaczej spojrzał na siebie, na swoje związki.

Nie był samolubny. Zawsze zależało mu na kobietach, z którymi się umawiał, zależało mu na żonie. Wtedy myślał, że jest zakochany do szaleństwa. Ale nigdy nie czuł się tak jak wtedy, we Florencji.

Więc jak właściwie się czuł? Zastanawiał się nad tym, stojąc w korku w małym nadmorskim miasteczku o nazwie Piano. Dziwna nazwa dla miasta, pomyślał, ale po dziesięciu minutach stania uznał, że Piano, czyli „powoli", to nazwa bardzo odpowiednia.

Do diabła, nie miał pojęcia, co czuje do Gemmy; wiedział tylko, że chce z nią być. Pragnął trzymać ją w ramionach, kochać się z nią, chronić przed tymi wszystkimi minikatastrofami, które bez przerwy powodowała. I jeszcze coś – chciał roztopić tę bryłę lodu, którą nazywała sercem. Gemma Jericho była problemem. I zagadką. Musiał rozwiązać jedno i drugie.

Rozdział 60

Gemma

Z popołudniowej drzemki obudziło mnie pukanie do drzwi. Była to Nonna; podejrzany błysk w jej oczach mówił wyraźnie, że coś kombinuje.

– Ubierzmy się ładnie dziś wieczorem i napijmy szampana. Mamy co świętować – powiedziała. – Może włożysz nową sukienkę?

– Chwila – odparłam, wciąż lekko nieprzytomna. – A co właściwie będziemy świętować?

Uśmiechnęła się przebiegle i trąciła mnie łokciem.

– Koniec sabotażu – szepnęła i roześmiała się. – Tak czy inaczej, masz okazję się w nią ubrać, więc dlaczego nie?

Godzinę później podziwiałam własne odbicie w wysokim lustrze. Przyglądałam się świeżej opaleniźnie, czerwonej sukience i zaczarowanym pantofelkom, które miały mnie przenieść do Krainy Oz. Miękki szyfon przylegał tam, gdzie powinien, i odsłaniał to, co należało odsłonić. Westchnęłam, myśląc ponuro, że powinnam się nacieszyć tym widokiem – to była prawdopodobnie ostatnia okazja, by włożyć tę sukienkę. Niedługo – o wiele za szybko – miałyśmy wracać do Nowego Jorku. Do codziennej harówki.

Do życia, które kochasz, upomniałam samą siebie. Do życia bez emocjonalnych komplikacji.

Nie miałam szminki pod kolor sukienki, umalowałam więc wargi cielistą, neutralną pomadką, która kompletnie nie pasowała, i położyłam odrobinę różu na policzki. Potem tylko trochę tuszu do rzęs, napuszyć włosy, spryskać się Violetta di Parma – i gotowe. Zaraz, zaraz, jeszcze okulary. No, teraz byłam gotowa świętować odwołanie sabotażu Villi Piacere i – koniec snu Nonny o wielkiej fortunie.

Livvie wpadła do pokoju.

– Mamo, mogę pożyczyć twoją nową białą spódnicę?

Tego już za wiele, pomyślałam. Córka pożycza ode mnie ciuchy. Za szybko dorasta. Chcę, żeby została dzieckiem. Tak było o wiele łatwiej. A teraz całowanie, ciuchy i cały ten nastoletni kołowrót.

– Będzie na ciebie za długa – powiedziałam, przyzwyczajona do miniówek, które zwykle nosiła.

– Nie szkodzi. – Livvie porwała spódnicę. – Chcę całkiem zmienić styl. No wiesz, na bardziej dorosły. Chcę być wyjątkowa i niepowtarzalna.

Zniknęła z moją spódnicą, a ja poszłam do baru na górę po Nonnę. Oparta o kontuar wyglądała na całkowicie zadomowioną.

– Dziedziczka wygląda dziś całkiem nieźle – powiedziałam, wdrapując się na stołek obok niej.

Zmierzyła mnie wzrokiem z góry na dół, jak zwykle przy niedzielnym obiedzie; byłam pewna, że krytykuje mnie w duchu.

– Ta szminka jest okropna – orzekła.

– Jezu, mamo, powiedz, jak sukienka?

– Sukienka jest idealna. Buty też. – Odwróciła się do barmana i zamówiła naszego tradycyjnego drinka: martini z szarą gęsią. Ja gapiłam się na swoje stopy. Buty już mnie piły. Ale piękno wymaga poświęceń, przypomniałam sobie. To zdanie musiała wymyślić jakaś biedna kobieta.

Zobaczyłam Livvie idącą z gracją w naszą stronę. Moja biała spódnica pasowała na nią idealnie. Włożyła do niej prostą czarną koszulkę ze ściągaczem pod szyją i płaskie sandały z Capri. Gdyby nie żółte włosy i tatuaże z henny, które dzięki Bogu zaczynały już blaknąć, wyglądałaby prawie normalnie.

Spódnica sięgała jej do kolan.

– Nigdy przedtem nie widziałam cię bez nóg na wierzchu – powiedziałam, uśmiechając się szeroko.

– Oj, mamo, nie zaczynaj – odparła.

Nonna przyznała, że Livvie wygląda prawie jak dama i zamówiła jej colę.

– Telefon do panienki – powiedział barman, podając mojej córce słuchawkę.

– Do mnie? – zapytała zdumiona. Wzięła słuchawkę. – Halo? Och, okej – powiedziała. Nagle dziwnie przygasła. – Okej. No, może. *Ciao*. – Oddała barmanowi słuchawkę i upiła łyk coli pod naszymi wyczekującymi spojrzeniami.

– No i? – zapytałam.

– To Tomaso. Może się ze mną dzisiaj spotka. A może nie. Zobaczymy.

Milczałyśmy. Ja nie wiedziałam, co powiedzieć, a Nonna nie była wtajemniczona w szczegóły naszej wczorajszej babskiej rozmowy i nic nie wiedziała o pocałunku ani o pułapkach pierwszej miłości, szczególnie trudnej, kiedy ma się czternaście lat.

– No i dobrze – rzekła wreszcie. – To znaczy, że możesz z nami oblać koniec sabotażu.

Livvie rzuciła jej spojrzenie, które wyraźnie mówiło: a co mnie to obchodzi? Westchnęłam. Już widziałam to ponure, milczące oblewanie.

Rozdział 61

Usadowiłyśmy się przy naszym zwykłym stoliku z widokiem na zatokę. Zachodzące słońce malowało niebo na złotopomarańczowo.

– *Bene* – powiedziała nagle Nonna tonem kota, który złapał mysz. Podążyłam wzrokiem za jej spojrzeniem. W wejściu stała Muffie Raphael.

Livvie pisnęła z radości. Uściskała Muffie, jakby przyjaźniły się od kołyski.

– Świetnie, że jesteś – powiedziała.

– Ja, też się cieszę – odparła Muffie, uśmiechając się od ucha do ucha.

Patrzyłam na nie zdumiona. Na Muffie w białych szortach z lycry, w bluzce z cekinami i ze sterczącymi zielonymi włosami, i na moją córkę, skromną blondynkę w białej spódnicy do kolan, prostej koszulce i sandałach. O Boziu, pomyślałam, dziewczyny zamieniły się rolami. Muffie stała się Livvie, a Livvie stała się Muffie.

Nagle zdałam sobie sprawę, że skoro Muffie tu jest, to musi być i Ben. I rzeczywiście był – w wygniecionych szortach, zgrzany, zmęczony i spocony. A ja wyglądałam bosko w nowej czerwonej kiecce i pachniałam parmeńskimi fiołkami. Czy my też zamieniliśmy się rolami?

Puls mi skoczył o dobre dziesięć uderzeń na minutę; nie wiedziałam, co robić. Nerwowo przygładziłam ręką włosy.

– Do diabła, co on tu robi? – mruknęłam, wstając z krzesła. W pierwszym odruchu przyszło mi do głowy, żeby uciec, ale powiedziałam sobie, że miałam już nigdy nie uciekać, bo zawsze się potykam, wpadam na drzwi albo coś w tym stylu. Usiadłam więc z powrotem.

Ben i Muffie szli przez taras między eleganckimi gośćmi, śledzeni podejrzliwymi spojrzeniami kelnerów. Wyglądali, co tu dużo mówić, niechlujnie i ekscentrycznie. Ale wiecie co? Benowi nie odebrało to ani odrobiny uroku, szczególnie kiedy spojrzał mi w oczy i znów poczułam się, jakbym była jedyną kobietą w okolicy.

– Gemmo – powiedział, wyciągając rękę.

Znowu wstałam, wzięłam go za ramię i przeszliśmy z powrotem przez taras. Pozostali goście spoglądali na nas z ciekawością.

Trio grało melodię, którą skądś znałam; słodką i romantyczną. Ben przyciągnął mnie do siebie i zaczęliśmy powoli tańczyć w przyćmionych światłach. Byliśmy jedyną parą na parkiecie. Czułam zapach swoich perfum i jego potu. Dla mnie był to najbardziej seksowny zapach na świecie.

Tak nie można, powiedziałam sobie, patrząc w jego oczy. Mówiłam wam, że były szarozielone, z małymi złotymi punkcikami? Mówiłam wam, że jego dłonie były twarde, stanowcze? Mówiłam wam, że znałam jego ciało jak swoje własne? I kiedy tak tańczyłam z tym mężczyzną, którego żaden ruch nie był mi obcy, zdałam sobie sprawę, że jestem kobietą, i to słabą kobietą. I choć wiedziałam, że nie powinnam tego robić, że powinnam go odprawić zimnym

„żegnaj", a może nawet „spadaj" – nie mogłam tego zrobić.

Ben oderwał policzek od mojego policzka.

– Przyjechałem tu, żeby cię przeprosić, Gemmo. Luiza to tylko stara znajoma. Znamy się od lat. Między nami nic nie ma. I nigdy nie było. To wszystko moja wina.

– No, może nie do końca twoja – mruknęłam, nie mogąc oderwać oczu od jego oczu. Nie chciałam słyszeć ani jednego słowa więcej na temat boskiej Luizy.

Jego oczy prześlizgnęły się po moim ciele i nagle przestałam się przejmować, że moje nowe buty są takie niewygodne. Prawie nie czułam bólu.

– Podobasz mi się w czerwieni – szepnął.

Jego twarz była tak blisko, że czułam jego oddech.

– Gemmo – szeptał z ustami przy moich ustach – przyjechałem tu, kiedy tylko się dowiedziałem, gdzie jesteś. I przez całą drogę zadawałem sobie pytanie, dlaczego to robię. Ale kiedy zobaczyłem cię na tarasie, już wiedziałem dlaczego.

Spojrzałam na jego usta, potem w oczy i tym razem naprawdę w nich utonęłam.

– Założę się, że mnie nie poznałeś – powiedziałam głupio i westchnęłam.

– Dlaczego zawsze mi przerywasz?

– Przepraszam. Co chciałeś powiedzieć?

– Do diabła, chyba to, że brakowało mi ciebie, ty wariatko. I że chyba zaczynam się w tobie zakochiwać.

Nigdy nie umiałam przyjmować komplementów.

– Daj spokój – mruknęłam, szczerząc zęby. – Ledwie mnie znasz.

Przyciągnął mnie tak blisko, że prawie mnie zmiażdżył. Oparł podbródek o moje czoło i usłyszałam, jak szepcze:

– I co ja mam z nią zrobić? – Spojrzał na mnie jeszcze raz i dodał: – Na pewno odkryję w tobie jakieś zalety.

Zespół znów zaczął grać ten sam kawałek i tym razem go rozpoznałam. To było *Śpiewałaś dla mnie* Marca Anthony'ego. Ta piosenka, w której zakochiwał się na zabój. Bałam się, że śpiewał o mnie, o tym, że robię dokładnie to, czego przyrzekłam sobie więcej nie robić. Mówił też w tej piosence, że nie boi się miłości, ale ja – o, ja się bałam. A poza tym nie chciałam się zakochać na zabój w mężczyźnie, który był mi praktycznie obcy; w mężczyźnie, dla którego złamałam moje przyrzeczenie; w mężczyźnie, który mógł zrujnować to starannie poukładane życie, jakie sobie stworzyłam.

Muzyka umilkła i Ben wyprowadził mnie z tarasu. Zostawiliśmy ciekawskich gości, zostawiliśmy Nonnę, Livvie i Muffie, które, jak miałam nadzieję, dobrze się bawiły, świętując koniec sabotażu, i wyszliśmy w noc.

– Dokąd idziemy? – zapytałam.

– Do mnie. – Pociągnął mnie za rękę do zakurzonego land rovera. – Do hotelu Sirenuse, kawałek dalej. Tutaj nie mieli już pokoi.

Zerknęłam na niego nerwowo. To była moja ostatnia szansa. Mogłam wysiąść z samochodu i odejść, nawet bez pożegnania. Ale nie zrobiłam tego. Pocałowałam go, a on spojrzał mi głęboko w oczy. Zrozumiał. Po kilku minutach byliśmy już w Sirenuse.

Rozdział 62

Weszliśmy do pokoju z widokiem na morze i Positano. Ben zaciągnął zasłony, odcinając nas od rzeczywistości, tak jak kiedyś we Florencji. Spojrzał w moje przestraszone oczy.

– Dlaczego? – zapytał po długiej chwili. – Dlaczego nie chcesz otworzyć przede mną serca, Gemmo?

– Już to zrobiłam – odparłam. Ale to było kłamstwo, i on o tym doskonale wiedział.

Delikatnie powiódł palcem po moim podbródku i wzdłuż kości policzkowej. Zdjął mi okulary i obiema dłońmi odgarnął włosy, przytrzymując je mocno z tyłu. Pomyślałam, że pewnie przypominam teraz Fido, ale Ben widocznie tak nie uważał, bo powiedział:

– Jesteś taka piękna.

Odsunął się i zaczął się rozbierać. To chyba trochę za szybko, pomyślałam? A gdzie gra wstępna?

– Muszę wziąć prysznic – rzekł. – Nie odchodź.

W drzwiach łazienki odwrócił się jeszcze i przyłapał mnie, jak pożeram wzrokiem jego cudowne ciało. Gapiłam się bezwstydnie – tylko tak to można określić. Ben się roześmiał.

– Błagam – dodał – zostań.

Zostałam. Co więcej, zdjęłam czerwoną sukienkę i zaczarowane pantofelki, a nawet nową koronkową bieliznę, choć może tę ostatnią powinnam była zostawić na sobie i zaprezentować Benowi. Ale rzuciłam ją na podłogę, i w końcu – choć może i tego nie powinnam robić – poszłam za nim do łazienki i weszłam pod prysznic.

Kochanie się pod bieżącą wodą trochę przypomina nurkowanie – trzeba długo wstrzymywać oddech. Woda jest wszędzie, w oczach, w ustach, we włosach.

– Znowu ulewa we Florencji – powiedział Ben, całując mnie delikatnie – ale dziś nie potrzebujemy parasola.

To ja tym razem przejęłam inicjatywę, bezwstydnie po niego sięgając. Nie wiem, skąd mi się to wzięło – a może wiem. Po prostu tak długo to w sobie tłumiłam, że teraz chciałam nadrobić straty. Mydliłam jego wysokie, silne ciało, masowałam go, wbijałam paznokcie w skórę, a w końcu uklękłam przed nim i wzięłam go do ust. Smakował jak wino, róże, seks, jak wszystkie najwspanialsze rzeczy na świecie. Zaczął jęczeć, przyciskając do siebie moją głowę; byłam tak szczęśliwa, że miałam ochotę śmiać się na głos. Pomyślałam, że może właśnie po to jestem na tej ziemi – by dawać rozkosz mężczyźnie i przyjmować ją od niego. Ale wiedziałam, że to przecież tylko część życia, część miłości, część bycia kobietą, która, choć nie powinna, zakochiwała się na zabój.

Ben uniósł mnie, oparł o kafelki i pochyliwszy się, zaczął całować moje piersi.

– Nie doczekam się – powiedział, wchodząc we mnie. – Gemma! – krzyknął, kiedy owinęłam nogi wokół jego bioder; trzymał mnie na rękach, wbijając się we mnie i patrząc mi prosto w oczy. Zatonęliśmy w sobie nawzajem. Zaczęły mną szarpać dreszcze rozkoszy, jeden po drugim; usłyszałam jego krzyk i poczułam go w sobie – ciepłą, cudowną wilgoć.

Rozplotłam nogi; Ben przytrzymał mnie, dopóki nie stanęłam, a potem oparł ręce o ścianę, oddychając ciężko i wpatrując się we mnie.

Z prysznica wciąż płynęła woda, ściekając po naszych śliskich od potu ciałach.

– To chyba dlatego, że tak się stęskniłem.

Odparłam, że pewnie tak, i roześmiał się.

Owinął mnie wielkim białym ręcznikiem, wziął na ręce i zaniósł do łóżka. Leżeliśmy obok siebie, trzymając się za ręce. Zza okna dobiegały strzępy muzyki z kawiarnianego ogródka, wybuchy śmiechu, stukot obcasów na terakotowych płytkach.

– O czym myślisz? – Ben oparł się na łokciu i spojrzał na mnie.

– O zakochiwaniu się na zabój – odparłam.

– Ja też – powiedział i znów wziął mnie w ramiona; tym razem byliśmy delikatniejsi, bardziej czuli dla siebie. Ani mnie, ani jemu się nie spieszyło. Nie wiedziałam, że to takie łatwe zostać bezwstydną ladacznicą.

Rozdział 63

Ben

Ben nie spał; słuchał lekkiego, równego oddechu Gemmy. Pomyślał, że to jedna z niewielu okazji, kiedy jest spokojna, kiedy nie odgryza mu się jakąś kąśliwą uwagą ani nie potyka się o nic. Uśmiechnął się w ciemnościach. Naprawdę ją lubił. Poza tym była najseksowniejszą kobietą, jaką znał. Jej namiętność była wspaniała, instynktowna i na pewno szczera. Cieszyła się jego ciałem; a on jej ciało wprost uwielbiał. I choć wciąż nie miał pojęcia dlaczego, zależało mu na niej.

Czy to znaczyło, że był w niej zakochany? Czy to naprawdę była miłość? Gemma wniosła w jego życie coś nowego, czego nie chciał stracić. Kiedy pomyślał nad tym dłużej, doszedł do wniosku, że chodzi o niewinność.

Była to dość szczególna cecha, jeśli wziąć pod uwagę, że codziennie patrzyła w twarz śmierci i chorobie. Ale zawsze wychodziła z tego zwycięsko. Wygrywała ze śmiercią.

Dotknął jej ciepłego uda; sennym ruchem przysunęła się bliżej, owinęła wokół niego. Przyglądając się jej twarzy w półświetle świtu, zobaczył czerwony ślad na nosie – pamiątkę po tym, jak weszła w drzwi jego tarasu. Roześmiał się.

– Co cię tak bawi? – mruknęła sennie.

– Ty, skarbie – odparł. – Śpij dalej.

I spała, choć znów chciał się z nią kochać, chciał znów poczuć, jak przywiera do niego, chciał smakować jej usta, zatopić w nie język i być rozkosznie głęboko w niej.

Westchnął i zapatrzył się w sufit. Boże, czyżby naprawdę się zakochał?

Rozdział 64

Gemma

Później tego samego ranka, po powrocie do San Pietro, zajęliśmy zasłane ręcznikami leżaki na skraju platformy. Wypożyczyliśmy materace i wypłynęliśmy w krystaliczne, błękitne morze. Wiosłowaliśmy leniwie obok Livvie i Muffie, które ochlapywały się wodą i z piskiem spychały z materaców.

Cieszyłam się, że Muffie jest z nami, bo, jak powiedziała mi Livvie, zeszłego wieczoru Tomaso się nie pokazał. Pewnie zastanawiała się teraz, dlaczego go pocałowała. Była przekonana, że Tomaso nie chce się z nią więcej spotkać, i na pewno czuła się trochę „łatwa".

– Nie przejmuj się, kochanie, niejedna ryba pływa w morzu – powiedziałam wesoło.

Livvie posłała mi spojrzenie, które doskonale znałam (bo odziedziczyła je po mnie), a które mówiło: daj spokój, mamo, już nigdy nie złowię takiej rybki jak Tomaso. Nonna kupiła ogromną porcję lodów, jakby uważała, że to wystarczy, by pocieszyć wnuczkę. Teraz wyglądało na to, że Livvie zapomniała o nim, przynajmniej na chwilę, i miałam nadzieję, że ta przygoda nie zostawiła trwałej rany w jej wrażliwym młodym sercu. Ale przecież wszyscy boleśnie przeżywamy pierwsze miłosne rozterki.

Spojrzałam w górę, słysząc nad głową warkot helikoptera, który zawisł nad wodą jak wielka ważka. Wstrzymałam oddech, kiedy pomknął prosto na skalną ścianę, po czym nagle opadł i wylądował perfekcyjnie na platformie obok ogrodu różanego.

– Kurczę! – usłyszałam chóralny okrzyk Livvie i Muffie. Zauważyłam, że ostatnio mówiły tym samym językiem.

– Kto by pomyślał – powiedział Ben. – Zgadnij, kto to taki.

Nie musiałam zgadywać: nawet z materaca unoszącego się daleko od brzegu dostrzegłam błysk słońca na brylantach.

– To Maggie! – wrzasnęła Livvie; obie dziewczyny powiosłowały z powrotem na przystań, by się przywitać.

Ben złapał róg mojego materaca i obrócił go tak, że znaleźliśmy się twarzą w twarz. Leżąc na brzuchach, posłaliśmy sobie ten głęboki intymny uśmiech, jaki znają tylko kochankowie.

Pomyślałam, że życie nie jest takie złe. Trudno o coś lepszego niż pływanie na materacu po srebrnobłękitnym morzu ze swoim ukochanym. Czego więcej może pragnąć kobieta? Szczególnie taka, która nie myśli o przeszłości. O Boże, przeszłość. I Cash. Co ja wyprawiam? Westchnęłam. Doskonale wiedziałam, co wyprawiam. Po prostu nie mogłam się powstrzymać.

– Juhuu! – Maggie pomachała do nas z nabrzeża. – Przestańcie się migdalić i wracajcie – zawołała. – Usłyszałam, że wszyscy zwaliście do Positano, i postanowiłam się przyłączyć.

Powiosłowaliśmy leniwie z powrotem, z dłońmi złączonymi nad wąskim paskiem wody między nami. To znaczy wiosłowaliśmy, dopóki Ben nie ze-pchnął mnie nagle z materaca. Zanurkował zaraz za mną i złapał mnie, kiedy parskając, wynurzałam się z głębiny. Wrzasnęłam na niego i odepchnęłam od siebie, i nagle znów byliśmy pod wodą, całując się jak szaleni, spleceni rękami i nogami. Brakowało mi oddechu, ale pomyślałam, że jeśli mam opuścić ten padół, to czemu nie w ten sposób? W następnej chwili wynurzyliśmy się na powierzchnię, piszcząc i śmiejąc się. Usłyszałam krzyk Livvie:

– Oj, mamo, przestań już!

Zmyłam z twarzy idiotyczny uśmiech, bo wie-działam, że córka się mnie wstydzi.

– No dobrze – zaczęła Maggie, kiedy wreszcie usiedliśmy przy stoliku plażowego baru. Piliśmy zimne wino i jedliśmy świeże owoce. (To znaczy my, dorośli, bo dziewczyny piły colę, jadły frytki i grillo-wane kanapki z serem. Zazdrościłam im trochę, ale uznałam, że skoro teraz noszę koronkową bieliznę i uprawiam seks, powinnam bardziej dbać o figurę).

– Przyjechałam tu – ciągnęła Maggie – by rozsą-dzić pewien drobny spór.

Spojrzeliśmy na nią pytająco. A było na co po-patrzeć – turkusowo-amarantowa obcisła spódnica, dopasowana bluzka, kilka złotych naszyjników plus sznur pereł, nie mówiąc już o pierścionkach i szpil-kach we włosach.

– Spór? – spytała Nonna.

– Dotyczący Villi Piacere – wyjaśniła Maggie.

Wszyscy spuściliśmy wzrok. Nikt się nie ode-zwał. Wzięłam z talerza kawałek melona, kątem oka zerkając na Bena. Pił wino, patrząc na morze.

– Wszyscy znamy fakty, więc nie ma sensu ich przypominać – podjęła Maggie. – Teraz musimy tylko ustalić, do kogo tak naprawdę należy willa.

Wynajęłam detektywa, by wytropił Donatiego. – Spojrzała na wysadzany brylantami zegarek. – Ma się do mnie zgłosić dziś wieczorem i przekazać, co zdołał ustalić.

Livvie ugryzła kanapkę.

– Rany, Muffie – wymamrotała z pełnymi ustami – będziemy się bawić w szpiegów.

Skarciłam ją za mówienie z pełną buzią. Dziewczyny zachichotały.

– I co dalej? – zapytałam, kradnąc frytkę z talerza Livvie.

– Ty i Ben będziecie mogli skorzystać z jego wskazówek i zlokalizować Donatiego – odparła. – Na pewno go znajdziecie.

– Cieszę się, że w nas wierzysz – powiedział Ben, a mnie kąciki ust drgnęły w uśmiechu.

– Zapowiada się ciekawie – rzuciłam. – Przedsiębiorca budowlany i lekarka będą ścigać po całych Włoszech złodzieja.

– Zupełnie jak na filmie – mruknęła Muffie. Aż ją zatykało z podniecenia, nie mówiąc o tym, że usta miała zatkane kanapką. Westchnęłam, chwilowo dając sobie spokój z gadkami o dobrych manierach.

– Jest jeszcze coś. – Maggie spojrzała na nas znad ogromnych, czarnych jak smoła okularów ze złotym logo Versace. – Jeśli znajdziecie testament, willa będzie należała do Sophii Marii. Jeśli nie, będzie własnością Bena.

– Zwycięzca zgarnia całą pulę? – spojrzałam pytająco na Nonnę.

– Otóż to – zgodziła się.

– Maggie – powiedział zdesperowany Ben – jesteś bogatą czterdziestodziewięcioletnią kobietą, która się nudzi i uwielbia wtrącać w nie swoje sprawy.

– Zgadza się – przyznała Maggie.

– Zwycięzca zgarnia całą pulę? – powtórzyła, ucinając dyskusję.

Westchnął.

– Zgoda. Ale nigdy nie znajdziesz tego testamentu.

Po obiedzie przestawiliśmy fotele przodem do słońca. Rozparliśmy się w nich, każde pogrążone we własnych myślach. Może dlatego, że ostatniej nocy tak niewiele spałam, zdrzemnęłam się.

Obudziłam się dwie godziny później w doskonałym nastroju. Dzięki Maggie sprawa willi miała się wyjaśnić w jedną albo w drugą stronę, a dzięki Benowi znów czułam się kobietą. Życie nie jest takie złe, uznałam. Przynajmniej na razie.

Pozbieraliśmy nasz porozrzucany dobytek i wspięliśmy się schodami do windy w skalnej ścianie. Kabina była dla nas za mała, więc najpierw wsiadłam ja z Benem i Nonną; Maggie miała wjechać za nami, z dziewczynkami. Ben poszedł do restauracji, by zarezerwować na kolację stolik dla nas wszystkich. Nagle usłyszałam głos Nonny:

– Proszę, proszę, kogo my tu mamy.

Odwróciłam się i zobaczyłam Tomasa. W tej samej chwili drzwi windy otworzyły się i wyszła z nich Livvie.

Wstrzymałam oddech. Chciałam do niej podbiec, chwycić ją za rękę. Ale Livvie mnie nie potrzebowała. Wysunęła stanowczo podbródek i posłała mu spojrzenie, które tak dobrze znałam: z ukosa, spod opuszczonych rzęs, z głową odrzuconą arogancko do tyłu.

– A ty co tu robisz? – zapytała.

– Przyszedłem cię przeprosić – wyjaśnił Tomaso. – Wczoraj musiałem pracować z ojcem.

– Jasne. Nie ma sprawy – powiedziała Livvie, oczywiście nieszczerze.

Muffie stała przy jej boku, gapiąc się na złote, opalone zjawisko. Livvie położyła jej rękę na ramieniu i rzekła lekkim tonem:

– To moja przyjaciółka Muffie. Wszędzie ze mną chodzi. Jasne?

– Jasne – odparł pokornie morski bożek.

– To o wpół do dziewiątej. W tej samej kawiarni – rzuciła Livvie.

– Zgoda. To do zobaczenia. – Ukłoniwszy się nam, Tomaso odwrócił się i poszedł.

– Rany – sapnęła Muffie z błyszczącymi oczami – mamy randkę. – I trzymając się pod ręce, pobiegły z chichotem, by obgadać rozwój sytuacji.

– Coś mi się wydaje – powiedziałam do Nonny – że nie musimy się już przejmować Tomasem.

– I chwała Bogu – odparła Nonna, żegnając się.

Rozdział 65

Postanowiliśmy z Benem, że sami przeprowadzimy śledztwo. Livvie i Muffie, które widziały się już w rolach dziewczyn Bonda, zostawiliśmy w Positano z Nonną i Maggie.

Wróciliśmy do Toskanii land roverem, który wytrząsł nam wszystkie kości; całą drogę narzekałam, że taki bogacz jak on jeździ takim wiekowym wehikułem, a ja, biedaczka, rozbijam się wynajętą lancią.

Detektyw Maggie podał nam adres w Lucce, gdzie widziano ostatnio Donatiego. Lucca to czarujące miasteczko na północny zachód od Florencji, słynące od wieków z produkcji jedwabiu. I rzeczywiście, część morw, którymi żywiły się jedwabniki, wciąż rośnie na starych murach, tak szerokich, że zamieniono je w swego rodzaju trawiasty park miejski. Ale adres podany przez detektywa okazał się adresem sklepu z antykami, w którym nikt nie słyszał o Donatim.

Następny trop zaprowadził nas do Gali, małego toskańskiego miasteczka w samym środku krainy chianti. Na wąskich uliczkach odchodzących od rynku było mnóstwo sklepów sprzedających dziczyznę, specjalność regionu, i cała masa kawiarenek. Tym razem pod wskazanym adresem znaleźliśmy lodziarnię. I oczywiście ani śladu Donatiego.

Idąc za kolejną wskazówką, trafiliśmy do przydrożnego straganu z owocami koło Montepulciano. Znowu pudło.

Siedzieliśmy w land roverze tonącym po osie w głębokiej trawie przy zrujnowanej tłoczni oliwy, która miała być ostatnim rzekomym miejscem pobytu Donatiego. Było oczywiste, że nikt tu nie zaglądał od dziesięcioleci.

– Skąd, u diabła, ten detektyw brał informacje? – zapytał Ben.

– Ja bym chciała wiedzieć, skąd Maggie wzięła tego detektywa.

– Objechaliśmy całą Toskanię – powiedział Ben. – Jestem zmęczony. Chcę pobyć trochę z tobą, sam na sam.

– Sam na sam? – Oczy mi zabłysły.

Ben pochylił się i pocałował mnie, długo i namiętnie.

– Pragnę cię, Gemmo – szepnął, muskając moje ucho.

Po moich plecach przemknął rozkoszny dreszcz, a przez głowę pytanie, dlaczego jeszcze mi nie powiedział, że mnie kocha. Oczywiście nie chciałam, żeby mi to powiedział, bo to by oznaczało związek, a ja nie mogłam się z nikim wiązać. Tak było lepiej: towarzysze broni, przyjaciele, kochankowie.

– Myślisz, że to w porządku? – zapytałam, wciąż myśląc naiwnie, jak młoda dziewczyna, że seks równa się miłość. – Wiesz, że nie mogłabym się w tobie zakochać – dodałam, bo musiałam jasno określić swoje stanowisko.

– Daj już spokój – odparł. – Dlaczego nie możemy się w sobie zakochać? Co w tym złego?

– Nic... tylko że... ja się już nigdy tak naprawdę nie zakocham.

Spojrzał mi głęboko w oczy, jakby próbował wysondować moje niezrozumiałe uczucia, moje winy, moją przeszłość.

– Jesteś pokręcona – powiedział po długiej chwili. – Jak mogę cię kochać, skoro jesteś tak cholernie pokręcona?

– Nie wiem. – Mój głos był cichy, przerażony.

– Ale ja wiem. Tylko że to zły pomysł.

Wysiadł z samochodu, przeszedł na moją stronę i otworzył drzwiczki.

– Chodź ze mną – powiedział, wyciągając rękę.

I poszłam z nim, tak jak tamtego dnia, kiedy pojechaliśmy kupić mleko, i na targ, i do Florencji.

Minęliśmy starą tłocznię i wielką prasę do wyciskania oliwy – teraz już tylko zardzewiałą kupę metalu i połamanych kół – i dotarliśmy na szczyt wzgórza. Pod nami leżała Toskania, niezmieniona od stuleci. Bezczasowa, bezwieczna.

Wiatr zaczął targać moje włosy i nagle ogarnęło mnie poczucie, że nic się tu nigdy nie zmienia: winorośl zawsze będzie rosła w długich, równych rzędach na zboczach wzgórz, zawsze będzie zbierana w październiku i będzie z niej robione wino, a ludzie będą świętować. Oliwki będą zrywane z obficie rodzących srebrzystych drzew, będzie z nich tłoczona oliwa, smakowana i podziwiana. Białe krowy rasy Chianina będą codziennie dawać mleko, które zawsze będzie miało posmak śmietany i słodkich traw. Na placach będą się odbywały koncerty i huczne weseliska, *bambini* będą chrzcone, komunikowane i żenione w wiejskich kościółkach, by potem wychowywać własne *bambini*, tak samo jak one były wychowywane. Życie bez żadnych zmian, na wieki wieków, amen, pomyślałam tęsknie. Marzyłam o takim życiu.

– Gemmo, powiedz mi, co się dzieje – poprosił Ben.

Poczułam ściskanie w gardle i pokręciłam głową. Ben uniósł moją twarz i pocałował mnie delikatnie. Przylgnęłam do jego ust. Nie chciałam, by się odsuwał. Nie chciałam mówić. Chciałam go tylko całować, czuć jego ramiona wokół mnie, jego ciało przy swoim.

– Skarbie – szepnął – kochanie. – I głaskał mnie po włosach, całując bez końca, aż znów zatonęliśmy w sobie, bezbronni przed przypływem namiętności. Osunęliśmy się na kolana, nie przestając się całować. Wciąż trzymał moją twarz w dłoniach. Poczułam, że zapadam się w miękką trawę.

– Jesteś piękna – mruczał, sunąc ustami po mojej szyi. – Jesteś taka piękna.

Leżeliśmy twarzą w twarz na tym trawiastym wzgórzu, z Toskanią pod nami i lazurowym niebem nad nami. Sami we własnym raju.

Nasze pocałunki były łagodne, czułe, jakby pytające; szukaliśmy się nawzajem i odnajdowaliśmy siebie w naszych złączonych ustach, w pasji naszych ciał. Ben rozpiął mi bluzkę i zsunął z ramion, ściągnął spódnicę, bieliznę, aż leżałam naga i bezbronna pod tym błękitnym niebem. I nagle on też był nagi. Tarzaliśmy się po trawie jak Adam i Ewa; myślałam o tym, jaki jest piękny, jak sprężyste jest jego ciało, jaka gładka skóra, jak wspaniałe usta, kiedy mnie smakuje.

I nawet kiedy porwał mnie na szczyt, pragnęłam go jeszcze, chciałam więcej, natychmiast.

– Teraz! – krzyknęłam i usłyszałam jego śmiech.

– Jesteś bezwstydna – szepnął, muskając końcem języka moje ucho i wbijając się w moje ciało, które witało go tak chętnie.

– O tak! – wołałam – o tak, tak, jestem! – I znowu wpadłam w tę cudowną bezdenną otchłań, gdzie docierają tylko kochankowie; gdzie nasze ciała pasowały do siebie jak fragmenty układanki; gdzie każdy jego ruch wywoływał we mnie dreszcze rozkoszy.

I wiedziałam, że prędzej czy później będę musiała powiedzieć mu prawdę: powiedzieć mu, co stało się z Cashem, co zamieniło mnie w lodową dziewicę niezdolną do miłości.

Rozdział 66

Jeszcze długo leżeliśmy spleceni, trzymając się w objęciach. Czułam się, jakbym odbyła długą podróż, i ciałem, i duchem. Razem dotarliśmy do miejsca, do którego może zaprowadzić tylko wielka namiętność, i wiedziałam, że to ostatnia taka podróż.

Leżałam przy nim, napawając się jego bliskością: gładkością jego skóry, jego oddechem na moich zamkniętych powiekach, dotykiem jego biodra, przyciśniętego do mojego.

Drzemał. Kiedy uniosłam głowę, by na niego popatrzeć, daleki grzmot zahuczał nad wzgórzami.

– Dlaczego zawsze, kiedy się kochamy, jest burza? – mruknął, nie otwierając oczu. – To pewnie przez tę elektryczność, którą wysyłamy w przestrzeń. – Roześmiał się, spokojny i szczęśliwy.

Poczuliśmy na twarzach krople deszczu. Wystawiłam język, by złapać choć kilka, jak to robiłam, kiedy byłam dzieckiem.

– Lepiej się zbierajmy – powiedział Ben, kiedy rozległ się kolejny grzmot. – Zdaje się, że czeka nas kolejna letnia nawałnica.

Podniósł mnie i przez chwilę trzymał na odległość wyciągniętych ramion. Niespokojnie przeciągnęłam rękami po włosach. Na pewno widzi wszystkie moje niedoskonałości, od blizny po wycięciu wyrostka po zbyt małe piersi.

– Jesteś taka piękna – szepnął. – Jesteś piękna, Gemmo, i wiesz o tym.

– Nie, nie wiem – odepchnęłam go od siebie, sięgając po koszulę. – Jestem zupełnie przeciętną, za wysoką i za chudą lekarką.

– Wiesz co? Masz rację – powiedział.

Ubraliśmy się pospiesznie i ze śmiechem pobiegliśmy w deszczu do samochodu.

Trzymaliśmy się za ręce przez całą drogę do Villi Piacere. Nie muszę mu nic mówić, myślałam. Przynajmniej na razie. Chcę, żeby to trwało jeszcze chwilę, choć krótką chwilę. Dopóki nie znajdziemy Donatiego i Nonna nie odzyska swojej willi.

Wjechaliśmy na dziurawy podjazd.

– Co zrobicie, jeśli dostaniecie tę willę? – zapytał Ben, jakby czytał w moich myślach.

– Sprzedamy ci ją – odparłam bez namysłu.

Wybuchnął śmiechem.

– Pani doktor zamienia się w bizneswoman – rzucił. – Ale muszę cię ostrzec: jestem w tym lepszy od ciebie.

Fontanna z Neptunem znów tryskała wodą.

– Widzę, że masz wodę – powiedziałam, uśmiechając się pod nosem.

– Aha. Zobaczymy, czy jest prąd.

Wbiegliśmy po schodach i weszliśmy do holu. Ben pstryknął włącznikiem i żyrandol rozbłysnął, po czym natychmiast przygasł, mrugając słabo.

– Cóż, nie można mieć wszystkiego – rzuciłam złośliwie. Trzęsłam się z zimna. – Zimno tu.

– Jest na to sposób – odparł Ben i po chwili staliśmy pod wielkim mosiężnym prysznicem słonecznikiem, zaróżowieni od gorącej wody, całując

313

się i starając nie nadziać na ostre krawędzie główki prysznica. Potem, rozgrzani i opatuleni w białe frotowe szlafroki i sportowe skarpety Bena, zbiegliśmy do kuchni w poszukiwaniu jedzenia.

Na drewnianej desce czekała świeżo upieczona ciabatta. Były też cieniutko pokrojona parmeńska szynka, ser *fontina* i świeże pomidory posypane pieprzem, polane oliwą i sokiem z cytryny. Ben wyjął butelkę antinori chianti classico riserva z winogron ze sławnych winnic, wśród których przejeżdżaliśmy ledwie dwa dni temu, szukając Donatiego. Ustawiliśmy wszystko na wielkiej tacy, dorzuciliśmy jeszcze osełkę masła, musztardę, nóż oraz kieliszki i poszliśmy do ośmiokątnego pokoju.

Ben przyłożył zapałkę do drew, ułożonych w kominku; płomienie strzeliły w górę, roztaczając wokół przytulne ciepło. Potem zapalił świece w kandelabrze z weneckiego szkła na małym stoliku.

Burza mijała; przez okno wpadły promienie wieczornego słońca, oświetlając Luchaya, który patrzył na nas pytająco czarnym okiem. Słońce wyłowiło też z półmroku kota wyciągniętego na brokatowej kanapie, podrapanej dawno temu przez syjama z fresków na ścianach. Współczesny kot był czarny jak noc i żółtooki, jego jedwabiste futro lśniło w słonecznym blasku. Podeszłam do niego i delikatnie pogłaskałam. Powąchał moją dłoń, polizał i znów zapadł w drzemkę.

– Nie wiedziałam, że masz kota.

– To Orfeo, kot mojej gosposi Fiametty. – Ben nalał wino i podał mi kieliszek. Było lekko wytrawne i przepyszne. – Luchay też jest jej.

– Papuga należy do Fiametty? – zdziwiłam się.

– Niezupełnie. Jej właściciel jest w Stanach, a Fiametta się nią opiekuje. To długa historia.

Usiadłam po turecku na dywaniku obok Bena, skubiąc pyszny chleb i ser i popijając wino.

– Opowiedz mi – poprosiłam.

– Wiesz, że papugi żyją bardzo długo – zaczął. – O wiele dłużej niż my, zwykli śmiertelnicy. A Luchay jest bardzo, bardzo stary. Został przywieziony z Amazonii przez żeglarza, który, gdy nie udało mu się sprzedać papugi, chciał skręcić jej kark. Luchaya uratowała młoda dziewczyna. Była samotna i biedna, tak jak mała papużka, dla której zaryzykowała życie. Dziewczyna nazywała się Poppy Mallory, a papuga stała się jej jedynym przyjacielem, jedynym towarzyszem. Nazwała ją Luchay – *luce* to po włosku światło – bo wnosiła odrobinę światła i nadziei w jej biedne życie. Była kimś, kogo można było kochać i o kogo można było dbać. Fiametta opowiadała mi, że Poppy zdobyła sławę i bogactwo, a w miarę jak jej fortuna rosła, kupowała klejnoty i drogie rzeczy dla siebie i dla Luchaya. Jego klatka jest ze szczerego złota, a obrączki, które ma na nogach, Poppy zamówiła u samego Bulgariego. Są wykonane ze szmaragdów, rubinów i diamentów. Luchay pozostał jedynym prawdziwym przyjacielem Poppy w czasach, kiedy prowadziła wspaniały burdel w Paryżu i była kochanką człowieka, który został mafijnym bossem. Chodziły słuchy, że Poppy zna tajemnice wszystkich, ale tylko Luchay znał jej sekrety.

Siedziałam z szeroko otwartymi oczami, jak dziecko słuchające bajki na dobranoc.

– Jak Luchay trafił tutaj, do Villi Piacere? I dlaczego na ścianie jest jego portret?

– Kilka lat temu, długo po śmierci Poppy, w gazetach pojawiło się ogłoszenie, że poszukuje się jej spadkobiercy. Zostawiła spory majątek. Z całego świata napłynęły odpowiedzi: wielu chciało dostać choć część tej fortuny, czy im się to należało, czy nie. Między nimi była młoda kobieta, Aria Rinaldi, mieszkająca w zrujnowanym *palazzo* nad kanałem w Wenecji. Matka Fiametty pracowała dla rodziny Rinaldich przez wiele lat. I jakoś tak się stało, że Luchay przypadł w udziale Arii. Aria kochała papugę równie mocno jak Poppy, i w ogóle były do siebie podobne pod wieloma względami. Dwie samotne, piękne kobiety, tyle że pochodziły z różnych sfer. Aria pochodziła z dobrej, ale zubożałej rodziny i oczekiwano od niej, że dobrze wyjdzie za mąż, by ratować rodzinną fortunę. Kiedy matka Fiametty opowiedziała jej o Mallory i poszukiwaniach spadkobiercy, Aria uznała, że to jedyny sposób wymigania się od zaplanowanego małżeństwa. Gdyby odziedziczyła pieniądze, byłaby wolna.

– I udało jej się? – Byłam tak pochłonięta opowiadaniem Bena, że zapomniałam o kawałku chleba, którego nie zdążyłam donieść do ust.

– Wszystko zostało opisane w książce *Dziedzictwo*. Jest w niej historia Poppy, Arii Rinaldi i wszystkich, którzy ubiegali się o spadek. Jeden z nich był nawet mordercą. I oczywiście historia Luchaya. Kupię ci tę książkę i sama przeczytasz.

– A skąd wziął się portret Luchaya?

– Poppy wiele razy przyjeżdżała do Włoch. Bawiąc tutaj, poznała hrabiego Piacere i przez jakiś czas między podróżami mieszkała w willi. Powiadają, że stary hrabia był w niej zakochany bez pamięci i chciał namalować jej portret. Kiedy odmówiła, zamiast niej namalował Luchaya, włączając go do domowej menażerii.

Spojrzałam na papugę, wyobrażając sobie wszystkie sekrety tkwiące w jej małej główce.

– Biedny Luchay – mruknęłam. – Biedna Poppy Mallory.

Papuga przekrzywiła łepek.

– Poppy *cara*, Poppy *chérie*, Poppy kochanie – powiedziała wyraźnie.

Czarny kot ześlizgnął się z kanapy i położył miękką łapę na moim udzie, dając znak, że chce mi usiąść na kolanach. Przyzwyczajona do fanaberii Sindbada posłusznie wyprostowałam nogi; kot wszedł na nie, mrucząc z zadowoleniem. Okręcił się kilka razy i ułożył wygodnie, z nosem na ogonie.

Patrzyłam, jak Ben dolewa nam wina. Uwielbiałam patrzeć, jak się poruszał. Uwielbiałam jego ręce – lekko opalone, z czarnymi włosami wijącymi się wokół srebrnego zegarka. Ręce, które robiły ze mną takie cuda. Uśmiechnęłam się.

– A teraz opowiedz mi o sobie – poprosiłam, wiedząc, że tylko odsuwam tę złą chwilę, kiedy będę musiała opowiedzieć własną historię.

– Wszystko już wiesz. – Jego zielonkawe oczy błyszczały w świetle kominka. – A w każdym razie większość. Reszta jest dość banalna... biedny chłopak z Bronksu, dwie posady jeszcze w średniej szkole... uciekłem stamtąd, kiedy tylko mogłem. I od tamtej pory ciągle uciekam.

– A twoja matka? Rodzina? – Chciałam wiedzieć więcej.

– Ojciec umarł, kiedy miałem trzy lata. Mama pracowała całe życie. Była kelnerką w miejscowej knajpie. Była ładna, ale bardzo krucha i za chuda, bo tak jak ty wiecznie zabiegana. Nie miałem rodzeństwa. – Uniósł brew. – Zgadłabyś, że jestem jedynakiem?

– Chodzi ci o twoje przerośnięte ego? – zapytałam i roześmialiśmy się oboje.

– Najbardziej żałuję, że mama umarła, zanim zarobiłem choćby dziesięć centów. Tak bardzo chciałem o nią zadbać, zabrać ją z Bronksu, kupić jej dom, obsypać prezentami, tak jak Poppy Luchaya. – Wzruszył ramionami. – Ale życie chciało inaczej. Rzadko udaje nam się spłacić tego rodzaju długi.

Kiwnęłam głową. Dobrze rozumiałam, o czym mówi.

– Wiesz o mojej byłej żonie Bunty. Już ci o niej mówiłem. Od tamtej pory właściwie w nic się nie angażowałem. Ale teraz...

Nasze oczy się spotkały.

– Teraz – powiedział miękko – potrzebuję mieć przy sobie kogoś, komu będę mówił dobranoc, zanim zasnę.

– Kogoś...? – zapytałam cicho, niepewnie.

– Kogoś takiego jak ty.

Wyjął kieliszek z mojej bezwładnej dłoni i postawił na stoliku. Potem ujął tę bezwładną dłoń i przycisnął do ust.

– Kocham cię, Gemmo.

Kochał mnie. Ben mnie kochał. Patrzył na mnie i czekał, bym powiedziała mu to samo. Ale ja nie mogłam tego zrobić. Nie mogłam złamać przyrzeczenia.

– Kocham cię, Gemmo – powtórzył zdezorientowany. – I żałuję, że cię nie znam. Bardzo bym tego chciał.

O Boże, wiedziałam, że to nadchodzi.

– Opowiedziałem ci historie Luchaya i moją. Teraz ty opowiedz o sobie.

Odwróciłam się.

– Nie chcę.

– Dlaczego?

– Bo wtedy nie będziesz chciał mnie więcej znać.

Pokręcił głową.

– Oczywiście, że będę chciał. Na litość boską, Gemmo, o co chodzi? Co ci się stało? Musisz mi powiedzieć.

Rozdział 67

Nagły przeciąg przemknął po pokoju. Świece zamigotały i zgasły z cichym sykiem. Ben poprawił ogień w kominku żelaznym pogrzebaczem i dorzucił kilka polan. Potem odwrócił się i spojrzał na mnie. Chyba zobaczył rozpacz w moich oczach, bo usiadł obok mnie, wetknął mi za plecy więcej poduszek i wziął mnie za rękę.

– Wszystko w porządku, Gemmo – szepnął. – Cokolwiek to jest, nie przerazi mnie, obiecuję.

Pragnęłam, by to była prawda.

– Najtrudniejsza rzecz w pracy lekarza na izbie przyjęć – powiedziałam zgaszonym głosem, którego sama prawie nie poznawałam – to przekazanie rodzinie ofiary złych wieści. Po prostu mówisz: jest tak i tak. Nigdy o tym z nikim nie rozmawiałam, nawet z Nonną ani z moją najlepszą przyjaciółką Patty. Po prostu nie mogłam, bo wtedy dowiedziałyby się, jak bardzo byłam winna.

Dłoń Bena zacisnęła się na mojej; poczułam płynącą od niego siłę.

– Ale teraz – powiedziałam – po tym, co się stało między nami, wiem, że muszę ci powiedzieć. Wyjaśnić, jak było z Cashem. Poznaliśmy się przypadkiem – ciągnęłam – w Starbucks i chyba od razu się zakochałam. Był ode mnie młodszy o jakieś sześć lat. To niewiele, ale ja byłam już po trzydziestce, a on ciągle przed. Początkowo się bałam, że pewnego dnia rzuci mnie dla jakiejś boskiej dziewiętnastki bez bagażu emocjonalnego i bez dziecka. Ale kiedy poznałam go lepiej, zrozumiałam, że Cash nie jest taki. Był inny, wyjątkowy.

Patrzyłam w milczeniu na ciemne okna – puste czarne przestrzenie w ścianach – i nagle znów byłam tam, znów przeżywałam swoje życie. Nasze życie. Moje i Casha.

Opowiedziałam Benowi o naszym pierwszym spotkaniu, o tym jak dałam mu swoją torebkę, a z nią, symbolicznie, całe życie. Przypomniałam sobie wszystkie radosne chwile, wykradane spomiędzy moich dyżurów i jego spektakli. Ten cudowny dzień w małym zajeździe w Nowej Anglii. Przypomniałam sobie, jaki był dobry dla Livvie, która go uwielbiała i nie mogła się doczekać, kiedy będzie go mogła nazywać „tatkiem". Myślałam o naszych marzeniach, by kupić dom na wsi i nowofundlanda dla Livvie, o moich planach pracy w małym szpitalu, o sukcesach, które czekały Casha na Broadwayu.

Kiedy człowiek jest młody i zakochany, wszystko jest możliwe. A wtedy po raz pierwszy byłam tak naprawdę zakochana i wreszcie zrozumiałam, na czym polega miłość – dotyka i serca, i ciała, przenika umysł tak, że nie chce się już myśleć o niczym innym, nie pragnie się nikogo innego. Na zawsze.

Ale nikt mi nie powiedział, że nic nie jest na zawsze.

Opowiedziałam Benowi, jacy byliśmy szczęśliwi, kiedy polecieliśmy do Dallas, i jak łatwo Livvie wpasowała się w rodzinę Casha; jacy dobrzy i otwarci byli dla nas jego rodzice. I jak Cash zastrzelił nas nowiną, że jedzie do Hollywood, by zagrać w filmie. „Zostać gwiazdą" – śmiałam się, bo jak mógł nie zostać gwiazdą ze swoją urodą i talentem?

– Te trzy miesiące, kiedy go nie było, to były najdłuższe miesiące w moim życiu – powiedziałam Benowi. – A przecież przedtem też zdarzały się długie miesiące, kiedy byłam sama, kończyłam medycynę i opiekowałam się dzieckiem. Samotność ma wiele twarzy i każdy radzi sobie z nią inaczej. Ja postanowiłam wypełnić życie pracą. Miałam tylko Livvie i Nonnę. Dopóki nie poznałam Casha.

Cash nakręcił w końcu swój film, ale został w Hollywood jeszcze kilka tygodni; spotykał się z agentami, producentami, reżyserami i nagrywał sobie kolejną „robotę". Tak właśnie to nazywał: robota. Mówił, że to praca jak każda inna, tyle że wymagała więcej zaangażowania, więcej emocjonalnego wkładu, by móc przemienić się w kogoś, kim nie był. „Aktorzy mają ciężkie życie – mówił. – Czasem myślę, że wszyscy jesteśmy schizofrenikami". Oczywiście nie była to prawidłowa diagnoza, ale przecież nie mogłam zgrywać wszystkowiedzącego lekarza. Po prostu cieszyłam się, że jest już w domu.

Znów zamilkłam, wpatrując się w czarne okna i wspominając, jak dobrze było, kiedy Cash znów był przy mnie, przy nas. Jakimś cudem wciągnął nas w swój świat, wyrwał z codziennej rutyny, którą sobie narzuciłam, by jakoś funkcjonować. Więcej się śmialiśmy, chodziliśmy do zoo, jadaliśmy w śmiesznych małych knajpkach, próbowaliśmy hinduskich potraw i oglądaliśmy sztuki, w których grali jego przyjaciele. Uczestniczyłam w jego życiu, w improwizowanych przyjęciach po przedstawieniach, gdzie piło się tanie wina i za słodkie drinki, byłam zazdrosna o wszystkie ładne dziewczyny, które wspinały się na pierwsze szczeble drabiny sławy i bogactwa. Nie zazdrościłam im urody i braku zahamowań; zazdrościłam im wolności. Uświadamiały mi, że ja nigdy nie byłam wolna. Ledwie skończyłam szkołę, zostałam żoną, matką i lekarzem, bez chwili wytchnienia. Nigdy nie żyłam tylko dla siebie.

Spojrzałam na Bena. Wciąż trzymał mnie za rękę, poważny i milczący. Czekał na ciąg dalszy.

– Kiedy Cash wrócił, mój świat znów stał się piękny – powiedziałam, uśmiechając się smutno. – Znasz to oklepane powiedzonko o różowych okularach? Właśnie tak było ze mną. Patrzyłam na wszystko przez cudowną różową mgiełkę. Praca wydawała mi się lżejsza, może dlatego, że angażowałam w nią mniej emocji. Nawet paskudna pogoda była do zniesienia. Nie przeszkadzał mi mróz, śnieg i ten okropny zimny wiatr hulający po ulicach, który niemal odmrażał mi nos.

Tamtego dnia, w sobotę, miałam skończyć dyżur o północy. Na urazówce jak zwykle panował kompletny chaos, ale ja, o dziwo, zamiast oklapnąć, byłam zupełnie przytomna. Cash jadł kolację ze swoim nowym agentem, który przyjechał specjalnie z Hollywood, żeby się z nim zobaczyć.

– To ważne spotkanie – powiedział mi. – Ten agent wierzy, że mam szansę się wybić.

Wciąż widzę jego twarz, kiedy mi to mówił, ten wyraz triumfu pomieszanego z niepokojem, jaki czujemy przed wielkimi zmianami w życiu. Życzyłam mu szczęścia, a on roześmiał się i powiedział:

– Nigdy nie życz szczęścia aktorowi. Mówi się: złam nogę.

– No, to złam nogę – odparłam. – Potem ci ją poskładam.

Nie umawialiśmy się, bo nie wiedział, jak długo to potrwa, a ja po sobotnim dyżurze byłam zwykle wykończona. Ale tym razem chciałam go zobaczyć. Usłyszeć o nowych propozycjach, które, jak się obawiałam, znów mi go odbiorą. Zadzwoniłam do niego na komórkę. Właśnie wychodził z restauracji.

– Dobre wieści, kotku – powiedział. – W Hollywood wszystko świetnie.

– Cieszę się – odparłam, ale we własnym głosie usłyszałam niechęć. – Słuchaj, nie jestem dzisiaj bardzo zmęczona. Może po mnie przyjedziesz? Wpadniemy gdzieś na kawę i wszystko mi opowiesz.

Usłyszałam jego śmiech, ten wspaniały śmiech, który tak mnie zaintrygował, kiedy go poznałam.

– Będę za piętnaście minut – powiedział. – Do zobaczenia, kotku.

– Nie mogę się doczekać – powiedziałam i uśmiechnęłam się, bo to była prawda.

Punktualnie o północy przekazałam dowodzenie nad urazówką koledze i poszłam zmyć szpitalny zapach z rąk i twarzy. Zdjęłam biały kitel i poplamione zielone spodnie, włożyłam dżinsy i sweter, przypudrowałam nos i uszminkowałam się. Pamiętałam nawet, żeby uczesać włosy. W końcu powiedziałam wszystkim dobranoc i wyszłam na zewnątrz, żeby na niego poczekać.

Oczywiście znowu padało. Zawsze padało w sobotę w nocy. Wstrętny deszcz ze śniegiem. Zadrżałam i postawiłam kołnierz płaszcza, wtulając nos w sztuczne futro. Pomyślałam nawet, że prawdziwe norki nie byłyby takie najgorsze. Minuty mijały.

Zadzwoniłam do Casha jeszcze raz. Nie odebrał, ale był tak roztargniony, że często zapominał włączyć telefon. Chodziłam w tę i z powrotem po chodniku przed szpitalem, wypatrując jego czerwonego sportowego auta.

Po chwili usłyszałam wycie policyjnych syren i ryk silników wozów strażackich, ale tutaj to była normalka. Tak samo jak karetka, która z piskiem wypróła w ciemność. Patrzyłam w głąb ulicy; ciągle ani śladu Casha. Nagle wpadłam na Patty.

– Hej, myślałam, że poszłaś do domu dwadzieścia minut temu – powiedziała zdziwiona. Wyjaśniłam jej, że miałam się spotkać z Cashem. Miał po mnie przyjechać, ale spóźniał się.

– Lepiej chodź do środka, zamiast tu marznąć – zaproponowała. – Napijemy się kawy.

Weszłam z nią do środka.

Kilka minut później zadzwonili z karetki. Powiedzieli, że wiozą ofiarę wypadku drogowego, z rozległymi urazami głowy i klatki piersiowej. Usłyszałam wycie syreny. I coś w głębi serca powiedziało mi, że to Cash.

Wybiegłam z pokoju i włożyłam kitel – oficjalny lekarski uniform, który miał oznaczać, że jestem kompetentną osobą, że wiem, co robię. To głupie, wiem, ale w jakiś sposób mi to pomogło, dzięki temu było mi łatwiej.

Sanitariusze wbiegli z noszami; jeden trzymał w górze butelkę z osoczem. Do noszy przypięty był Cash. Jedno ramię zwisało bezwładnie z boku; palce miał zwinięte jak u dziecka. Zobaczyłam jego piękne jasne włosy – włosy surfera z Malibu – zlepione w krwawą masę. O Boże, pomyślałam, to nie może być prawda… to się nie dzieje naprawdę… Błagam, niech ktoś mi powie, że to sen…

I nagle Cash otworzył oczy. Mogłabym przysiąc, że się uśmiechnął.

– Przepraszam za spóźnienie, kotku – szepnął; powieki zamknęły się, zasłaniając pełne bólu oczy.

Pomogłam go przenieść z noszy na stół. Pielęgniarki zaczęły rozcinać mu ubranie, a ja sprawdzałam jego parametry życiowe, starając się nie myśleć, że to mężczyzna, którego kocham. Patty była tuż obok, cały mój zespół był przy mnie. Choć raz nie gadali, pracowali spokojnie, robiąc to, co potrafią najlepiej.

Cash wpadł w poślizg na mokrej drodze i uderzył w ciężarówkę – jedną z tych ogromnych lśniących cystern, w których widzisz odbicie własnego samochodu, kiedy do nich podjeżdżasz. Ale Cash nie widział jej w śnieżycy.

Jeździł sportowym wozem, starym modelem, bez poduszek powietrznych. Miał pękniętą czaszkę. Kierownica zmiażdżyła mu pierś. Zaintubowałam go; z plastikowej rury buchnęła krew, oznaki życia na monitorze były coraz słabsze. Miał uszkodzone płuca – złamane żebro przebiło ścianę klatki i płuco. Tak umarła księżna Diana, pomyślałam. Dokładnie w taki sam sposób.

Nie umieraj! – krzyczałam bezgłośnie. Nie umieraj, do cholery! Ale Cash dławił się własną krwią. I cała moja wiedza, całe doświadczenie nie mogło mu pomóc. A przecież, na litość boską, to właśnie robiłam każdego dnia. Ratowałam ludzi.

Przerwałam i zapatrzyłam się w Bena niewidzącymi oczami.

– Nie byłam w stanie uratować mężczyzny, którego kochałam.

Usłyszałam krótkie, urwane westchnienie Bena. Nie płakałam. Nie mogłam już płakać nad Cashem. Zabrakło mi łez.

– Gemmo, tak mi przykro. – Bezradnie uniósł ramiona. – Wiem, że to za mało, ale nie znam innych słów, by wyrazić to, co czuję. Mogę tylko powiedzieć, że rozumiem twój ból. Twoją stratę. I bezradność.

Patrzyłam na niego i na krótką chwilę jego twarz zamgliła się, zamieniła w twarz Casha; taką jasną, młodą, przystojną. W jakiś sposób ci dwaj mężczyźni zlali się w jedno. Ale nie miałam prawa do tej nowej miłości.

– Nie tylko go nie uratowałam – szepnęłam. – Ja go zabiłam. Cash żyłby, gdybym nie poprosiła, żeby po mnie przyjechał. Nie znalazłby się na drodze za tą cysterną. Byłby w domu, czekałby na mnie.

Zapanowała cisza. Z pochyloną głową i przygarbionymi ramionami patrzyłam, jak czarny kot prostuje się i wstaje z poduszki. Podszedł do Bena i usiadł przed nim. Jego żółte oczy prześlizgnęły się po mnie i znów spojrzały na Bena. Czekał.

Ben westchnął i wiedziałam, że to westchnienie pochodzi z samego dna jego duszy. Nie był na tyle głupi, by powiedzieć: „słuchaj, to nie była twoja wina, to się mogło zdarzyć wszędzie, kiedykolwiek, ty nie jesteś za to odpowiedzialna". Był człowiekiem, który potrafi ocenić fakty. Dobrze wiedział, co to odpowiedzialność, przed którą nie można uciec.

– Po tym wszystkim – powiedziałam drżącym głosem – postanowiłam poświęcić się pracy. Nie potrafiłam uratować Casha, ale mogłam zrobić, co w mojej mocy, by uratować każdego, kto przejdzie przez drzwi szpitala. Postanowiłam, że będę pracować tyle godzin, ile zdołam, tak ciężko, jak tylko będę mogła, i będę robić wszystko, co w mojej mocy. To było coś w rodzaju pokuty, którą sama sobie zadałam. Zabiłam swojego ukochanego, więc miałam się już nigdy nie zakochać. W moim życiu miały być tylko rodzina i praca. I nie potrzebowałam niczego innego. W pewnym sensie to było jak poświęcenie się Bogu w nadziei, że wybaczy mi mój grzech. I właśnie tak zrobiłam.

– I Bóg ci wybaczył?

Potrząsnęłam głową.

– Nie wiem.

– Bo ty z całą pewnością sobie nie wybaczyłaś.

– Byłam tak zajęta, że nie miałam czasu myśleć o winie. Myślałam, że tym, jak żyję, zdołam odkupić śmierć Casha. Ale w mojej duszy szalały poczucie winy, strach i bezradność. I gniew. Pod moją codzienną maską kłębiło się tyle uczuć, do których nie chciałam się przyznać, o których nie chciałam wiedzieć. Nienawidziłam siebie. Nienawidziłam tej oszustki, którą byłam. Lekarki, która nie potrafi uratować życia własnemu kochankowi.

Ben głaskał moją dłoń; jego dotyk był łagodny i delikatny, jak pieszczota języka czarnego kota.

– Musiałaś się czuć bardzo samotna.

– Samotna? Nie miałam czasu na samotność. Byłam cholernie zajęta.

Odwróciłam się i spojrzałam na niego. Blask płomieni tańczył na jego twarzy, dobrej, przystojnej, silnej twarzy.

– Problem w tym, Ben – wyszeptałam – że ja go wciąż kocham.

Rozdział 68

Tej nocy spaliśmy w łóżku Bena, tuląc się w ramionach. Ciepło jego ciała przynosiło mi pociechę, czułam się cenna jak rzadki klejnot i uwielbiałam to uczucie. Ale wciąż kochałam Casha. Nadal po nim rozpaczałam i wiedziałam, że nigdy nie przestanę. Choć nie żył, w dalszym ciągu był częścią mojego życia i nie chciałam go stracić. Czułam wokół siebie jego obecność; był w powietrzu, którym oddychałam, w tak mi drogich wspomnieniach.

Kiedy się obudziłam, Bena nie było. Przestraszyłam się, że mnie zostawił, i nagle uderzyła mnie myśl: niby dlaczego miałby zostać? Przecież właśnie mu powiedziałam, że kocham innego.

Wstałam z wielkiego łóżka, które dzieliliśmy tej nocy, i podeszłam do okna. Był piękny ranek. Po deszczu wszystko pachniało świeżością; czerwonawy oleander wspinał się na mury, a maleńkie toskańskie róże, które tak pokochałam, przesycały powietrze słodkim zapachem. Pod tym wysokim błękitnym niebem, w cudownej ciszy czułam się, jakby to był początek wszystkiego, a nie koniec.

Stałam pod zimnym prysznicem, usiłując jakoś się pozbierać i powtarzając sobie, że postępuję słusznie. No bo jak, kochając jednego mężczyznę, mogłam wyznać miłość innemu? Nawet jeśli kochało go moje ciało, każdy zmysł, każdy nerw.

To seks i nic poza tym, mówiłam sobie, ubierając się. To wszystko przez to, że nie kochałaś się przez trzy długie lata. Dlatego byłaś taka słaba i uległa. A teraz nie możesz przestać. Nie chcesz przestać, chcesz kochać się z nim dalej.

Westchnęłam ciężko. Ben miał rację: jestem pokręcona. Jak mógł mnie pokochać? Uświadomiłam sobie, że nie powtórzył swojego wyznania, od kiedy opowiedziałam mu o Cashu. Prawdę mówiąc, nie odezwał się nawet słowem, tulił mnie tylko i pozwalał płakać na swoim ramieniu, przyciskając kłującą od zarostu twarz do mojego mokrego policzka. Odgarnął mi włosy do tyłu, rozebrał mnie, położył do łóżka i delikatnie przykrył pachnącym lawendą lnianym prześcieradłem. Potem położył się obok i mocno mnie przytulił, a ja, nie przestając płakać, zasnęłam w jego ramionach.

To koniec, pomyślałam, biegnąc po schodach, żeby go poszukać. Chciałam mu powiedzieć, że natychmiast wyjeżdżam, że nie będę z nim dłużej walczyć o willę. Moje wakacje w Toskanii dobiegły końca. Niedługo wrócę do Nowego Jorku i do szarej rzeczywistości. Do szpitala, do szkoły Livvie, do niedzielnych obiadów u Nonny. Serce mi się ścisnęło na myśl, że zostawię całe to piękno. Widać nie było przeznaczone dla mnie.

Znalazłam Bena na dziedzińcu, gdzie właśnie oceniał postępy prac w stajniach, które zamierzał przerobić na domki dla gości. Spojrzał mi w oczy i rzucił krótkie „dzień dobry", a ja odpowiedziałam tak samo, zdenerwowana jak pierwszego dnia w nowej szkole. Nagle poczułam, że wcale go nie znam; nie wiedziałam, co powiedzieć. Usłyszałam dzwonek telefonu.

Ben wyjął z kieszeni komórkę.

– Tak, cześć. – Słuchał przez chwilę. – Doprawdy? – Zapisał coś na odwrocie starego rachunku i dodał: – Okej, Maggie. Tylko powiedz temu swojemu detektywowi, żeby to nie była kolejna wycieczka krajoznawcza. Do zobaczenia.

Wyłączył telefon i spojrzał na mnie.

– Jadę do Rzymu – powiedział. – Kolejny trop. Jedziesz ze mną?

– A chcesz, żebym pojechała? – Wstrzymałam oddech, czekając na odpowiedź.

Wzruszył ramionami i schował telefon do kieszeni.

– W końcu to w twoim interesie.

– Nie o to mi chodziło.

Spojrzeliśmy na siebie. Wszystko się między nami zmieniło, nie było co do tego wątpliwości. Skinął głową.

– Przecież wiesz, że chcę.

Po drodze nie rozmawialiśmy wiele. A już z pewnością nie o Cashu. Ani o miłości. Jakby na mocy niepisanej umowy nie wspominaliśmy o zeszłym wieczorze i o moim wyznaniu, że wciąż kocham Casha. Oparłam głowę o zagłówek i zamknęłam oczy, udając, że drzemię. To był najprostszy sposób uniknięcia konfrontacji.

Był środek sezonu i w Hasslerze nie było wolnych pokoi. Zatrzymaliśmy się w Crown Plaza Minerva, z widokiem na śliczny plac z egzotycznym posągiem dłuta Berniniego – słoniem dźwigającym egipski obelisk. Po drugiej stronie placu stał piękny trzynastowieczny kościół Santa Maria Sopra Minerva, a tuż za rogiem były ruiny starożytnej świątyni Marka Agrypy, na której widok po raz pierwszy poczułam, że naprawdę jestem w Rzymie.

Nasz apartament, utrzymany w kolorach ciemnej zieleni i burgunda, był nowoczesny i zarazem elegancki. Za szybko przyzwyczaiłam się do drogich hoteli, przemknęło mi przez głowę. Powinnam wrócić na ziemię i zacząć myśleć o urazówce. Szara rzeczywistość zbliżała się wielkimi krokami.

Patrzyłam na dwa łóżka, zastanawiając się, czy Ben specjalnie o nie poprosił. Wyglądało na to, że tej nocy będziemy spać oddzielnie. Zaczęłam rozpakowywać walizkę, ale Ben powiedział, że nie ma na to czasu. Po chwili siedzieliśmy już w taksówce, w drodze na Trastevere leżącą na drugim brzegu Tybru.

Kiedyś mieszkali tam robotnicy, artyści i biedni wyrobnicy. Dziś przy wąskich uliczkach mieszczą się dziesiątki przytulnych, rodzinnych knajpek, na małych placykach kawiarenki, a w zaułkach znalazły sobie schronienie stada zaspanych kotów.

Taksówkarz wysadził nas u wylotu obskurnej ślepej uliczki zaśmieconej skórkami pomarańczy, plastikowymi torbami i gazetami. Walące się budynki, ustawione ciasno jeden przy drugim, zamykały drogę słońcu; dachy z glinianych dachówek pokrywał ponury las anten telewizyjnych.

Ruszyłam ostrożnie w głąb uliczki, omijając śmieci.

– Nie rozumiem – szepnęłam, bo ciemny, niesamowity zaułek w jakiś sposób skłaniał do szeptu – dlaczego Donati miałby tutaj mieszkać? Jest bogaty. Ukradł ci masę pieniędzy, a pewnie jeszcze więcej z majątku hrabiego.

Kątem oka dostrzegłam przemykający obok szary cień. Krzyknęłam i w panice przywarłam do Bena.

– O Boziu – sapnęłam, cytując powiedzonko mojej córki.

– Nie mów mi, że boisz się szczurów. – Ben zdjął moje ręce ze swojego karku.

Zadrżałam.

– Zawsze ich nie cierpiałam, nawet w laboratorium. To chyba przez te ogony. No i roznoszą choroby, dżumę… i różne inne.

– A kiedy zarejestrowano ostatni przypadek dżumy, o którym słyszałaś?

– W 1480 albo coś koło tego. Ale i tak nie cierpię szczurów.

Staliśmy przed wąskim czteropiętrowym budynkiem. Brudnożółty stiukowy tynk odłazł wielkimi płatami, odsłaniając żywe rany starej cegły. Zniszczone drewniane drzwi z masywnym żelaznym pierścieniem zamiast klamki prowadziły do ciasnego holu z nagą klatką schodową pnącą się zygzakiem w górę. Brudny świetlik na szczycie w ogóle nie wpuszczał światła. Nie było innych okien, więc kiedy drzwi zamknęły się za nami, znaleźliśmy się w ciemności.

Znowu zadrżałam, bo ciemności boję się jeszcze bardziej niż szczurów, ale Ben znalazł włącznik i zapalił światło. Wziął mnie za rękę i ruszyliśmy w górę po rozklekotanych schodach.

– To nie może być tutaj – mruknęłam.

Nagle światło zgasło i Ben zniknął. Ciemność przeniknęła mi pod powieki, dotknęła moich włosów, przebiegła dreszczem po plecach.

– Gdzie jesteś? – szepnęłam niecierpliwie, ale w tej samej chwili światło znów się zapaliło.

Ben opierał się o poręcz, wysoko nade mną.

– To wyłącznik czasowy. Będziesz musiała się pospieszyć.

Popędziłam w górę po pełnych drzazg drewnianych stopniach. Ledwie do niego dołączyłam, światło znów zgasło.

– Nie cierpię tego – wymamrotałam. – Po prostu nie cierpię.

– Oj, daj spokój – powiedział Ben. Widziałam jego zęby połyskujące w ciemności. Śmiał się ze mnie.

Stanęliśmy przed łuszczącymi się z farby brązowymi drzwiami z metalowym numerkiem. Ben złapał za klamkę.

– Nie powinniśmy najpierw zapukać? – zapytałam nerwowo.

Ale Ben otworzył drzwi. Tak po prostu.

Weszłam za nim ostrożnie do małego pokoju na poddaszu. Dwa maleńkie mansardowe okna wychodziły na ulicę. W rogu stało nieposłane łóżko, obok wykładany kafelkami kontuar pełen brudnych talerzy i szklanek, a na wprost poplamionej kanapy z brązowego aksamitu zaśmiecony stół. Na zakurzonej drewnianej podłodze leżał czerwony wydeptany dywanik. Donatiego ani śladu.

– Chodźmy stąd – powiedziałam, cofając się za drzwi.

Ben uciszył mnie, unosząc rękę. Patrzyłam zdumiona, jak podchodzi do szafy. Czyżby myślał, że Donati chowa się w szafie? Otworzył drzwi gwałtownym szarpnięciem.

Na metalowym wieszaku wisiała biała lniana marynarka.

– Świetnie udajesz inspektora Clouseau. – Zachichotałam.

– Wiesz co, doktorku? Czasem bywasz naprawdę męcząca – powiedział, przeszukując kieszenie marynarki. – Czy Don Vincenzo nie mówił ci, że Donati zawsze nosi białe garnitury? Ta marynarka na pewno należy do niego.

Podszedł do sterty papierów na stole.

– Widzisz? Donati tu był – oznajmił triumfalnie, pokazując skrawek papieru z wypisanymi ołówkiem literami DON.

– I ty to nazywasz dowodem? – oddałam mu papierek.

– Oczywiście, że to dowód. Donati tu był, ale zwiał. Znowu się spóźniliśmy.

– Jak to znowu? – Biegłam za nim w dół po brudnych schodach. – Przecież do tej pory nawet się do niego nie zbliżyliśmy.

Ciężkie drzwi na dole zatrzasnęły się za nami. Kiedy się odwróciłam, zobaczyłam mężczyznę stojącego na końcu uliczki. Był niski i chudy, z cienkim jak ołówek wąsikiem, w panamie na głowie – i w białej lnianej marynarce. Nasze oczy spotkały się na ułamek sekundy. W następnej chwili mężczyzna zniknął za rogiem.

Ruszyłam biegiem, wykrzykując jego nazwisko, ale Ben mnie uprzedził. Dopadł wylotu zaułka dobre kilka sekund przede mną. Osłoniłam oczy, rozglądając się po pustej ulicy. Prowadziła na maleńki plac z uliczkami rozchodzącymi się we wszystkich kierunkach. Zdyszana oparłam się o ścianę; zobaczyłam, że Ben idzie w moją stronę.

– To był Donati? – wysapałam.

– Założę się, że tak – odparł.

Minęliśmy kilka ulic, aż dotarliśmy w bardziej przyjazne rejony. Weszliśmy do małego baru, gdzie napiliśmy się po kieliszku zmrożonej grappy i po filiżance gorącej słodkiej kawy. Potem, trochę pokrzepieni alkoholem i kofeiną, znaleźliśmy taksówkę i wróciliśmy do naszego nowego hotelu na pięknym Piazza di Minerva.

Natychmiast weszłam pod prysznic, by zmyć wspomnienia szczurów, brudu i podartych kawałków papieru z nazwiskiem (być może) Donatiego. Kiedy wyszłam z łazienki, Bena nie było.

Padłam nago na łóżko i niewidzącym wzrokiem zagapiłam się w sufit. Wszystko zepsułam. A w dodatku nasze śledztwo nie posunęło się ani o krok. Leżałam tak, patrząc w sufit, kiedy usłyszałam dźwięk otwieranych drzwi. Ben wrócił. Spojrzał na mnie pytająco. Ledwie go było widać zza róż, które trzymał w dłoniach. Tuziny róż we wszystkich możliwych kolorach, lawendowe, brzoskwiniowe, żółte, herbaciane, szkarłatne...

Rzucił je na łóżko. Usiadłam i dotykałam miękkich płatków, wdychałam ich świeży zapach.

– To cały ogród – powiedziałam oszołomiona.

– Uwodzę cię. – Ukląkł przy łóżku. – Pomyślałem, że to jedyny sposób, żeby do ciebie przemówić, Gemmo. Kocham cię.

Nie spodziewałam się takiej czułości, nie po tym, co zostało powiedziane. Klęknęłam na łóżku, patrząc na niego, a on klęczał, patrząc na mnie. Czułam się jak w scenie z jakiejś broadwayowskiej sztuki... chłopak kocha dziewczynę, dziewczyna kocha innego...

– Skąd wiesz, że to miłość? – zapytałam niepewnie.

– Wiem, co czuję, na litość boską!

Wbrew moim przysięgom przysunęłam się bliżej, przyciągana jakąś siłą.

– Czy kiedy się kochamy – powiedział, ubierając w słowa pytanie, które dostrzegłam przed chwilą w jego oczach – i mówisz, że mnie kochasz, to nic nie znaczy?

Patrzyłam na niego i czułam się zdrajczynią. Myślałam o Cashu, o tym, jak wyznawałam mu miłość, gdy się ze mną kochał. Ale teraz...

– Nic – przyznałam.

Ujął moje ręce w dłonie i klęczeliśmy, patrząc na siebie. Ben westchnął.

– Widzę, że będę się musiał sporo napracować, zanim cię przekonam.

– To znaczy, że nie przestaniesz próbować? – zapytałam ze zdumieniem. A może to była nadzieja?

Ben wyszczerzył zęby w uśmiechu.

– Jestem chłopakiem z Bronksu – odparł. – Z takimi jak ja lepiej nie zadzierać.

Nagle ześliznęłam się z łóżka, przewracając go na podłogę. Usłyszałam, jak jego głowa uderzyła o nogę nocnego stolika. Ben jęknął. W następnej sekundzie pochylałam się nad nim, wołając:

– O Boziu, o Boziu, nic ci nie jest? – W siwiejących włosach, które byłemu chłopakowi z Bronksu nadawały taki dystyngowany wygląd, zobaczyłam strużkę krwi.

– Jezu Chryste, Gemma – jęknął, obejmując mnie – jesteś jedną wielką katastrofą, nawet kiedy klęczysz! I co ja mam z tobą zrobić, do cholery?

Przygryzłam dolną wargę.

– Nie mam pojęcia – odparłam, zbita z tropu.

Jego pierś zatrzęsła się od śmiechu; podniósł mnie z podłogi i rzucił z powrotem na łóżko, na materac z róż.

– Pogniotę kwiaty – mruknęłam.

– Nic nie szkodzi. – Zaczął mnie całować.

– Nie mogę, no wiesz... nie mogę cię kochać – powiedziałam, bo taka była prawda.

– Nie znasz mnie jeszcze? – odparł, pokrywając moje nagie ciało pocałunkami. – Ja zawsze wygrywam.

Rozdział 69

O zmroku, niczym para nietoperzy, wyłoniliśmy się z pokoju w poszukiwaniu kolacji. Błąkaliśmy się po zatłoczonych ulicach Rzymu, trzymając się za ręce. Czułam się wspaniale – kobieca, zmysłowa. Czerwona szyfonowa sukienka łopotała mi wokół kolan w gorącym wietrze, pachniałam parmeńskimi fiołkami, moja nowa szminka miała ładny odcień dojrzałych wiśni, i nawet zaczarowane pantofelki mnie nie piły. Czułam się, jakbym całe życie chodziła wystrojona po zabójczym rzymskim bruku; obcasy ani razu nie utknęły mi w żadnej szparze.

Przemierzyliśmy Via della Gatta – nazwaną tak od małej rzeźby, starożytnej, jak wszystko wokół: marmurowa kotka siedziała na gzymsie jednego z dachów i przypominała raczej rasowego syjama niż dachowca. Weszliśmy w Via del Gesù, która okazała się prawdziwą Piątą Aleją, tyle że tutejsze sklepy oferowały kościelne uniformy we wszystkich możliwych kolorach: purpurowe piuski i fioletowe biskupie sutanny, lawendowe i bladozielone szaty liturgiczne oraz haftowane złotym jedwabiem ornaty. Uznaliśmy, że rzymski kler bardzo dobrze się ubiera.

Na maleńkim placu na wprost jasno oświetlonego *palazzo* pokrytego freskami znaleźliśmy idealną restaurację: niedużą, ale najwyraźniej popularną. Większość stolików była zajęta przez całą gromadę zakonnic w nowocześnie skrojonych kornetach, hałaśliwych jak sroki. Przy głównym stole rej wodził młody ksiądz; od razu zwróciłam uwagę, że księża w Rzymie są inni – ten był przystojny jak gwiazdor filmowy i dwa razy bardziej pewny siebie. Istny ojciec Ralph z *Ptaków ciernistych krzewów*. Teraz rozumiałam, dlaczego mają tu Piątą Aleję dla księży.

Właściciel zaprowadził nas do stolika, wyjaśniając, że młody ksiądz właśnie otrzymał święcenia i wszyscy przyszli uczcić to wydarzenie.

Zamówiliśmy wino i zaczęliśmy studiować menu. Kelner przyniósł chleb i oliwki. Nagle widelec zadzwonił o kieliszek, odwróciliśmy się więc z pełnymi ustami, by popatrzeć, co się dzieje. Młody ksiądz wstał i zaczął odmawiać modlitwę dziękczynną. Zakonnice pokornie pochyliły głowy.

Ben spojrzał na mnie.

– Jak możemy jeść, kiedy on się modli? – szepnął, więc i ja pośpiesznie schyliłam głowę.

To była długa modlitwa. Zerknęłam na Bena. Z miną winowajcy odłożył oliwkę, którą niósł właśnie do ust. Minęła kolejna minuta; ksiądz wciąż mówił, a w całej restauracji panowała pełna uszanowania cisza.

– On się nigdy nie zamknie – szepnął Ben.

– Poczekaj chwilkę – odszepnęłam.

Minęła następna minuta, potem jeszcze jedna i kolejna. Pięć minut, a nikt nie uniósł nawet powieki, co dopiero mówić o głowie.

Próbowaliśmy stłumić chichot, ale nie byliśmy w stanie, Ben rzucił więc pieniądze na stół, złapał mnie za rękę i ukradkiem uciekliśmy stamtąd.

– *Buona sera* – pożegnał nas chór zakonnic życzących nam miłego wieczoru.

Wciąż się śmialiśmy, kiedy dotarliśmy do Nino, na Via Borgognona.

– Wyglądasz dziś bardzo dziewczęco – skomplementował mnie Ben, gdy usiedliśmy.

– Wyobraź sobie, że kiedyś byłam dziewczyną – odparłam, ale cieszyłam się, że włożyłam nową sukienkę, bo do Nino przychodzili eleganccy rzymianie.

Restauracja była utrzymana w starym stylu: kremowe ściany, ciemne drewno i podstarzali kelnerzy w białych fartuchach. Ben powiedział mi, że muszę spróbować młodych karczochów po rzymsku, z których słynęła restauracja. Zobaczyłam je na stole z przystawkami – maleńkie fioletowe pączki ułożone na główkach, ogonkami do góry, przyprawione oliwą i czosnkiem. Wyglądały jak miniaturowy las na półmisku. Ben dodał, że tutejszy stek *fiorentina* też jest całkiem niezły, a za tuńczyka z ciepłą fasolką szparagową dałby się pokroić na kawałki.

Potrawy nie były zbyt wymyślne – po prostu dobre toskańskie jedzenie – ale goście to już zupełnie inna historia: bywali tu wszyscy od gwiazd rocka, biznesmenów i rzymskiej socjety po zwykłych turystów, jak my. Byłam zachwycona.

Ben studiował menu, popijając miejscowe frascati. Właśnie się dowiedziałam, że jest znawcą win – wręcz koneserem.

– To frascati jest całkiem przyjemne – powiedział ku mojemu zaskoczeniu.

– Przyjemne? Dziwne słowo jak na określenie wina.

Posłał mi uśmiech, który o mało nie stopił mojego tak ostatnio wrażliwego serca. Tego samego, które zamieniłam w bryłę lodu i które nie miało się już nigdy rozmrozić. Był tak cholernie przystojny w czarnej marynarce z cienkiej skóry i w niebieskiej koszuli. Miałam ochotę go dotknąć, ale nie zrobiłam tego.

– Okej – powiedział, mieszając w kieliszku tanie wino z rzymskich wzgórz i wąchając je. – Owocowe lekkie winko z delikatnym bukietem. – Przerwał, by upić łyk; miałam szczerą nadzieję, że nie wypluje go z powrotem jak profesjonalny kiper. Dzięki Bogu połknął je, marszcząc brwi z udawaną koncentracją. – Trochę mu brakuje – oznajmił. – Ale przyjemne. Tak, z całą pewnością przyjemne.

Roześmialiśmy się oboje. Mimo nieuchwytnego Donatiego i świadomości, że niedługo muszę wrócić do prawdziwego życia, miałam szampański nastrój. Byłam w Rzymie, z moim kochankiem, popijałam owocowe wino i czekałam na pyszne jedzenie. A potem… Cóż, nie będę wnikać, co planowałam na później. Ale na samą myśl dostawałam gęsiej skórki.

Rozglądałam się po sali, uśmiechając się do siebie, bo podobało mi się to, co widziałam. To takie krzepiące, widzieć zadowolonych ludzi – zajętych ożywioną rozmową, jedzeniem, winem.

Siedziałam przodem do wejścia, więc od razu ją zobaczyłam. Serce mi się ścisnęło. To była boska Luiza Lohengrin, uwieszona na ramieniu dużo starszego i o wiele mniej atrakcyjnego mężczyzny, jednego z tych ośliskich superbogaczy z megajachtem, którzy nigdy nie patrzą wprost na ciebie, dając do zrozumienia, że mogliby kupić całą tę knajpę i ciebie na dokładkę, gdyby tylko chcieli. Ale to jeszcze nie koniec: Luiza miała na sobie moją sukienkę. Co gorsza, wyglądała w niej o wiele lepiej niż ja, z długimi opalonymi nogami i sterczącymi piersiami opiętymi w czerwony szyfon.

Oczywiście natychmiast zauważyła Bena i przywitała się z nim, całując go w oba policzki. Posłała mi zimny uśmiech, obrzucając wzrokiem sukienkę.

– Świetnie się nadaje na takie gorące wieczory, prawda? – rzuciła, wiedząc, że nie jestem dla niej żadną konkurencją.

Jej towarzysz nie raczył się nawet zatrzymać przy naszym stoliku. Siedział już w kącie dla ważniaków i ze znudzoną miną przyglądał się gościom. Luiza powiedziała nam, że to słynny producent filmowy, po czym znów pocałowała Bena, tym razem w usta, długo i namiętnie. Udawałam, że nie patrzę. Powiedziała mu *arrivederci*, a ja siedziałam osłupiała, zastanawiając się, co się stało z naszym uroczym wieczorem.

– Zdradzić ci pewien sekret? – Ben miał w oczach psotne iskierki. – Tak naprawdę nazywa się Monica Grimm. – Patrzyłam na niego przez chwilę i nagle oboje roześmialiśmy się głośno. I przysięgam, że czułam zazdrosny wzrok Moniki Grimm wwiercający się w czerwony szyfonowy tył mojej sukienki.

Rozdział 70

Minęła pierwsza po północy, a place były wciąż zatłoczone. Wszyscy wylegli na ulice, by cieszyć się pogodną nocą: dzieciaki, kochankowie, dziadkowie, młodzi i starzy. Miasto zastępowało im salony własnych domów. Na Piazza Navona uliczni kuglarze pokazywali magiczne sztuczki i połykali pochodnie, wspaniałe fontanny Berniniego pluskały wesoło, a artyści proponowali, że namalują nasze portrety.

Spacerowaliśmy, jak to zwykle kochankowie, bez celu, po prostu ciesząc się chwilą i podziwiając oświetlone zabytki. Dotarliśmy na niewielki placyk, cichy i mroczny jak z horroru – choć zgiełk wielkiego miasta pozostał zaledwie kilka minut spaceru za nami. Na placu stał mały kościółek; drzwi, mimo późnej pory, były otwarte, jakaś stara kobieta powoli wspinała się po schodkach. Zerkając do wnętrza, dostrzegłam płonące świece.

Usiedliśmy na marmurowych stopniach przed kościołem. Zsunęłam niewygodne pantofle, które znów mocno dawały mi się we znaki, wyprostowałam nogi i zaczęłam poruszać palcami, w nadziei, że wróci mi krążenie.

Poczułam, że Ben odwraca się w moją stronę i patrzy na mnie. Ja też na niego spojrzałam. Milczeliśmy. Była to chwila tak boleśnie czuła, że zachciało mi się płakać. Wiedziałam, że już wkrótce nie będzie takich magicznych chwil, już nigdy nie usiądziemy na schodach kościoła w gorącą letnią noc, samotni, a jednak razem.

– Niedługo muszę wracać – powiedziałam. Nie musiałam dodawać, że nie chodzi mi o hotel, a o Nowy Jork. Odwróciłam wzrok i znów zamilkłam.

– Musimy to jakoś rozwiązać – rzekł Ben po chwili.

– Ja po prostu nie mogę żyć z takim poczuciem winy – szepnęłam. – I zawsze będę kochać Casha.

W jego oczach ujrzałam błysk zrozumienia.

– Mam nadzieję, że tak właśnie będzie – powiedział. – Śmierć nie zabija miłości.

– Czuję, że jest w tym jakieś „ale".

– Jest. I dobrze wiesz jakie. Życie musi toczyć się dalej.

– Ale... – Z mojego gardła wyrwał się krótki pół śmiech, pół szloch, kiedy zorientowałam się, że przeciwstawiam mu własne „ale". – Cash zginął przeze mnie. Gdybym go nie poprosiła, żeby po mnie przyjechał, gdybym pojechała do domu jak zwykle...

– Właśnie ty powinnaś zdawać sobie sprawę, że wszystkie wypadki biorą się właśnie z takich „gdyby". To wynika z ich definicji, Gemmo. To nie jest niczyja wina. To się po prostu dzieje. A ty, zamiast przyjąć to do wiadomości, wzięłaś na siebie podwójne brzemię, podwójną winę.

Zwiesiłam głowę, nie wiedząc, co powiedzieć.

– Więc jak to było, kiedy się ze mną kochałaś? Kiedy mówiłaś, że zakochujesz się na zabój? To nic nie znaczyło?

– Znaczyło. Mówiłam prawdę. Ale cały czas wiedziałam, że to niemożliwe.

343

Rzuciłam się w jego wyciągnięte ramiona i przylgnęłam do jego piersi. Tak bardzo pragnęłam miłości, którą mi ofiarował i do której nie miałam prawa.

– Nie pogrzebiemy Casha pod naszą miłością, Gemmo – szepnął Ben. – Pozwolimy mu na nowo ożyć dzięki temu, że będziemy o nim pamiętać, mówić. Sprawimy, że stanie się częścią naszego życia, życia Livvie, Nonny i Muffie. Pozwól mu na nowo ożyć, Gemmo, w moich i twoich myślach. Może wtedy będziesz wreszcie wolna.

Pomyślałam o czasach, kiedy spotykałam się ze znajomymi Casha, i o tym jak zazdrościłam tym dziewczynom wolności, wiedząc, że ja nigdy nie będę wolna. Teraz miałam szansę. Przecież zrobiłam wszystko, co w mojej mocy, prawda?

– Powiedz mu – szepnął Ben, tuląc mnie do piersi – powiedz Cashowi, co czujesz.

I wtedy, na tych kościelnych schodach, odrzuciłam głowę do tyłu i zawyłam głosem zdławionym z bólu:

– Kocham cię, Cash. Do diabła, kocham cię.

Z moich oczu popłynęły łzy i długo płakałam na ramieniu Bena. Wiedziałam, że przeszłość zawsze będzie rzucać cień na moje życie, ale czułam, że zaczynam być wolna. Że jest jeszcze dla mnie nadzieja.

Rozdział 71

Rocco i Nonna

Rocco wspiął się na stary kamienny mur otaczający jeden z jego oliwnych gajów. Siedział w cieniu gałęzi drzewa, które zostało zasadzone przez jego prapradziada. Nie rodziło już owoców, ale Rocco nigdy by go nie ściął. To drzewo było symbolem rodzinnej historii. Rodzina Cesani hodowała oliwki od stuleci i miała je hodować już zawsze.

Była pora sjesty. Rocco jadł wielką kanapkę, którą sam sobie przygotował – grube plastry czosnkowej kiełbasy z dzika, kawał sera *pecorino* i gruby krążek surowej, słodkiej cebuli, wszystko wetknięte między kromki wiejskiego chleba posmarowanego musztardą. Obok, na murze, stała butelka wina z winogron wyhodowanych w jego winnicy, a u stóp siedział Fido.

Dzień jak co dzień, można by powiedzieć: żadnych niespodzianek, nic niezwykłego. Z wyjątkiem tego, co działo się w głowie Rocca. Zwykle siedział zadowolony, wsłuchując się w śpiew ptaków i szelesty małych dzikich zwierząt w żywopłocie – zwierząt, których Fido nigdy nie próbował upolować, jak zrobiłaby większość psów. Rocco nigdy by się do tego nie przyznał, ale jego bullterrier, pies o reputacji zabójcy, był strasznym tchórzem. Unikał konfrontacji, wiejąc chyłkiem z podkulonym ogonem. Gdyby nie widoczny dowód, że jest inaczej, Rocco podejrzewałby, że Fido jest suką.

Na szczęście nie miało to żadnego znaczenia, bo Fido miał pewną wyjątkową umiejętność, która czyniła go królem wszystkich psów w okolicy. Nosił tytuł Wspaniałego Tropiciela Trufli Rocca Cesaniego, a dla Rocca było to jak pierwsza nagroda na Wielkiej Wystawie Psów w Madison Square Garden.

Rzucił psu kawałek kiełbasy i uśmiechnął się, kiedy Fido chwycił go w powietrzu i połknął w całości, po czym usiadł pod murem, czekając na dokładkę. Rocco zawsze dzielił się obiadem ze swoim psem.

Ale dzisiaj nie myślał o jedzeniu ani o Fidzie. Patrzył na drogę biegnącą wokół doliny i wspinającą się na wzgórze do Bella Piacere. Wczoraj wieczorem zadzwoniła do niego Sophia Maria i powiedziała, że wraca do domu.

To właśnie to słowo – dom – przeszyło jego serce niczym strzała. Sophia Maria nazywała Bella Piacere domem. Czy mogło to oznaczać, że ona, bogata amerykańska wdowa i dziedziczka, myśli o powrocie na stałe do Bella Piacere? Ale jeśli nie jest dziedziczką? Jeśli willa nie jest jej własnością? Czy wciąż brałaby pod uwagę pozostanie w swojej ojczyźnie? Z nim?

Dostrzegł błysk słońca w szybie samochodu. Była to srebrna lancia. Serce znów mu się ścisnęło, kiedy pomyślał, jak bardzo Sophia Maria musi być bogata, skoro jeździ takim eleganckim autem. Niemożliwe, by obchodził ją taki człowiek jak on, który prawie nigdy nie wyjeżdżał z rodzinnej wioski. Nie był nawet pewien, czy Fido ją polubił. Był za to pewien, co mówi jego serce.

Rzucił psu resztę kanapki, pociągnął długi łyk z butelki, otrzepał okruchy z koszuli i poprawił kapelusz. Miał coś do załatwienia.

Lancię prowadziła Maggie; obok niej siedziała Nonna, a na tylnym siedzeniu dwie córeczki, rozchichotane i trajkoczące o dziewczęcych sprawach. Głównie o Tomasie, jak podejrzewała Maggie. Te dwie sroki nieźle sobie poużywały na biednym chłopaku, pojawiając się na randkach – lub nie – kiedy im się chciało. Nie mówiąc już o tym, że Livvie upierała się wszędzie zabierać ze sobą Muffie.

Sophia Maria powiedziała, że sama nie wymyśliłaby dla Livvie lepszej przyzwoitki i że z Muffie jej wnuczka na pewno nie wpakuje się w kłopoty. Więc poza surowym nakazem punktualnych powrotów o jedenastej zostawiły dziewczynom wolną rękę. Aż w końcu Tomaso dał sobie spokój z letnimi romansami, a Livvie znów stała się dzieckiem, które świetnie się bawi, pływając godzinami na materacu z Muffie i od czasu do czasu robiąc sobie przerwę na wspaniałą pizzę. Tak dobrą, że nawet samej Maggie przybyło od niej ładnych parę kilogramów.

Jadąc powoli drogą wijącą się po zboczu wzgórza, Maggie myślała o Gemmie i Benie, i o tym, co wyczytała Gemmie z kart. Prawdę mówiąc, nie była specjalistką od tarota i może nagięła trochę wróżbę, by uzyskać pożądany rezultat. Ale przecież zawsze lubiła się mieszać w cudze sprawy. No bo jak inaczej doszłaby do tego, kim była dzisiaj? Czasem trzeba trochę pomóc losowi.

– Ciekawe, czy Ben poprosił Gemmę o rękę – powiedziała do Sophii Marii.

Dziewczyny leżące na tylnym siedzeniu natychmiast usiadły, nadstawiając uszu.

– Da mu kosza – odparła Sophia Maria. – Jest zbyt oddana swojej pracy, by wychodzić za mąż.

– Nie wyjdzie za niego – dorzuciła Livvie. – Nie po Cashu.

– Kto to jest Cash? – zapytała Muffie. Livvie odparła, że powie jej później.

Kiedy wjechały do wsi, Sophia Maria zauważyła białego pikapa Rocca, zaparkowanego przed barem Galileo. Uśmiechnęła się. Tęskniła za Rockiem. Brakowało jej wspólnego spiskowania, jego trzeźwego podejścia do życia, pogmatwanego sposobu myślenia, zrozumiałego tylko dla rodowitej Toskanki. Nie brakowało jej tylko jego psa.

Rocco wyszedł jej na spotkanie. Wyglądał jak zwykle (z wyjątkiem okazji, kiedy wkładał ślubno-pogrzebowy garnitur), ubrany w wyświechtane szorty i przeciwdeszczowy kapelusz w panterkę. Podobało jej się, że jest takim skromnym człowiekiem, choć na pewno był bardzo bogaty, skoro miał te wszystkie gaje oliwne i własną tłocznię.

Dziewczyny wysiadły z samochodu, ciągnąc za sobą walizki. Maggie zapytała, czy Nonna nie ma nic przeciwko temu, by zabrała samochód do swojej willi i zwróciła go później. Pomachały jej na pożegnanie; dziewczyny weszły do *albergo* w poszukiwaniu Amalii, Laury i czegoś do jedzenia, a Sophia Maria – bo tak teraz o sobie myślała – przeszła przez plac do Rocca.

Już z daleka widziała jego uśmiech, który odsłaniał wszystkie zęby i zapalał wesołe iskierki w jego oczach.

Rocco przygładził wąsik. Zrobił krok w stronę Nonny, kręcąc głową ze zdumienia, jak pięknie wyglądała ze swoją gładką cerą, błyszczącymi włosami i opalonymi nogami.

– Sophia Maria – powiedział.

– Rocco.

Ujął jej wyciągniętą dłoń. Usiedli na starej żelaznej ławce pod sosnami ocieniającymi zakurzone boisko do *bocce*. Obok Rocca usiadł Fido, ze spuszczonym łbem.

– Co się stało twojemu psu? – zapytała Sophia Maria.

– Może za tobą tęsknił – odparł Rocco.

Zerknęła na niego z ukosa. Nie żartował, nie uśmiechał się nawet. Zrozumiała, co miały znaczyć jego słowa: on sam za nią tęsknił.

– Ja też tęskniłam za Fidem.

Rocco znów przygładził wąs.

– Może Fido uważa, że nie powinien siadać koło takiej bogatej amerykańskiej damy. Może myśli, że nie jest dość dobry dla takiego towarzystwa.

– Albo myśli, że jest zbyt bogaty, by się zadawać ze skromną wdową – odparowała Sophia Maria – która może wcale nie odziedziczy willi, a mimo to postanowiła wydać resztę oszczędności i cieszyć się życiem. Dopóki może.

Rocco zastanawiał się chwilę nad tym, co powiedziała.

– Ten wspaniały tropiciel trufli, pies skromnego producenta oliwy, właściciela kilku gajów oliwnych i tłoczni, a także małego gospodarstwa z winnicą i jedną wyjątkową krową, która daje najlepsze mleko i śmietanę w całej Toskanii, może się uważać za szczęściarza, będąc w towarzystwie skromnej wdowy z Ameryki, która wydaje wszystkie oszczędności, by się nimi cieszyć. Dopóki może.

Sophia Maria siedziała ze skrzyżowanymi nogami, z dłońmi na kolanach. Była jej kolej.

– Fido powinien się dobrze zastanowić, czy warto spędzać czas w towarzystwie kobiety, która jest zmuszona cieszyć się życiem. Dopóki może.

Rocco obrócił się gwałtownie, przestraszony.

– Sophio Mario, o czym ty mówisz?

Opowiedziała mu, co o jej sercu powiedział lekarz.

– A twoja córka? Przecież ona też jest lekarzem – rzucił Rocco. – Co ona powiedziała?

– Nie powiedziała nic, bo o niczym nie wie. I nie dowie się. Oprócz mnie wiesz o tym tylko ty, Rocco. I niech tak pozostanie.

Rocco przesunął rękę na siedzeniu ławki w stronę Sophii Marii. Ujęła jego dłoń w swoją.

– Oczywiście powiedziałam lekarzowi, że będę żyć długie lata i że opowiada bzdury, jak wszyscy lekarze. A on na to: może tak będzie, pani Jericho, może tak będzie. I wiesz co, Rocco? Ja wierzę, że tak będzie.

– *Bene*. – Uścisnął jej dłoń; Fido zawarczał basowo. Rocco spojrzał zdziwiony na psa. Największy tchórz w okolicy warczał, naprawdę warczał, bo jego pan trzymał kobietę za rękę.

– Biedny Fido – powiedziała łagodnie Sophia Maria. – Myślę, że jest zazdrosny.

Fido przestał warczeć. Odwrócił się i spojrzał na nią. Przekrzywił łeb; jego różowy nos zadrgał, oczy przybrały błagalny wyraz. I nagle wskoczył jej na kolana.

Sophia Maria otworzyła ramiona i złapała psa; Fido zaczął ją lizać po twarzy, skomląc i merdając radośnie ogonem.

– Rocco – powiedziała – zdaje się, że on chce, żebym została.

– Zdaje się, że tak, Sophio Mario – odparł Rocco, drapiąc się po szczeciniastej głowie.

Długo patrzyli na siebie, szukając odpowiedzi w swoich twarzach, które pamiętali z dzieciństwa, a które teraz tak się postarzały. Rocco nie musiał nawet pytać.

– Wyjdę za ciebie, Rocco – oświadczyła Nonna. Odetchnęła z ulgą i dodała: – Teraz wiem, że naprawdę wróciłam do domu.

Rozdział 72

Gemma

Znów byliśmy w domu. Ben skręcił w długi podjazd prowadzący do willi. Stary land rover podskakiwał na dziurach, a ja trzymałam się mocno, by nie tłuc głową w dach.

– Musisz sobie sprawić albo nowy samochód, albo nowy podjazd – powiedziałam.

– Kocham ten samochód.

– Kochasz go? – Rzuciłam mu sceptyczne spojrzenie.

– To męska sprawa. My kochamy swoje samochody. Im starsze, tym lepsze.

– No dobra, więc nowy podjazd?

– A jeśli willa okaże się twoją własnością? To ty będziesz musiała płacić za nowy podjazd.

– Nie stać mnie na to – odparłam. Roześmiał się.

W tumanie kurzu przed nami zauważyłam białą furgonetkę Rocca Cesaniego z Fidem na pace. Kiedy okrążaliśmy fontannę z Neptunem, zobaczyłam, że obok Rocca siedzi Nonna. Jak to miło, że ci dwoje tak się do siebie zbliżyli i że Nonna odzyskała starego przyjaciela.

Z frontowych schodów machała do nas Maggie, a dziewczynki pędziły już do nas przez trawnik. Rocco pomógł Nonnie wstać, jak prawdziwy dżentelmen, ale ja otworzyłam drzwi i wysiadłam sama, zanim Ben zdążył do mnie podejść. Po prostu odzwyczaiłam się od tego rodzaju uprzejmości.

Po chwili wszyscy się ściskaliśmy, całowaliśmy i mówiliśmy sobie, jak bardzo się stęskniliśmy. Maggie i Nonna zapytały o Rzym i Donatiego. Ben przeciągnął po gardle palcem i potrząsnął głową. Wszystkim zrzedły miny.

– Nie martwcie się – rzuciła wesoło Maggie. – Jutro będę mieć dla was lepsze nowiny.

Nie wyjaśniła, o co dokładnie chodzi, i prawdę mówiąc, nie chciałam wiedzieć. Pomyślałam, że pewnie znowu chce nas wysłać do jakiejś wsi na końcu świata, gdzie nie będzie przyzwoitej kawiarni i gdzie na noc wylądujemy w jakiejś oborze. Chociaż to mogłoby być całkiem przyjemne... tarzać się z Benem w pachnącym sianie.

Dość tych nieprzyzwoitych myśli, powiedziałam sobie. Ale wiecie co? Ile razy spojrzałam na tego faceta, miałam nieprzyzwoite myśli. Zastanawiałam się, czy to normalne.

Siedzieliśmy na tarasie, pokrzepieni mrożoną herbatą i świeżymi ciasteczkami Fiametty, które były prawie tak dobre jak wypieki Nonny – co sama skwapliwie przyznała. Fontanna pluskała usypiająco, w bugenwilli ćwierkały ptaszki. Ku mojemu zaskoczeniu Fido usiadł obok Nonny. Położył głowę na jej stopach i westchnął z zadowoleniem.

– Mamo, ten pies się w tobie zakochał – zażartowałam.

Nonna wysunęła podbródek i posłała mi długie spojrzenie. Wydała mi się dziwnie zadowolona z siebie.

– Oczywiście, że tak – odparła. – Fido zdecydował, że powinniśmy się pobrać.

– Wyjdziesz za Fida? – zdziwiła się Livvie.

– Oczywiście że nie, Olivio. Fido zgodził się, żebym wyszła za Rocca.

– Rany – powiedziałyśmy obie z Livvie. To było bardzo osłupiałe „rany".

– Wesele! – zachwycony pisk Maggie wwiercił nam się w uszy. – Cudownie! Gratulacje! Sophia Maria będzie moją sąsiadką. Nie mogę się już doczekać. Długo będziecie czekać ze ślubem?

Rocco posłał nam promienny uśmiech.

– Myśleliśmy o przyszłym miesiącu – odparł, spoglądając skromnie na swoje gumiaki.

Livvie objęła babcię.

– Tak się cieszę – powiedziała, po czym spojrzała na mnie z nadzieją. – Czy to znaczy, że zostajemy dłużej?

– Gratulacje – wykrztusiłam, wciąż nie mogąc się otrząsnąć. -- Ale pamiętaj, my wracamy do domu w przyszłym tygodniu. Co z twoim domem? Z twoim życiem w Stanach?

Nonna zignorowała moje pytania.

– Oczywiście, że zostaniecie na wesele. Mama zadzwoni do szpitala i powie, że przedłuża sobie urlop. Wyjaśni im, że to nagły wypadek – oznajmiła ze śmiechem.

Zrozumiałam, że jest szczęśliwa, i z bólem uświadomiłam sobie, jak rzadko słyszałam w domu tak radosny śmiech. Pomyślałam, jak puste było jej życie, musiała się czuć samotna, czekając na niedziele, kiedy nas widywała.

– Zadzwonię – powiedziałam, wstając. Uściskałam ją serdecznie i ucałowałam. Fido warknął na mnie ostrzegawczo, ale wyjaśniłam mu, że powinien się przyzwyczaić. W końcu ja poznałam ją pierwsza.

Rocco wziął moje ręce w swoje szorstkie dłonie.

– Zaopiekuję się nią, *dottoressa* – obiecał.

I wiedziałam, że dotrzyma słowa.

Tego samego wieczoru uczciliśmy zaręczyny Sophii Marii i Rocca w restauracji naprzeciwko pięknego kościoła San Biagio w Montepulciano. Rocco podarował narzeczonej wspaniały złoty pierścionek z maleńkim rubinem.

– To pierścionek mojej praprababki – powiedział. – Myślałem, że nigdy nie znajdę nikogo godnego tego pierścionka, ale Sophia Maria zasługuje na o wiele wspanialsze klejnoty. Zasługuje na więcej, niż kiedykolwiek będę jej mógł dać.

Nonna zaczerwieniła się, a ja pomyślałam, że ten rumieniec to chyba rodzinna cecha. Pokazała nam pierścionek i powiedziała, że nigdy nie zdejmie obrączki po Jacku Jericho – po prostu będzie nosić i obrączkę, i pierścionek.

By uczcić jej postanowienie, wznieśliśmy toast vino nobile de montepulciano – aromatycznym ciemnoczerwonym winem, w którym wyczułam smak nagrzanych w słońcu winogron, wanilii i dębu. A potem ucztowaliśmy, jedząc lekkie jak piórka ravioli i jagnię pieczone na gałązkach rozmarynu.

Ben próbował mnie złapać pod stołem za rękę. Udawał, że nie zauważa domyślnych uśmieszków dziewczyn, więc po kilku kieliszkach nobile pozwoliłam mu na to. Prawdę mówiąc, chciałam czegoś więcej, niż tylko trzymać go za rękę, ale na szczęście powstrzymała mnie wrodzona skromność i obecność mojej matki i córki.

Po kolacji ruszyliśmy leniwie przez miasto, schodząc ze wzgórza krętymi uliczkami. Przodem szła Nonna, trzymając Rocca za rękę. Myślałam właśnie, jak bardzo zmieni się jej życie, jak będę za nią tęsknić i jak bardzo ona będzie tęsknić za Livvie, kiedy zobaczyłam, że się potknęła. Rocco złapał ją, a potem poprowadził, czy raczej prawie zaniósł do krzesła na tarasie kawiarni.

– Mamo, co się stało? – Zbadałam jej puls. Był przyspieszony, a jej twarz znów miała ten szary woskowy odcień, który zauważyłam wcześniej.

– To nic, jestem po prostu zmęczona. – Ale przyłożyła rękę do serca, jakby ją bolało. – Nic mi nie jest, Gemmo. Muszę tylko chwilę odpocząć. No i zapominałam ostatnio zażywać beta-blokery.

– Beta-blokery?!

– *Dottoressa*. – Poczułam dłoń Rocca na ramieniu. Wyglądał na równie spanikowanego jak ja. – Ona jest chora -- rzekł cicho. – Powiedziała mi o tym. Jej lekarz twierdzi, że to wrodzona wada serca.

Dobry Boże, pomyślałam, moja matka ma wrodzoną wadę serca, a ja o tym nie wiedziałam? Co ze mnie za lekarz? W jednej chwili odsunęłam od siebie strach i zaczęłam działać na wysokich obrotach, jak w szpitalu.

Już po kilku minutach sanitariusze pakowali Nonnę do karetki; usiadłam obok niej. W przelocie dostrzegłam przerażoną twarz Livvie, krzyknęłam jej więc, żeby się nie martwiła.

Ospedale della Croce Rossa był wyłożony białymi kafelkami i nieskazitelnie czysty. Pielęgniarki w butach na gumowych podeszwach bezszelestnie przemknęły obok nas, by zająć się pacjentką. Krzepki brodaty lekarz, który przypominał mi Pavarottiego, już czekał na nas ze swoim zespołem. Po chwili Nonna leżała na stole, zalana białym światłem lamp. Wokół niej uwijał się personel, podłączając ją do monitora, sprawdzając szybkość i regularność pulsu, aktywność mózgu.

Reszta towarzystwa też już tu była; siedzieli w milczeniu w wielkiej pustej poczekalni, marznąc w klimatyzowanym powietrzu. Rocco stał w kącie, przestępując nerwowo z nogi na nogę. Zapłakana Livvie przylgnęła do Maggie, a Muffie skuliła się przestraszona koło Bena.

– Wyjdzie z tego, mamusiu? – szepnęła Livvie.

Pocałowałam ją czule i powiedziałam:

– Mam nadzieję, skarbie. Będę z nią cały czas.

– W takim razie na pewno z tego wyjdzie – powiedziała z taką ufnością, że aż się skrzywiłam na wspomnienie tamtej nocy z Cashem.

– *Dio mio*. – Rocco chodził w tę i z powrotem po poczekalni, zagubiony bez Fida u nogi. Psa nie wpuszczono do szpitala; musiał zostać w furgonetce. Pomyślałam, że Rocco wydaje się bez niego bardzo samotny – prosty, twardy, żylasty Włoch, który po długim okresie wdowieństwa dał szczęście mojej matce. Położyłam dłoń na jego ramieniu. Spojrzał na mnie tym samym błagalnym wzrokiem, jakim przed chwilą patrzyła na mnie Livvie.

– Wszystko będzie w porządku – powiedział ufnie.

Wyszłam na chwilę na korytarz. Ben natychmiast był przy mnie.

– Dobrze się czujesz?

Kiwnęłam głową.

– Po prostu nie mogę myśleć, że to moja matka. Muszę zachować chłodne lekarskie spojrzenie i skoncentrować się. – Oparłam się ciężko o jego silne ramię.

– Jestem przy tobie – powiedział łagodnie.

Godzinę później stałam przy łóżku mojej matki na oddziale kardiologicznym. Była podłączona do maszyn, w rękę miała wbitą kroplówkę. Jej twarz odzyskała kolor; dzięki Bogu nie wyglądała już jak szary duch. Jej oczy znów spoglądały wojowniczo.

– Dlaczego mi nie powiedziałaś? – zapytałam, wściekła mimo ogromnej ulgi. – Jestem twoją córką. Jestem lekarzem, na litość boską.

– Nie muszę ci mówić wszystkiego tylko dlatego, że jesteś moją córką. – Poprawiła na sobie niebieską szpitalną koszulę.

– Ale Roccowi powiedziałaś.

– Za Rocca wychodzę za mąż.

– Jak w ogóle mogłaś pomyśleć o małżeństwie, o zostaniu tutaj…

– Nie bądź śmieszna, Gemmo. Oczywiście, że zostanę. Jestem tu szczęśliwa. A poza tym to tylko drobne zaburzenie rytmu serca, nie ma się czym przejmować.

W tej chwili wszedł doktor-Pavarotti.

– *Bene* – powiedział wesoło. – Już pani lepiej.

Nonna przyjrzała mu się uważnie i widocznie jej się spodobał, bo powiedziała, że faktycznie już jej lepiej. Oczywiście nie dzięki niemu. Bez niego też zrobiłoby jej się lepiej. Potrzebowała tylko filiżanki kawy.

Doktor rozłożył bezradnie ręce i powiedział do mnie:

– Moja matka jest dokładnie taka sama. – Po czym, już poważniej: – *Signora* Jericho, nie możemy zrobić nic więcej. Trzeba żyć powolutku. I oczywiście – dodał z radosnym uśmiechem – kobieta taka jak pani nie umiera tak łatwo.

– Ha! – rzuciła cierpko Nonna. Najwidoczniej odzyskała już ducha. – Potrzeba czegoś więcej niż marna wada serca, żeby mnie wykończyć.

Pewnie miała rację.

Rozdział 73

Staliśmy z Benem w starych stajniach, patrząc, jak robotnicy odstawiają na miejsce spychacz, betoniarkę i koparkę.

– *Ciao, signore, ciao, dottoressa* – krzyknęli kierowcy, jakby maszyny nigdy nie opuściły tego miejsca. – *Domani, signore*. Zaczynamy pracę.

– I bardzo dobrze – powiedział Ben, kiwając głową.

W tej chwili zobaczyliśmy Maggie, która w różowych klapkach na wysokich obcasach szła do nas ścieżką, machając na powitanie. Było południe – dla Maggie blady świt.

– Mam – zawołała z uśmiechem, wymachując zardzewiałym żelaznym kluczem. – To klucz do biura Donatiego we Florencji.

Ben gwizdnął cicho.

– Maggie, jesteś genialna.

– Oczywiście, że jestem. Mój detektyw ma go od człowieka, który wynajął Donatiemu pomieszczenia.

– Właściciel dał detektywowi klucz? – Nawet mnie wydało się to mało prawdopodobne.

– Niezupełnie. Powiedzmy, że go znalazł.

– Jak?

Znów uśmiechnęła się i powiedziała:

– Nie pytajcie mnie o tajemnice, to nie będę kłamać. Tu jest adres. – Podała Benowi kawałek papieru. – Teraz musicie tylko tam pojechać i przeszukać biuro.

Spojrzałam na Bena.

– Czy w policyjnym języku to się nie nazywa „włamanie z wtargnięciem"?

– Jakie włamanie, moja droga? – powiedziała uspokajająco Maggie. – Może wtargnięcie. Ale to nic złego.

– Naprawdę nic złego? – zapytałam Bena.

Wyszczerzył zęby w uśmiechu równie tajemniczym jak uśmiech Maggie.

– Nie wiem – powiedział – ale jeśli ty chcesz zaryzykować, to ja też.

Biuro Donatiego znajdowało się w nędznej uliczce przy dworcu, między pralnią chemiczną a domem pogrzebowym. Wysokie budynki zasłaniały słońce; zadrżałam, ogarnięta nagłym chłodem. Ben wsunął klucz do zamka.

– A jeśli on tam jest? – zapytałam, wciąż niepewna.

Ben rzucił mi spojrzenie godne Jamesa Bonda (uniesiona brew, zagadkowy uśmieszek), po czym otworzył drzwi i wszedł do środka. Wsunęłam się za nim, w kompletną ciemność.

– Jezu – szepnęłam przerażona – to naprawdę włamanie z wtargnięciem.

Ben złapał mnie za rękę i zamknął za mną drzwi. Przez długą chwilę staliśmy w ciemności. Zacisnęłam powieki, nasłuchując. Mogłabym przysiąc, że ktoś tu oddycha. Nagle zdałam sobie sprawę, że to ja.

– Nie moglibyśmy przynajmniej zapalić światła? – szepnęłam.

Ale Bena nie było już przy mnie. Omiótł pomieszczenie latarką; dostrzegłam przelotnie ciężkie drewniane biurko, lampę z abażurem, skórzany fotel i warstwę kurzu. Było oczywiste, że od dawna nikt tu nie zaglądał; pomyślałam z ulgą, że przynajmniej Donati nie wyskoczy na nas z ciemności.

Ben otwierał szuflady i szafki, szperając w nich pośpiesznie. Nic. Cienki promień jego latarki zatrzymał się na zielonym żelaznym sejfie stojącym w kącie. Sejf nie był duży; w sam raz, by schować do niego klejnoty – gdyby się jakieś miało.

– Co powiesz na małe włamanko? – zapytał Ben.

Zęby zadzwoniły mi ze strachu. Nigdy w życiu nie złamałam prawa, chyba że łamaniem prawa można nazwać kochanie się na tylnym siedzeniu samochodu.

– Nie wiemy, jak go otworzyć – powiedziałam.

Znów uniósł brew niczym Bond i ukląkł przed sejfem.

– Ben, nie możemy tego zrobić. Proszę cię, chodźmy stąd. – Wstrzymałam oddech, kiedy przyłożył ucho do sejfu, przekręcając tarcze i nasłuchując. Osłupiałam. – Gdzie się nauczyłeś otwierać sejfy?

– Jestem chłopakiem z Bronksu, pamiętasz? Na ulicy można się wiele nauczyć.

– Widocznie nie dość – powiedziałam, bo nic nie wskórał. Sejf wciąż był zamknięty na cztery spusty.

Ben wyjął z kieszeni mały szwajcarski scyzoryk, otworzył ostrze ze śrubokrętem i zaczął wykręcać śruby z zawiasów.

– Dziecko by to otworzyło – powiedział, odginając drzwi.

Klęknęłam obok niego. Ujrzeliśmy gruby plik dokumentów związany luźno różową tasiemką ze złamaną woskową pieczęcią.

Nagle ciszę rozdarło wycie policyjnych syren. Spojrzeliśmy na siebie z otwartymi ustami. Syreny umilkły i drzwi otworzyły się gwałtownie.

Zostaliśmy przyłapani na gorącym uczynku. Na kradzieży testamentu hrabiego Piacere.

Rozdział 74

Ze zmarszczonymi brwiami wpatrywałam się między kratami w Bena, który siedział w identycznej małej celi naprzeciwko mnie. Nawet na mnie nie spojrzał. Gapił się na strażnika siedzącego na końcu ciemnawego korytarza. Na stole przed strażnikiem leżał dowód naszego przestępstwa, wciąż przewiązany różową urzędową taśmą.

– Do diabła – powiedziałam, trzęsąc się z zimna i złości – nawet nie mieliśmy czasu sprawdzić, czy hrabia zapisał willę Nonnie.

Ben wzruszył ramionami.

– Przynajmniej znaleźliśmy testament.

– A teraz będziemy musieli znaleźć Donatiego i udowodnić, że to on jest przestępcą, a nie my.

– Na to bym nie liczył. Donati dawno zorientował się, że wszystko się wydało. Po prostu zabrał moje pieniądze i zwiał. Nigdy więcej go nie zobaczymy.

– Szkoda, że nie powiedziałeś mi tego wcześniej. – Klapnęłam na twardą drewnianą ławkę i wbiłam wzrok we własne stopy. Zauważyłam, że powinnam wypolerować paznokcie.

Ben zadzwonił do Maggie i teraz czekaliśmy, aż przyjedzie z adwokatem. Podobno powiedziała, żebyśmy się nie martwili, bo zaraz się zjawi ze swoim prawnikiem. Najlepszym, oczywiście. Miałam szczerą nadzieję, że rzeczywiście coś zaradzi, zamiast rozkładać tarota.

– To równie dobry moment jak każdy inny, żeby cię o to zapytać. Zdecydowałaś już, czy mnie kochasz?

– Co? – spojrzałam na Bena z niedowierzaniem.

– Cóż, gorzej być nie może. Więc równie dobrze mogę usłyszeć złe wieści teraz. – Opierał się o kraty; w jego oczach dostrzegłam desperację. – Cash to przeszłość, Gemmo – powiedział miękko. – Czas ruszyć dalej.

Lód wokół mojego serca topniał błyskawicznie, rozpływając się w słodkie kałuże. Cash, pomyślałam. Och, Cash, ukochany…

– Wyjdź za mnie, Gemmo – powiedział Ben.

Byłam tak ogłuszona, że poprosiłam go, by powtórzył.

– Wyjdź za mnie, Gemmo – powiedział jeszcze raz.

Przełknęłam z trudem ślinę.

– Dlaczego? To znaczy, dlaczego chcesz się ze mną ożenić?

– Bo jesteś szalona, zabawna, potrafisz mnie rozśmieszyć i uwielbiam twoje włosy.

– Moje włosy? – Gorączkowo przeczesałam palcami znienawidzoną jasną aureolę.

– Zawsze chciałem się ożenić z aniołem Botticellego.

– Nie jestem żadnym aniołem…

Złapał mocno pręty celi, patrząc na mnie.

– Do diabła, Gemmo – jęknął – dlaczego tak mi to utrudniasz? Ja tylko proszę cię o rękę.

– W areszcie? – Ja też złapałam wściekle za kraty. – Nie mogłeś tego zrobić na przykład na schodach kościoła w Rzymie? Albo na tarasie kawiarni przy szampanie? W ogrodzie willi, w świetle księżyca?

– Mogłem – przyznał – ale robię to teraz.

Spojrzałam na niego pełna zwątpienia. Chciałam go kochać, chciałam móc mu to powiedzieć z czystym sumieniem. Chciałam być wolna, by móc kochać.

– Znam wszystkie twoje tajemnice – powiedział. – Znam cię, Gemmo, i kocham cię.

Rozpłakałam się. Wybrałam świetny moment. Mężczyzna, którego kochałam – bo teraz byłam już pewna, że go kocham – poprosił mnie o rękę; co z tego, że w celi włoskiego aresztu – a ja płakałam. Tusz spływał mi po twarzy, a ja szlochałam i nie mogłam się powstrzymać. Ben stał w swojej celi, patrząc na mnie. Nie powiedział: hej, maleńka, nie płacz, wszystko będzie dobrze. Po prostu stał i czekał, aż przestanę. Co w końcu mi się udało.

– No dobrze, już ci przeszło – powiedział spokojnie. – Wyjdziesz za mnie czy nie?

– Nie – szepnęłam zmieszana, ale widocznie to nie była dobra odpowiedź, bo zrobił osłupiałą minę. – Poproś mnie jeszcze raz, dobrze?

– Wiesz co? – powiedział z desperacją w oczach. – Może tym razem ty poproś mnie.

Moje kolana w końcu nie wytrzymały. Osunęłam się na kamienną podłogę i wyciągnęłam do niego rękę przez kraty.

– Kocham cię, Ben – powiedziałam. – Czy zechcesz się ze mną ożenić?

Roześmiał się głośno.

– Jasne, że tak, Gemmo Jericho.

Poprosiłam mężczyznę o rękę, a on się zgodził. Byłam najszczęśliwszą kobietą na świecie. Pomyślałam o Cashu. Wiedziałam, że zawsze będzie dzielić moje serce z Benem. Ale znów czułam, że żyję; każdy, kto kogoś stracił, znał tę chwilę, kiedy następuje zwrot i życie zaczyna toczyć się dalej.

A mój wspaniały Ben, mój zbawca, mój najlepszy przyjaciel, kochanek i towarzysz celi, który zna wszystkie moje sekrety oraz włada moją duszą i ciałem, będzie moim mężem.

Ben wyjął z kieszeni małą aksamitną sakiewkę i popchnął ją po wąskim pasku podłogi między naszymi celami.

Przesunęłam ramię przez kraty, starając się jej dosięgnąć; leżała zaledwie o grubość palca od mojej dłoni.

– Cholera – mruknęłam. Przełożyłam przez kraty obie ręce i udało mi się. Tak! Chwyciłam sakiewkę w palce.

– Otwórz ją – powiedział Ben, klękając naprzeciw mnie w swojej celi.

Metalowe pręty wrzynały mi się w ramiona, ale rozsupłałam sakiewkę i wyjęłam pierścionek. Był to ten sam pierścionek, który podziwiałam w starym sklepie jubilerskim na Ponte Vecchio. Dwie splecione tasiemki złota z kryształem otoczonym maleńkimi brylancikami.

– Skąd wiedziałeś? – szepnęłam.

– Nie doceniasz swojej córki.

– Livvie ci powiedziała?

Kiwnął głową.

– Żałuję, że nie mogę ci go włożyć na palec. I pocałować cię.

Klęczeliśmy w naszych celach, wpatrując się w siebie tęsknym wzrokiem. Spojrzałam na mój piękny pierścionek zaręczynowy i niewiele myśląc, wsunęłam go na serdeczny palec. Wyciągnęłam rękę, by pokazać go Benowi. Kryształ lśnił miękko w przyćmionym świetle.

– Czy ja cię rzeczywiście poprosiłam, żebyś się ze mną ożenił?

– Zgadza się. I mam nadzieję, że dotrzymasz słowa.

Spróbowałam cofnąć ręce spomiędzy prętów.

– Au – jęknęłam i spróbowałam jeszcze raz. – Aua!

Klęczałam na podłodze celi z rękami uwięzionymi w kracie.

– Utknęłaś! – zawołał Ben ze śmiechem.

– To się mogło zdarzyć każdemu. Spróbuj przełożyć ręce przez te kraty. Zobaczymy, czy nie utkniesz.

– Szkoda, że nie pomyślałaś o tym wcześniej.

– Ale wtedy nie mogłabym założyć pierścionka.

– Też prawda.

– I co ja mam teraz zrobić? – zapytałam.

Zanim przyjechała Maggie, strażnicy uwolnili mnie z krat za pomocą piły tarczowej. Myślałam, że poucinają mi ręce. Komendant ostrzegł mnie, że zostanę obciążona kosztami całej „operacji".

Na szczęście Maggie znała komendanta. Wyjaśniła mu swoim cudownym angielsko-włoskim, że tylko szukaliśmy czegoś, co jest moją prawowitą własnością, i że to Donati jest prawdziwym przestępcą, który uciekł z pieniędzmi *americano*. Przeprosiliśmy za marnowanie czasu policji, podziękowaliśmy, że zadali sobie tyle trudu, i obiecaliśmy, że pokryjemy wszelkie koszty.

Maggie błyskawicznie wydostała nas z aresztu i wsadziła do swojego najlepszego samochodu – wielkiego żółtego rolls-royce'a z lat pięćdziesiątych, który płynął po nierównych drogach miękko jak dziecięcy wózek. Prowadził szofer (ten sam, który czasem bywał lokajem i majordomusem); Maggie siedziała obok niego z testamentem hrabiego na kolanach. Nie mogłam się doczekać, kiedy się dowiem, co w nim jest, ale pomyślałam, że nie powinnam być zbyt niecierpliwa. Szczególnie teraz, gdy zostałam narzeczoną człowieka, którego willa mogła się okazać moją własnością.

– Właśnie zaręczyliśmy się z Benem – powiedziałam.

– W areszcie? – Maggie była tak zdumiona, że aż się roześmiałam. – Więc w końcu poprosiłeś ją o rękę, Ben?

– Owszem. A ona poprosiła mnie. Oboje powiedzieliśmy „tak".

– To było zapisane w kartach. Gratulacje, moi drodzy, napijemy się dziś szampana, by to uczcić. Z kawiorem. Uwielbiam kawior. A wy?

Niespokojnie popatrzyłam na dokument leżący na jej kolanach.

– Maggie?

– Tak, kochanie?

– Myślisz, że... to znaczy, czy mogłabyś zerknąć w testament i sprawdzić...

– Oczywiście. – Zerwała różową taśmę i zaczęła przewracać pergaminowe strony pokryte pajęczym pismem. – Piacere sam to pisał – powiedziała. – Jest też jego podpis. I podpis świadka.

Przebiegła wzrokiem po stronicach i nagle uniosła głowę rozpromieniona.

– Zwycięzca zgarnia całą pulę – orzekła z zachwytem.

– Ale kto jest zwyciężcą? – jęknął zdesperowany Ben.

– Sophia Maria, oczywiście.

Rozdział 75

Nonna zdecydowała, że chce mieć prawdziwe włoskie wesele w starym stylu, na głównym placu Bella Piacere. Żeby wszyscy mogli na nie przyjść, powiedziała.

Pojechała do Florencji, by po raz ostatni zaszaleć na zakupach. Ku swojemu zachwytowi trafiła na wyprzedaże.

– Dolce e Gabbana – powiedziała z dumą, pokazując mi sukienkę i pantofle. Gdybym jeszcze potrafiła się czemukolwiek dziwić, chybabym zemdlała. Kto by pomyślał, że moja matka zna DG, nie mówiąc już o tym, że będzie chciała brać ślub w ich sukience?

Z Nowego Jorku przylecieli moi przyjaciele, Patty i Jeff, podekscytowani, że mogą wziąć udział w takiej imprezie. Cieszyli się szczęściem Nonny i oczywiście nie mogli się doczekać, kiedy poznają Bena.

– Hej, stara wiedźmo, nieźle wyglądasz – przywitała mnie Patty. Kiedy zobaczyła Bena, dodała z podziwem: – No, teraz już wiem dlaczego.

Już przedtem wszyscy przeprowadziliśmy się do willi; Patty i Jeff dostali więc narożny pokój w jednej z kwadratowych wieżyczek. Okna wychodziły na trzy strony – od frontu na zarośnięty ogród, z lewej na dachy, a z prawej na toskańskie wzgórza. Jeff stwierdził, że to wielka szkoda, że willa nie zostanie hotelem, bo jest po prostu wspaniała, i że teraz będziemy ich musieli wyrzucić, żeby się ich pozbyć. Ale wyjaśniłam mu, że willę trzeba będzie sprzedać.

– Odsprzedaj ją Benowi – powiedziała Patty. Ale Ben już raz ją kupił, słono za nią płacąc, więc taki interes raczej mu się nie opłacał.

Po ślubie Nonna i Rocco mieli pojechać jego furgonetką do Forte dei Marmi, nadmorskiego kurortu, na dwudniowy miesiąc miodowy. Fido miał zostać z Maggie, a Guido Verdi, burmistrz, który był także drużbą Rocca, miał się zaopiekować jego krową. Do tej pory ja i Livvie miałyśmy już wrócić w dzikie ostępy Manhattanu. Nasze walizki były spakowane; miałyśmy wyjechać z toskańskiego raju dzień po ślubie.

Livvie nie chciała wyjeżdżać. Kiedy nie była zajęta „organizowaniem” kwiatów, które to zadanie przydzieliła jej Nonna, snuła się po okolicy z nieszczęśliwą miną. Takie samo tęskne spojrzenie zauważyłam w oczach Bena.

A ja? Gdybym sobie tylko pozwoliła, załamałabym się pewnie i wypłakała wiadra łez na samą myśl, że muszę opuścić Bella Piacere i naszą śliczną willę. Ale powiedziałam sobie, że ta chwila należy do Nonny i nie mam prawa zakłócać jej szczęścia. Jednak mimo świadomości, że mam teraz Bena, nie wiedziałam, jak sobie poradzę w Nowym Jorku i jak będzie wyglądać moje życie bez Nonny i jej niedzielnych obiadów.

W końcu nadszedł dzień ślubu – jasny i gorący, bez ostrzegawczych ciemnych chmur na niebie. No ale przecież deszcz nie ośmieliłby się padać w dniu ślubu Nonny.

Cała wieś włączyła się w organizację wesela. Drzewka i krzewy w wielkich donicach blokowały ulice, nie pozwalając nikomu wyjechać z wioski ani do niej wjechać, a brukowany plac zamienił się w prawdziwy zielony ogród. Na drzewach i wzdłuż ulic pozawieszano sznury chorągiewek, łopoczących w podmuchach sirocco, które znów przywiało saharyjski upał. Na słupach latarń i w oknach powiewały proporce z herbem hrabiego Piacere.

Na dachach w czterech rogach placu zamocowano przedpotopowe głośniki przypominające megafony, a na środku poustawiano stoły przykryte kraciastymi papierowymi obrusami i ozdobione wazonami polnych kwiatów zerwanych na wzgórzach przez Livvie i Muffie. Składane krzesełka kiwały się na wietrze, a nad stołami tańczyły czerwone papierowe lampiony. Po placu ganiały dzieci w najlepszych niedzielnych ubraniach, przewracając krzesła i chowając się pod stołami. Czarny pies obsikał jedną ze stołowych nóg, po czym węsząc, pobiegł za resztą miejscowej sfory. Kocur z domu na wzgórzu usadowił się w plamie słońca na obrusie.

Staruszki w czarnych chustach, pamiętające jeszcze matki Nonny i Rocca, wchodziły po schodach do kościoła, żegnały się i zajmowały swoje zwykłe miejsca w pierwszych ławkach. Przyszli też szkolni koledzy młodej pary, ubrani w najlepsze garnitury z wielkimi różowymi goździkami w klapach; zjawiły się nawet ich elegancko wystrojone dzieci i całe stada wnucząt. Byli robotnicy Rocca, wszyscy okoliczni gospodarze, właściciele winnic i miejscowe eleganckie towarzystwo – większość z nich znała Rocca całe życie.

Na boisku do *bocce* zbudowano drewnianą platformę do tańca; muzycy ustawiali już perkusję, próbowali akordeony i stroili skrzypce. Biała krowa Rocca stała pod drzewami nad stertą słodkiego siana, pracowicie odganiając ogonem muchy i przyglądając się wielkimi brązowymi oczami marnym ludzkim sprawom.

Kościół był pełen kwiatów wszelkich gatunków i kolorów; ciężki zapach kadzidła mieszał się ze słodkim aromatem tuberoz i lawendy. Jakiś nieszczęśnik pocił się na strychu, dmąc w miechy, gdy miejscowa bibliotekarka, *signora* w czerwonej sukience, grzmiała Bacha i Vivaldiego na przysadzistych organach. Stadko chórzystów, wielkookich włoskich urwisów, popychało się i chichotało, niespeszone groźnymi spojrzeniami Don Vincenza.

Sam Don Vincenzo kupił nową sutannę i wypastował buty; Rocco też wyglądał bardzo elegancko w granatowym garniturze i jedwabnym krawacie, który podarowała mu Nonna. Jego włosy były starannie przylizane i żaden niesforny włosek nie sterczał z wąsika. Czekał przy ołtarzu w towarzystwie burmistrza Guida i swojego psa, który za specjalnym zezwoleniem Don Vincenza siedział przy nodze pana przystrojony wielką kokardą z różowej satyny.

Usiadłam w pierwszej ławce, tak zdenerwowana, jakbym sama była panną młodą. I mogłam nią być, w tej białej sukience, którą w przypływie szaleństwa kupiłam we Florencji bez przymierzania i którą włożyłam na przyjęcie Bena z okazji Czwartego Lipca. Wtedy czułam się w niej niezgrabnie i dziwnie, ale teraz, opalona, w brylantowych kolczykach od Maggie i otoczona aurą spełnionej miłości, wyglądałam nawet dość ładnie.

Maggie jak zwykle przeszła samą siebie. Miała lśniącą suknię z cekinów, która wyglądałaby dobrze na o połowę młodszej gwieździe filmowej, i do tego wszystkie najlepsze brylanty i gigantyczny diadem z akwamarynu. Siedziała obok mnie, ocierając łzy maleńką lnianą chusteczką, choć ceremonia jeszcze się nie zaczęła.

– Nic na to nie poradzę – huknęła, przekrzykując ryk organów. – Zawsze płaczę na ślubach. Z wyjątkiem moich własnych, oczywiście.

Usłyszałam szelest jedwabiu i dźwięk kroków na kamiennej posadzce. Odwróciłam się, by popatrzeć. Ben prowadził Nonnę do ołtarza; przez chwilę stali na środku, w kolorowej plamie słońca przenikającego przez witraż.

Druhny, Livvie i Muffie, miały szarozielone proste sukienki, które same wybrały. Livvie ufarbowała włosy na bardziej stonowany kolor. Były boso; każda trzymała przed sobą w dłoni pojedynczy wysoki słonecznik.

Ale gwiazdą przedstawienia była oczywiście Sophia Maria. Włosy miała lekko ściągnięte do tyłu, usta idealnie uszminkowane amarantową pomadką. Ubrana była w jedwabną sukienkę w pastelowe kwiaty; nagie ramiona przykryła małym bolerkiem. Na głowie miała maleńki kapelusik z woalką w kropeczki, która przysłaniała jej oczy. Wyglądała... po prostu ślicznie. W dłoni trzymała bukiecik z drobnych toskańskich różyczek, różowych lilii i białych hortensji z ogrodu willi, a jej twarz rozświetlał najszczęśliwszy uśmiech na świecie.

Spojrzałam na Bena, który prowadził moją matkę środkiem nawy. Wyglądał tak wspaniale w ciemnogranatowym garniturze, że serce mi się ścisnęło, a kolana znów zamieniły się w galaretę.

Przeczesałam rękami włosy, kompletnie rujnując wysiłki Livvie, by uczesać je, jak należy; gardenia wetknięta za ucho spadła mi na okulary.

Pomyślałam, jak bardzo Nonna się zmieniła – z samotnej wdowy z przedmieścia w piękną szczęśliwą kobietę. Czy i ja się zmieniłam? Oczywiście, że tak. Wyglądałam wciąż tak samo i wciąż byłam „chodzącą katastrofą", jak nazywał mnie Ben. Ale zmieniłam się w środku. Patrzyłam teraz na świat jasnymi oczami, nieprzesłoniętymi chmurą żalu i smutku. Tak jak Nonna cieszyłam się ze swojego szczęścia. I miałam nadzieję za nas obie, że będzie trwało zawsze.

Chór zaśpiewał, młoda para wypowiedziała słowa przysięgi, organy zagrzmiały marsza weselnego, a *signor* i *signora* Cesani, uśmiechnięci od ucha do ucha, wyszli z kościoła odprowadzani biciem pękniętego dzwonu. Nad placem dęło sirocco, gorące i aromatyczne, słońce stało nad aksamitnymi wzgórzami, ptaki zamilkły, zastąpione przez hałaśliwe świerszcze. Z blaszanych głośników ryknął głos rodaka z Toskanii, Andrei Bocellego, śpiewającego *Czas się pożegnać*. Rocco odwrócił się do żony i wycisnął na jej ustach gorący pocałunek.

– Zaczynamy przyjęcie! – krzyknął.

Uścisnęłam Nonnę tak mocno, że aż zaczęła narzekać, że pogniotę jej sukienkę. Ale kiedy nasze oczy się spotkały, rozpoznałam to pełne miłości spojrzenie – znałam je tak samo dobrze jak wojownicze iskry, które tak często zapalały się w jej oczach.

– Życzę ci szczęścia, mamo – powiedziałam głosem zdławionym od łez.

– Mam wszystko, czego pragnę, córeczko. Szczęście też – odparła.

Przyszła kolej Livvie.

– Co teraz będziemy robić w niedziele, kiedy ciebie nie będzie? – zapytała smutno.

Nonna pokiwała tylko głową i powiedziała:

– To się jeszcze okaże, *ragazza*.

Pogratulowałam Roccowi i zapowiedziałam mu, że ma dbać o Nonnę. Puścił do mnie oczko i posłał ten swój promienny uśmiech, przygładzając wąsik.

– Spoko – powiedział w języku, który mniej więcej przypominał angielski. Fido, zajęty drapaniem satynowej kokardy, pozwolił się pogłaskać; kichnął głośno, kiedy Livvie cmoknęła go w różowy nos.

A potem strzeliły korki szampanów, półmiski wjechały na stoły i zaczęło się przyjęcie.

Rozdział 76

Wszyscy mieszkańcy wioski mieli wkład w przygotowanie przyjęcia, a Nonna osobiście ugotowała sos z pysznych pomidorów, które tak pięknie obrodziły w hotelowym ogrodzie. Ben zapewnił całe morze szampana, piwa i wina, miejscowego rosso di montalcino, a bar Galileo serwował wszystkim darmowe drinki. Fiametta upiekła weselny tort z pięciu warstw, polukrowanych na biało-niebiesko-czerwono na cześć Stanów Zjednoczonych i zielono-czerwono-biało na cześć Włoch. Na szczycie stała miniaturowa para młoda z białoróżowym cukrowym psem, który wyglądał dokładnie jak Fido.

Z głośników huknęła tarantella i zaczęła się uczta. Było przynajmniej dziesięć dań, począwszy od bruschetty: pysznego, chrupiącego toskańskiego chleba z gruboziarnistej mąki, maczanego w najlepszej oliwie Rocca – a do tego słodkie pomidory, świeża bazylia, anchois i oliwki.

Kobiety roznosiły wielkie półmiski przystawek. Była kiełbasa domowej roboty z fenkułami i *salame di cinghiale* – aromatyczne salami z dzika, mortadela i wędzona papryka, szynka i płatki parmezanu. Potem lekkie jak małe poduszeczki *gnocchi* ze słodkim masłem i szałwią, najlepsza parmeńska szynka z figami tak dojrzałymi, że tryskały sokiem, i młoda sałata zerwana tego ranka. Na kolejne danie zaserwowano *involtini di vitello*, cielęcinę zawijaną w plastry szynki i liście szałwii, a do tego *fagioli*; potem na stoły wjechały ravioli Nonny, nadziewane twarogiem i szpinakiem i polane sosem pomidorowym, który wzbudził powszechny zachwyt.

– *Brava, brava, signora Cesani* – wołali ludzie ze śmiechem.

I w końcu gwóźdź programu – *arrosto di maiale*, wieprzowa polędwica pieczona na rozmarynie, podana z polentą i borowikami. Już od samego zapachu pociekła mi ślinka. Przyniesiono misy świeżych owoców, długie drewniane tace wyłożone cytrynowymi liśćmi i uginające się od serów i wielkie półmiski ciast. Znów strzeliły korki szampanów.

Na drewnianej platformie pod sosnami tańczyły już pierwsze pary. Dzieci kręciły się w kółko, trzymając się za ręce i przewracając na siebie ze śmiechem. Livvie i Muffie ganiały za maluchami, pomagając matkom, które korzystały z wolnej chwili, by się zabawić. Niemowlaki płakały, goście przekrzykiwali się nad stołami i dolewali sobie wina, psy szczekały, krowa muczała zirytowana, głośniki ryczały, a nad wszystkim górowały salwy śmiechu.

Patty i Jeff siedzieli osłupiali, jak zwykle trzymając się za ręce.

– To jak niedzielny obiad, tylko większy, lepszy i z efektami dźwiękowymi – stwierdziła Patty.

Don Vincenzo popijał grappę; druciane okulary zjechały mu na czubek nosa, a pucołowata twarz uśmiechała się z zadowoleniem. W pewnej chwili Maggie zaprosiła do tańca burmistrza, omal nie wywołując małżeńskiej awantury, kiedy jego żona zjeżyła się z zazdrości. A Nonna – cóż, Nonna była Sophią Marią, upojoną radością, czarującą i kobiecą.

Ben porwał mnie w ramiona i zakręcił na chwiejnym drewnianym parkiecie, mrucząc mi do ucha piosenkę Paola Conte *Gli impermeabili*, co przetłumaczyłam jako „Płaszcze przeciwdeszczowe" – dość dziwny tytuł dla jednej z najbardziej romantycznych piosenek świata. To historia kochanków spędzających w pokoiku z zamkniętymi okiennicami deszczową noc; przypominała nam miłosną noc we Florencji.

Nowy Jork i przyszłość wydawały się tak odległe, ale nawet tańcząc, nie zapominałam, że mamy spakowane walizki i już jutro nas tu nie będzie.

– Pocałuj mnie – szepnął Ben i nasze usta złączyły się w długim namiętnym pocałunku. Miałam nadzieję, że nigdy się nie skończy, dopóki nie usłyszałam głosu Livvie:

– Mamo! – Oczywiście się zaczerwieniłam, kiedy spłoszeni odsunęliśmy twarze.

Nadszedł czas na tort i przemówienia.

Ktoś przyciszył głośniki, z których brzęczało teraz kapryśne *Mocambo* Paola Conte. Nonna i Rocco wstali; tłum zaczął klaskać, gwizdać i tupać z aprobatą.

Rocco przemówił pierwszy; trenował swoją mowę z Nonną i teraz powiedział, co miał do powiedzenia, po włosku i po angielsku.

– Jestem bardzo szczęśliwy – zaczął. – Mam u boku moją Sophię Marię. Mam nową rodzinę. Mam przyjaciół. Mam swojego psa. Obaj jesteśmy bardzo szczęśliwi.

Nonna postukała w mikrofon, sprawdzając, czy działa. Przygładziła sukienkę i dotknęła kapelusika, by się upewnić, że wciąż siedzi pod właściwym kątem. W końcu spojrzała wokoło niczym królowa na poddanych.

– *Amici* – powiedziała – *mia famiglia di Bella Piacere...* przyjaciele, moi drodzy, wy i ta wioska zawsze byliście w moim sercu. I choć wyjechałam dawno temu, nigdy o was nie zapomniałam. Wspomnienia Bella Piacere i was, kochani, były mi zawsze bardzo drogie, choć byłam szczęśliwa w moim wspaniałym kraju, w Ameryce. Ale teraz jestem starsza. Czułam potrzebę, by wrócić do domu. I Don Vincenzo dał mi tę możliwość, choć ten oszust Donati o mało nie pozbawił mnie podstępem dziedzictwa. – Przerwała na chwilę.

Rozległy się okrzyki dezaprobaty i śmiech. Nonna się uśmiechnęła.

– A moja córka, *dottoressa*, wylądowała w więzieniu. Sama o mało nie została przestępczynią – dodała.

Wszyscy spojrzeli na mnie; znów rozległy się śmiechy.

– Teraz, kiedy jestem taka szczęśliwa dzięki mojemu mężowi – Nonna uśmiechnęła się do Rocca – chciałabym też podziękować mojej rodzinie, Livie i Gemmie, za to... za to, że są moją rodziną. I za to, że Gemma postanowiła ją powiększyć, wychodząc za Bena, i tym samym dając mi drugą wnuczkę, Muffie. I kto wie – dodała, unosząc starannie umalowane brwi – może nawet więcej wnuków. Smuci mnie tylko to, że jutro wracają do Ameryki. – Przerwała i rzuciła mi to swoje twarde spojrzenie.

– *Bambini* – podjęła, a ja pomyślałam: oho, zaczyna się. – Villa Piacere zgodnie z prawem należy do mnie. Ale teraz oddaję ją Gemmie i Benowi.

Przestraszona spojrzałam na Bena.

– Teraz nie mają już wymówki, by tu nie zostać – powiedziała stanowczo. – Gemmo, możesz leczyć ludzi tutaj. Potrzebujemy lekarza. Ben może prowadzić w willi hotel, tak jak planował, może spokojnie malować i zostać następnym Michałem Aniołem. A Livvie i Muffie mogą chodzić do szkoły we Florencji. – Tłum znów zaczął wiwatować i gwizdać. – W ten sposób ja zatrzymam was tutaj, a wy zatrzymacie willę. – Uśmiechnęła się promiennie. – Myślę, że to dobry interes.

Spojrzałam w oczy Benowi. Czy mogliśmy z tego skorzystać?

Pomyślałam o sobotnich nocach w Bellevue: o chaosie, tragedii, o całej tej ohydzie. O niebezpiecznych ulicach Nowego Jorku, po których chodzi moja piękna nastoletnia córka.

Ben przypomniał sobie, jak ciężko walczył, by osiągnąć sukces, i jak bardzo pragnął osiedlić się tutaj. Jak bardzo się bał, że jego córka wyrasta na rozpieszczonego bogatego dzieciaka.

Czy mogliśmy porzucić ten bezlitosny, zepsuty miejski świat i stawić czoło nowej rzeczywistości, prostemu życiu, gdzie zmiany pór roku wyznacza nie tylko pogoda, ale także zbiory i sezonowe potrawy; gdzie winobranie jest najważniejszym świętem w roku, a oliwki są cenniejsze niż perły? Gdzie w wolny dzień jedzie się do Florencji, by napić się cappuccino w barze Gilli, za niewielkie pieniądze kupić dobry ser albo parę pięknych butów, w sklepie ze starociami w małej uliczce znaleźć stary obraz albo zastanowić się nad kupnem nowiutkiej srebrnej vespy? Czy przyzwyczaimy się do kasztanów jesienią, *panna cotta* w Boże Narodzenie i specjalnego ciasta na Wielkanoc? Czy nie zniechęcą nas wieczne kłopoty z wodą i elektrycznością, lodowata *tramontana* wiejąca zimą z ośnieżonych gór i długie, duszne i gorące letnie miesiące? Czy pogodzimy się

z tym, że najnowszy film pojawia się w małym miejscowym kinie dopiero po kilku latach? Że jedynymi
rozrywkami są książki, muzyka i wieczorny kieliszek
wina na tarasie, a widok z okna i ukochana osoba są
całym światem, wszystkim, co potrzebne do szczęścia? Ben wyciągnął ręce. Podeszłam do niego i za-
tonęłam w jego ramionach.

Jak moglibyśmy z tego zrezygnować?

Epilog

Minęły trzy miesiące. Jestem w willi, w moim nowym domu; leżę w ciemności, która kiedyś tak mnie przerażała, tonąc w wielkim starym łóżku zapadniętym ze starości – bezpieczna w ramionach mojego męża.

Pobraliśmy się tydzień po Nonnie i Roccu. Ślub był skromny, w jednym z najładniejszych kościołów we Florencji, gdzie przysięgliśmy sobie miłość, wierność i uczciwość, w zdrowiu i w chorobie, na zawsze. Kiedyś nie wierzyłam w to słowo – zawsze – ale teraz wiem, że zawsze znaczy: do końca naszego życia. Pomyślałam o Cashu i uśmiechnęłam się. Wiedziałam, że pochwaliłby to. Żałowałam tylko, że staruszek z piękną białą kotką, ze swoją księżniczką, nie mógł być na naszym ślubie – bo to on mi pokazał, co jest naprawdę cenne, pomógł mi odmienić moje życie.

Livvie i Muffie śpią w pokoju na końcu korytarza. Rocco i Nonna żyją wygodnie w swoim małym domku z Fidem, a Sindbad – lot z Nowego Jorku w ogóle nie wytrącił go z równowagi – leży zwinięty na moich stopach.

Jest październik, zrobiło się zimno. Dziś wieczorem napaliliśmy w kominku i upiekliśmy sobie kasztany. Jutro wstaniemy wcześnie, napijemy się kawy z mlekiem od krowy Rocca, zjemy zapiekaną ciabattę z truskawkowym dżemem Fiametty, a potem pójdziemy pomóc przy winobraniu w naszej małej winnicy.

Luchay wciąż jest z nami; nie przeczytałam jeszcze całej historii jego i Poppy Mallory. Maggie już planuje wspaniałe przyjęcie na święta, a ja i Ben planujemy, co chcemy zrobić z naszą willą.

Patrzę na uśpioną twarz mojego wspaniałego mężczyzny; tak bardzo chcę go pocałować. Muskam wargami jego usta, leciutko, ale nawet przez sen jego ramiona obejmują mnie mocniej, tuli mnie do siebie tak blisko, że bliżej już się nie da. Nozdrza wypełnia mi zapach jego skóry, głaszczę jego gładkie ciało; kocham go tak bardzo, że najchętniej nigdy nie wypuściłabym go z objęć. Całuję go jeszcze raz, aż budzi się i odwzajemnia pocałunek.

Chcę, byście tę moją historię widzieli jak mini-film o moim życiu, film z muzyką Paola Conte i piosenką Marca Anthony'ego, która stała się moją piosenką. *Zakochać się na zabój.* Uwielbiam ten kawałek i mam nadzieję, że zawsze będzie ze mną, z nami – do końca naszego życia.

A co zrobimy z willą? Czy spróbujemy jej przywrócić dawną świetność i zamienimy w hotel? Cóż, to już zupełnie inna historia.

Wiem, że ktoś już to kiedyś powiedział, ale tu, w Bella Piacere, życie jest piękne.